AUSWAHL DEUTSCHER
ESSAYS

AUSWAHL DEUTSCHER ESSAYS

VON SCHOPENHAUER BIS FRISCH

DANIEL COOGAN
BROOKLYN COLLEGE

AND

EDMUND P. KURZ
QUEENS COLLEGE

NEW YORK
APPLETON-CENTURY-CROFTS
DIVISION OF MEREDITH PUBLISHING COMPANY

Acknowledgements

C. H. BECK'SCHE VERLAGSBUCHHANDLUNG, Munich and Berlin, Germany, for permission to reprint "Die Schuld der Philosophie an dem Niedergang der Kultur," from Albert Schweitzer, *Verfall und Wiederaufbau der Kultur* (1923), pp. 1-8; and "Begriff des Preußentums," from Oswald Spengler, "Preußentum und Sozialismus," in *Politische Schriften* (Volksausgabe, 1933), pp. 29-44.

F. A. BROCKHAUS, Wiesbaden, Germany, for "Aus der Vorgeschichte des 20. Juli 1944," aus 'Die deutsche Katastrophe' von Friedrich Meinecke (4te Auflage, 1949, pp. 143-150); mit Genehmigung des Verlages F. A. Brockhaus, Wiesbaden.

DUNCKER & HUMBLOT VERLAGSBUCHHANDLUNG, Berlin and Frankfurt a.M., Germany, for permission to reprint a selection from Max Weber, *Wissenschaft als Beruf*, 2nd ed., (1921).

EUROPA VERLAG, Zurich, Switzerland, for permission to reprint "Über Relativitätstheorie," from Albert Einstein, *Mein Weltbild*, Ullstein Taschenbücherei #65, pp. 131-134 (Verlag Ullstein GMBH, Frankfurt a.M.); copyright Europa Verlag A. G., Zurich.

S. FISCHER VERLAG, Frankfurt a.M., Germany, for permission to reprint a selection from Sigmund Freud, "Die kulturelle Sexualmoral und die moderne Nervosität," from *Drei Abhandlungen zur Sexualtheorie*, Fischer-Bücherei #422, pp. 120-139, copyright S. Fischer Velag; a selection from "Wilhelm Meister in der Urform," from Hugo von Hofmannsthal, *Gesammelte Werke, Prosa*, Vol. 3 (1952), pp. 70-80, copyright S. Fischer Verlag; and a selection from "Briefwechsel mit Bonn," from Thomas Mann, *Gesammelte Werke*, Vol. 12 (1960), pp. 785-792, copyright S. Fischer Verlag.

INSEL-VELAG ANTON KIPPENBERG, Frankfurt a.M., Germany, for permission to reprint selections from Martin Buber, *Einsichten*, Insel-Bücherei Nr. 573 (1953), pp. 23, 34, 79-81, 82.

Acknowledgements v

KÖSEL VERLAG, Munich, Germany, for permission to reprint "Was ist klassische Kunst?" from Theodor Haecker, *Vergil, Vater des Abendlandes*, 7th ed. (1952), pp. 88-92.

DR. MARTIN NIEMÖLLER, Wiesbaden, Germany, for permission to reprint "Neujahrspredigt, 1937," from *Dennoch getrost, die letzten 28 Predigten des Pfarrers Martin Niemöller, vor seiner Verhaftung, gehalten in den Jahren 1936-1937 in Berlin-Dahlem* (Zollikon, 1937).

R. PIPER & CO. VERLAG, Munich, Germany, and DR. KARL JASPERS for permission to reprint a selection from Karl Jaspers, *Philosophie und Welt* (1958), pp. 21ff.

MRS. GERTRUD SCHOENBERG, Los Angeles, California, for her gracious permission to reprint "Theorielehrer oder Musikmeister," from Arnold Schoenberg, *Harmonielehre* (Universal-Edition AG., Vienna, 1949).

SCHWABE & CO. Verlag, Basel, Switzerland, for permission to reprint "Exakte Versuche im Bereiche der Kunst," in Paul Klee, *Das bildnerische Denken*, Jürg Spiller, ed. (1956), pp. 69-70.

SUHRKAMP VERLAG, Frankfurt a.M., Germany, for permission to reprint "Brief an einen jungen Dichter," in Hermann Hesse, *Briefe* (1959), pp. 68-72, © Copyright Suhrkamp Verlag, Proprietor, Frankfurt am Main, 1959. Reprinted by permission of Suhrkamp Verlag, Frankfurt am Main. Also for permission to reprint "Höflichkeit," from Max Frisch, *Tagebuch 1946-1949*, copyright 1950 by Suhrkamp Verlag, Frankfurt am Main. Reprinted by permission of Suhrkamp Verlag, Frankfurt am Main.

WERKBUND VERLAG, Würzburg, Germany, for permission to reprint "Der Mensch der Neuzeit," from Romano Guardini, *Das Ende der Neuzeit*, 8th ed., pp. 82-88.

RAINER WUNDERLICH VERLAG HERMANN LEINS, Tübingen, Germany, for permission to reprint "Ein Mahnmal," from Theodor Heuß, *Würdigungen: Reden und Aufsätze aus den Jahren 1949-1955*, pp. 400-407; and "Überblick," an introduction to Ricarda Huch, *Die Romantik*.

Preface

This book is intended to acquaint college students with significant examples of nonfictional German prose published within the last hundred years. The collection contains letters, speeches, and one sermon, as well as essays in the humanities, the social sciences, and the physical sciences. All selections are unaltered, and most are unabridged. Wherever abridgment has been made, the character and spirit of the original have been retained as far as possible.

The choice of the material was governed by the following criteria: (1) eminence: in the great majority of cases the authors of the essays are persons of real distinction; (2) range: the variety of the selections covers many different fields, but each one is of interest to the general reader; and (3) style: all the passages selected represent a high level of stylistic competence.

The readings are arranged according to the date of birth of the authors. Some of them are suitable for students at the early intermediate level; others are for more advanced students.

We should like to acknowledge our indebtedness to the various individuals and publishers mentioned on the copyright page for their permission to reprint most of the selections in this book.

We are also grateful to Mrs. May Bayer for assistance in typing the notes, and to Miss Miriam Gottdank for her help in the preparation of the vocabulary. Professor Louis Heil of Brooklyn College furnished invaluable aid by extending to us the opportunity to use the college's computer services for the alphabetization of the vocabulary.

D.C.
E.P.K.

Contents

Contents

Arthur Schopenhauer
(1788-1860)

Arthur Schopenhauer was born in Danzig on February 22, 1788, the son of a wealthy merchant. He lived in Danzig and later in Hamburg, spending considerable time with both French and English families in order to learn the languages. His father's suicide in 1805 released Schopenhauer from the bondage of a business career. His mother, an intellectual and a novelist, moved to Weimar, where her salon was distinguished by the patronage of Goethe. Schopenhauer studied at the Universities of Göttingen, Berlin, and Jena, completing his doctorate in 1813. Five years later he published his basic work, *Die Welt als Wille und Vorstellung*, in which he set forth the principle that all things are manifestations of will, and that since life is miserable, man's objective should be to eliminate the will. A brief spell as lecturer at the University of Berlin brought him neither glory nor satisfaction, and from 1831 until his death he lived as a recluse in Frankfurt-am-Main, busy with his writing and rejecting human company. He died on September 21, 1860.

His pessimistic philosophy influenced many later philosophers and men of letters. Among the latter was Thomas Mann, whose first hero, Thomas Buddenbrook, experiences a complete change of life as a result of his study of Schopenhauer's work. Nietzsche's philosophy was based in part upon Schopenhauer's, and the influence of his pessimism is likewise discernible in the writings of Freud.

Photo Frederic Lewis; by permission of The Bettman Archive

ÜBER SCHRIFTSTELLEREI UND STIL

Zuvörderst gibt es zweierlei Schriftsteller: solche, die der Sache wegen, und solche, die des Schreibens wegen schreiben. Jene haben Gedanken gehabt, oder Erfahrungen gemacht, die ihnen mitteilenswert scheinen; diese brauchen Geld, und deshalb schreiben sie, für Geld. Sie denken zum Behuf des Schreibens. Man erkennt sie daran, daß sie ihre Gedanken möglichst lang ausspinnen und auch halbwahre, schiefe, forcierte und schwankende Gedanken ausführen, auch meistens das Helldunkel lieben, um zu scheinen was sie nicht sind; weshalb ihrem Schreiben Bestimmtheit und

völle Deutlichkeit abgeht.[1] Man kann daher bald merken, daß sie
um Papier zu füllen schreiben: bei unsern besten Schriftstellern
kann man es [2] mitunter: zum Beispiel stellenweise in Lessings [3]
Dramaturgie [4] und sogar in manchen Romanen Jean Pauls.[5] Sobald
5 man es merkt, soll man das Buch wegwerfen: denn die Zeit ist edel.
Im Grunde aber betrügt der Autor den Leser, sobald er schreibt, um
Papier zu füllen; denn sein Vorgeben ist, zu schreiben, weil er
etwas mitzuteilen hat. Honorar und Verbot des Nachdrucks sind
im Grunde der Verderb der Literatur. Schreibenwertes schreibt nur
10 wer ganz allein der Sache wegen schreibt. Welch ein unschätzbarer
Gewinn würde es sein, wenn, in allen Fächern einer Literatur,
nur wenige, aber vortreffliche Bücher existierten. Dahin aber kann
es nie kommen, so lange Honorar zu verdienen ist. Denn es ist, als
ob ein Fluch auf dem Gelde läge: jeder Schriftsteller wird schlecht,
15 sobald er irgend des Gewinnes wegen schreibt. Die vortrefflichsten
Werke der großen Männer sind alle aus der Zeit, als sie noch
umsonst, oder für ein sehr geringes Honorar schreiben mußten.
Der ganze Jammer der heutigen Literatur in und außer Deutschland hat zur Wurzel das Geldverdienen durch Bücherschreiben.
20 Jeder, der Geld braucht, setzt sich hin und schreibt ein Buch, und
das Publikum ist so dumm, es zu kaufen. Die sekundäre Folge
davon ist der Verderb der Sprache.
   Eine große Menge schlechter Schriftsteller lebt allein von der
Narrheit des Publikums, nichts lesen zu wollen, als was heute
25 gedruckt ist:—die Journalisten. Treffend benannt! Verdeutscht
würde es heißen „Tagelöhner."
   Wiederum kann man sagen, es gebe dreierlei Autoren, erstlich
solche, welche schreiben, ohne zu denken. Sie schreiben aus dem
Gedächtnis, aus Reminiszenzen, oder gar unmittelbar aus fremden
30 Büchern. Die Klasse ist die zahlreichste.—Zweitens solche, die

---

[1] **abgeht**   are lacking; *There are two subjects* (**Bestimmtheit und Deutlichkeit**), *but the verb is singular because the two subjects are so closely
related.*

[2] **es**   *i.e.,* **merken.**

[3] **Lessing**   *Gotthold Ephraim Lessing (1729-1781) eminent German critic
and dramatist, principal literary figure of the German Enlightenment.*

[4] **Dramaturgie**   *Hamburgische Dramaturgie, important critical work of
Lessing's on the theater.*

[5] **Jean Paul**   *Pseudonym for Jean Paul Friedrich Richter (1763-1825),
German novelist, author of rambling and digressive, but charming and
once popular novels.*

während des Schreibens denken. Sie denken um zu schreiben. Sind
sehr häufig.—Drittens solche, die gedacht haben, ehe sie ans
Schreiben gingen. Sie schreiben bloß, weil sie gedacht haben.
Sind selten.

Jener Schriftsteller der zweiten Art, der das Denken bis zum 5
Schreiben aufschiebt, ist dem Jäger zu vergleichen, der aufs Geratewohl ausgeht: [6] er wird schwerlich sehr viel nach Hause bringen.
Hingegen wird das Schreiben des Schriftstellers der dritten, seltenen
Art, einer Treibjagd [7] gleichen, als zu welcher das Wild zum
voraus eingefangen und eingepfercht worden, um nachher haufen- 10
weise aus solchem Behältnisse herauszuströmen in einen andern
ebenfalls umzäunten Raum, wo es dem Jäger nicht entgehen kann;
sodaß er jetzt es bloß mit dem Zielen und Schießen (der Darstellung)
zu tun hat. Dies ist die Jagd, welche etwas abwirft.

Nur wer bei dem, was er schreibt, den Stoff unmittelbar aus 15
seinem eigenen Kopfe nimmt, ist wert, daß man ihn lese. Aber
Büchermacher, Kompendienschreiber, gewöhnliche Historiker
u.a.m. nehmen den Stoff unmittelbar aus Büchern; aus diesen geht
er in die Finger, ohne im Kopf auch nur Transitozoll und Visitation, [8]
geschweige Bearbeitung, erlitten zu haben. 20

(Wie gelehrt wäre nicht mancher, wenn er alles das wüßte,
was in seinen eigenen Büchern steht!) Daher hat ihr Gerede oft
so unbestimmten Sinn, daß man vergeblich sich den Kopf zerbricht,
herauszubringen, was sie denn am Ende denken. Sie denken eben
gar nicht. Das Buch, aus dem sie abschreiben, ist bisweilen eben 25
so verfaßt: also ist es mit dieser Schriftstellerei, wie mit Gipsab-
drücken von Abdrücken von Abdrücken u.s.f., wobei am Ende
der Antinous [9] zum kaum kenntlichen Umriß eines Gesichtes wird.
Daher soll man Kompilatoren möglichst selten lesen: denn es ganz
zu vermeiden ist schwer; indem sogar die Kompendien, welche 30
das im Laufe vieler Jahrhunderte zusammengebrachte Wissen im
engen Raum enthalten, zu den Kompilationen gehören.

Kein größerer Irrtum, als zu glauben, daß das zuletzt ge-

---

[6] **der aufs . . . ausgeht**   who seeks game at random
[7] **Treibjagd**   A hunt in which game is driven from cover to be slaughtered by sportsmen.
[8] **Tranzitozoll und Visitation**   transit duty and inspection
[9] **Antinous**   Handsome youth of Bithynia, deified by Emperor Hadrian in 130 A.D.; ideal type of youthful beauty.

sprochene Wort stets das richtigere, jedes später Geschriebene eine Verbesserung des früher Geschriebenen und jede Veränderung ein Fortschritt sei. Die denkenden Köpfe, die Menschen von richtigem Urteil und die Leute, denen es Ernst mit der Sache ist, sind

5 alle nur Ausnahmen; die Regel ist überall in der Welt das Geschmeiß: und dieses ist stets bei der Hand und emsig bemüht, das von jenen nach reiflicher Überlegung Gesagte auf seine Weise zu verschlimmbessern.[10] Daher hüte sich wer über einen Gegenstand sich belehren will, sogleich nur nach den neuesten Büchern

10 darüber zu greifen, in der Voraussehung, daß die Wissenschaften immer fortschreiten, und daß bei Abfassung derselben die ältern benutzt worden seien. Das sind sie wohl; aber wie? Der Schreiber versteht oft die älteren nicht gründlich, will dabei doch nicht geradezu ihre Worte gebrauchen, verballhornt und verhunzt[11]

15 daher das von ihnen sehr viel besser und deutlicher Gesagte; da sie aus eigener und lebendiger Sachkenntnis geschrieben haben. Oft läßt er das Beste, was sie herausgebracht haben, ihre treffendsten Erklärungen der Sache, ihre glücklichsten Bemerkungen, wieder fallen; weil er deren Wert nicht erkennt, das Prägnante derselben

20 nicht fühlt. Ihm ist nur das Platte und Seichte homogen.—Schon oft ist ein älteres, vortreffliches Buch durch neuere, schlechtere, des Geldes wegen abgefaßte, aber pretentiös auftretende und durch die Kameraden angepriesene verdrängt worden. In den Wissenschaften will Jeder, um sich geltend zu machen, etwas Neues zu

25 Markte bringen. Dies besteht oft bloß darin, daß er das bisher geltende Richtige umstößt, um seine Flausen an die Stelle zu setzen: bisweilen gelingt es auf kurze Zeit, und dann kehrt man zum alten Richtigen zurück. Daher ist oft der Gang der Wissenschaften ein retrograder.—Hieher gehören auch die Übersetzer,

30 welche ihren Autor zugleich berichtigen und bearbeiten; welches mir stets impertinent vorkommt. Schreibe du selbst Bücher, welche des Übersetzens wert sind und laß' Anderer Werke wie sie sind.— Man lese also, wo möglich, die eigentlichen Urheber, Begründer und Erfinder der Sachen, oder wenigstens die anerkannten großen

35 Meister des Fachs, und kaufe lieber die Bücher aus zweiter Hand,

---

10 **verschlimm-bessern** *Contraction of* **verschlimmern** *and* **verbessern;** *i.e., to improve by making it worse.*

11 **verballhornt und verhunzt** *Make sham improvements and botches.*

als ihren Inhalt. Im Ganzen also gilt hier, wie überall, diese Regel: das Neue ist selten das Gute; weil das Gute nur kurze Zeit das Neue ist.

Fragen

1. Welche zwei Arten von Schriftstellern nennt der Verfasser zuerst?
2. Was merkt man oft, auch bei den besten Schriftstellern?
3. Was hindert die Literatur am meisten?
4. Welche allgemeine Narrheit ist für die Existenz der Journalisten verantwortlich?
5. Wie unterscheiden sich die Schriftsteller nach dem Verhältnis zwischen Denken und Schreiben?
6. Welche Art Schriftsteller ist allein lesenswert?
7. Warum sollte man Kompilationen nur selten lesen?
8. Welchen großen Fehler machen diejenigen, die immer das Neueste lesen wollen?
9. Wie erklärt sich die angebliche Tatsache, daß der Gang der Wissenschaften retrograd ist?
10. Was für Bücher sollte man schreiben?
11. Warum ist das Neue selten das Gute?

Theodor Mommsen
(1817-1903)

The great historian and archeologist Theodor Mommsen was one of a trio of brothers celebrated in the annals of German scholarship. He was born in Schleswig, at that time a province of Denmark. On a trip to Italy financed by the Danish government, he began the study of ancient Roman inscriptions, which he continued under grants from both the French and the Prussian governments. Publication, in 1852, of his research within the Kingdom of Naples established his reputation as the leading authority in this field. In the meantime he had assumed a professorship in Leipzig. Exiled for political activity in 1848, he found asylum and employment in Zurich, where he continued to teach and do research in his chosen field. His masterpiece, *Römische Geschichte*, appeared in Switzerland between 1854 and 1856. It is a work of three volumes, ending with the dictatorship and assassination of Julius Caesar. The chief merit of this monumental work lies in the vigor and skill with which he describes the great political struggle whose outcome was the fall of the Roman Republic. The book ends with a striking characterization of Julius Caesar, Mommsen's true hero and perfect man.

After this he was occupied with the editorship of the *Corpus Inscriptionum*, with studies of Roman coinage and chronology, with Roman civil and criminal law, and related matters. He had a continuing and vital interest in German political problems, of which the following essay is a sample.

In 1902 he won the Nobel prize for literature.

AUCH EIN WORT
ÜBER UNSER JUDENTUM *Judaism*

In dem Charivari,[1] welches jetzt zum Befremden der übrigen
gebildeten Welt in Deutschland über die Judenfrage sich erhoben
hat und zu dessen Mißklängen der Pöbel auf beiden Seiten nach
Vermögen beisteuert, wird es kaum möglich sein, daß eine einzelne
Stimme sich Gehör verschafft;[2] die Aussicht, das Unwesen auch 5
nur zu mindern erscheint selbst dann gering, wenn man es über

[1] **Charivari**   infernal row, hullabaloo
[2] **sich Gehör verschafft**   attracts attention

8

sich gewinnt zu glauben, daß die Agitation nicht zugleich eine
Machination ist. Ich bin es zufrieden, wenn die wenigen Worte,
die ich zu sagen beabsichtige, denjenigen Antwort geben, die es
etwa interessieren mag zu erfahren, wie ich über diese Angelegen-
5 heit urteile. Sie scheidet viele sonst gut und lange Verbündete,
und Scheiden tut weh. Vielleicht gelangt das Wort der Verständigung, welches als allgemeines verhallen wird, doch als persönliches
hier und da an das Ziel.

Unserer Generation ist es beschieden gewesen, was die Ge-
10 schichte nur von wenigen zu sagen vermag, daß die großen Ziele,
die wir, als wir zu denken begannen, vor uns fanden, jetzt von
unserer Nation erreicht sind. Wer noch die Zeit gekannt hat der
Ständeversammlungen [3] mit beratender Stimme und des Deutschlands, das höchstens auf der Landkarte einerlei Farbe hatte,[4] dem
15 wird unser Reichstag und unsere Reichsfahne um keinen Preis zu
teuer sein, mag immer kommen was da will, und es kann noch vieles
kommen. Aber es gehört fester Mut und weiter Blick dazu, um
dieses Glückes froh zu werden. Die nächsten Folgen erinnern
allerdings an den Spruch, daß das Schicksal die Menschen straft
20 durch die Erfüllung ihrer Wünsche. In dem werdenden Deutschland fragte man, wie es gemeinsam Fechtenden geziemt, nicht nach
konfessionellen und Stammesverschiedenheiten, nicht nach dem
Interessengegensatz des Landmanns und des Städters, des Kauf-
manns und des Industriellen; in dem gewordenen tobt ein Krieg
25 aller gegen alle und werden wir bald so weit sein, daß als vollbe-
rechtigter Bürger nur derjenige gilt, der erstens seine Herstammung
zurückzuführen vermag auf einen der drei Söhne des Mannus,[5]
zweitens das Evangelium so bekennt, wie der Pastor collocutus es
auslegt,[6] und drittens sich aufweist als erfahren im Pflügen und
30 Säen.[7] Neben dem längst ausgebrochenen konfessionellen Krieg,

---

[3] **Ständeversammlungen** *Until 1806 the German Diet (Reichstag) was
composed of a membership representing largely privileged social and
economic groups.*

[4] *The German Empire did not achieve political unification until 1871.*

[5] **drei Söhne des Mannus** *Mannus was the son of the Germanic god
Tuisto; Mannus' three sons Ingo, Hermin and Istvo gave their names to
the three main Germanic tribes.*

[6] **wie . . . auslegt** *as the pastor interprets it in his sermon; i.e., according to orthodox (Protestant) theology*

[7] **erfahren . . . Säen** *i.e., as a farmer*

dem sogenannten Kulturkampf,[8] und dem neuerdings entfachten
Bürgerkrieg des Geldbeutels,[9] tritt nun als drittes ins Leben die
Mißgeburt des nationalen Gefühls, der Feldzug der Antisemiten.
Wir älteren Männer, deren ganzes Wollen und Hoffen eben
in dem nationalen Gedanken aufgegangen ist, stehen diesem Treiben   5
gegenüber vor allen Dingen mit der doppelten Empfindung, teils,
daß wieder einmal Saturnus seine Kinder frißt,[10] teils, daß diese
Evolution, wie alle rückläufigen Bewegungen der Dinge, eines der
retardierenden Momente ist, in denen die Geschichte gerade ebenso
sich bewegt wie der Roman, und die schließlich an den Dingen   10
nichts ändern. Das hindert aber nicht, daß sie an Personen und
Interessen schweren Schaden stiften, und gibt uns nicht das Recht,
diesem selbstmörderischen Treiben des Nationalgefühls schweigend
zuzuschauen.

Die deutsche Nation ruht, darüber sind wir wohl alle einig,   15
auf dem Zusammenhalten und in gewissem Sinn dem Verschmelzen
der verschiedenen deutschen Stämme. Eben darum sind wir
Deutsche, weil der Sachse oder der Schwabe auch den Rheinländer
und den Pommern[11] als Seinesgleichen gelten läßt, das heißt als
vollständig gleich, nicht bloß in bürgerlichen Rechten und Pflichten,   20
sondern auch im persönlichen und geselligen Verkehr. Wir mögen
den sogenannten engeren Landsleuten noch eine nähere Sympathie
entgegentragen, manche Erinnerung und manches Gefühl mit
ihnen teilen, das außerhalb dieses Kreises keinen Widerhall findet;
die Empfindung der großen Zusammengehörigkeit hat die Nation   25

---

[8] **Kulturkampf**   *From 1872 until 1886 the German Imperial Government
and the Catholic Church were engaged in a serious conflict, chiefly over
the control of educational and ecclesiastical appointments. To this conflict
the name* **Kulturkampf** *was given.*

[9] **dem . . . Geldbeutels**   *The period following the formation of the
German Empire (1871) was marked by a ruthless drive for economic expansion and by general affluence.*

[10] **Saturnus . . . frißt**   *Saturn was at the same time the god of agri-
cultural prosperity and plenty, whose reign was joyful and benign, and
the Roman equivalent of the Greek Kronos, who devoured his children.
The same phrase is used in Georg Büchner's play* **Dantons Tod,** *I,v:
"Ich weiß wohl—die Revolution ist wie Saturn, sie frißt ihre eignen
Kinder." The implication seems to be that despite the good accomplished
by political change, such a change can go too far and become destructive.*

[11] **der Sachse . . . Pommern**   *The Saxons, Swabians, Rhinelanders, and
Pomeranians were inhabitants of various important geographical areas
(formerly independent states) within the German Empire.*

geschaffen und es würde aus mit ihr sein, wenn die verschiedenen Stämme je anfangen sollten sich gegeneinander als Fremde zu fühlen. Wir verhehlen uns die Verschiedenheit nicht; aber wer recht fühlt, der erfreut sich derselben, weil die vielfachen Ziele
5 und Verhältnisse des Großstaates den Menschen in seiner ganzen Mannigfaltigkeit fordern und die Fülle der in unser großes und schicksalvolles Volk gelegten Gaben und der ihm aufgelegten Verpflichtungen von keinem einzelnen Stamm ganz entwickelt und ganz gelöst werden kann.
10 Inwiefern stehen nun die deutschen Juden anders innerhalb unseres Volkes als die Sachsen oder die Pommern? Es ist richtig, daß sie Nachkommen weder von Istaevo sind noch von Hermino und Ingaevo; [12] und die gemeinschaftliche Abstammung von Vater Noah genügt freilich nicht, wenn die germanische Ahnenprobe den
15 Deutschen macht. Allerdings wird von der deutschen Nation noch allerlei mehr abfallen als die Kinder Israels, wenn ihr heutiger Bestand nach Tacitus' *Germania* [13] durchkorrigiert wird. Herr Quatrefages [14] hat vor Jahren nachgewiesen, daß nur die Mittelstaaten wirklich germanisch seien und *la race prussienne* eine
20 Masse, zu der verkommene Slaven und allerlei anderer Abfall der Menschheit sich vereinigt habe; als späterhin *la race germanique* und *la race prussienne* in den Fall kamen,[15] der großen Nation gemeinschaftlich den Marsch zu machen,[16] ist im Laufen vor beiden kein Unterschied wahrgenommen worden. Wer die Geschichte
25 wirklich kennt, der weiß es, daß die Umwandlung der Nationalität in stufenweisem Fortschreiten und mit zahlreichen und mannigfaltigen Übergängen oft genug vorkommt. Historisch wie praktisch hat eben überall nur der Lebende Recht; so wenig, wie die Nachkommen der französischen Kolonie in Berlin [17] in Deutschland

[12] **Istaevo . . . Hermino . . . Ingaevo** *The three main West Germanic tribes (cf. note 5).*
[13] **Tacitus' Germania** *Cornelius Tacitus (50-116 A.D.) Roman historian who wrote a descriptive account of the German lands and its peoples called Germania (98 A.D.).*
[14] **Herr Quatrefages** *Jean Louis de Quatrefages (1810-1892), French anthropologist.*
[15] **in den Fall kamen** had the opportunity
[16] **der großen Nation . . . zu machen** joined forces to defeat the great nation (*France's defeat by Prussia in 1871*)
[17] *At the time of the persecution of French Protestants in the 17th Century and later during the Revolution, French émigrés settled in Berlin.*

geborene Franzosen sind, so wenig sind ihre jüdischen Mitbürger
etwas anderes als Deutsche.

Fragen

1. Wie stellt sich die übrige Welt zur deutschen Judenfrage?
2. Welchen Zweck verfolgt Mommsen, indem er über diese Frage
   redet?
3. Welches günstige Schicksal ist der jetzigen Generation zuteil
   geworden?
4. Wodurch, nach dem Spruch, straft das Schicksal die Menschen?
5. Welcher Unterschied besteht zwischen dem werdenden und
   dem gewordenen Deutschland?
6. Auf welche Bedingungen wird bald die echte Bürgerschaft
   ankommen?
7. Welche Gefühle erregt der Antisemitismus bei älteren Männern
   wie Mommsen?
8. Worauf ruht die deutsche Nation?
9. Was hat die deutsche Nation geschaffen?
10. Mit welchen anderen deutschen Bürgern vergleicht Mommsen
    die Juden?

Jakob Burckhardt
(1818-1897)

Jakob Burckhardt is no doubt best known as a historian of the Renaissance. He was born in Basel, Switzerland, in 1818, educated there and at Neuchâtel; until he was twenty-one his vocational intention was the Lutheran ministry. After his first visit to Italy in 1838 he devoted himself principally to the study of the Renaissance. From 1845 until 1893, except for three years at Zürich, he was Professor of History at the University of Basel. His three most important books are probably: *Der Cicerone: eine Anleitung zum Genuß der Kunstwerke Italiens* (1855), at one time an indispensable vademecum for every traveller in Italy who was interested in art; *Die Kultur der Renaissance in Italien* (1860); *Die. Geschichte der Renaissance in Italien* (1867).

His insights into the Renaissance period have been a major contribution to historical writing.

The following address was delivered on the hundredth anniversary of the birth of Friedrich Schiller.

Photo Frederic Lewis

Eulogy

GEDÄCHTNISREDE AUF SCHILLER [1]

(Gehalten 9.xi.1859 in Basel [2])

Am Vorabend des Schillerfestes richtet die philosophische Fakultät [3] unserer Universität durch mich ihren Gruß an Sie [4] und heißt Sie hier festlich willkommen.

[1] **Schiller**   *Friedrich Schiller (1759-1805) German poet and dramatist, second in greatness only to Goethe. He was particularly admired by the Swiss for his drama* **Wilhelm Tell** *(1804), a play about the Swiss national hero.*

[2] **Basel**   *Swiss city on the Rhine; its university was founded in 1460.*

[3] **Fakultät**   *European universities have four "faculties": theology, law, medicine, and philosophy (which includes all subjects except theology, law and medicine).*

[4] **Sie**   *The delegates to the Schiller centennial observance.*

14

Gehören doch [5] die Abendstunden dieser Tage überall seinem [6] großen Andenken, und wo irgend Deutsche beisammen sind, werden sie jetzt seinen Namen feiern, und ein Häuflein Schweizer wird sich beigesellen, zu Melbourne in Australien wie zu Valparaiso am
5 Stillen Ozean. Freilich, was bei uns Abend heißt, mag dort noch oder schon Morgen sein; auf den Schwingen der erdumwandelnden Stunden nach dem wechselnden Meridian zieht die Feier um die Welt.

Denn sein Name ist unsterblich.
10 Hat Schiller diesen Ruhm ersehnt? Die Antwort erteilt eine Strophe aus dem *Siegesfest:* [7]

> Dem Erzeuger jetzt, dem großen,
> Gießt Neoptolem [8] des Weins:
> Unter allen irdschen Losen,
15   Hoher Vater, preis ich deins.
> Von des Lebens Gütern allen
> Ist der Ruhm das höchste doch;
> Wenn der Leib in Staub zerfallen,
> Lebt der große Name noch.

20 Und dieser Ruhm, den der Dichter schon bei Lebzeiten genoß, wird ihm bleiben bis ans Ende der deutschen Nation, weil er nicht bloß auf ästhetischer Bewunderung beruht, sondern auf einem tiefen Einklang mit dem Seelenleben, lange nicht bloß der Deutschen, sondern aller Nationen. Darin ist er einzig unter den neuern
25 Dichtern, ohne daß er darum „der Größte" zu sein braucht. Er würde mancher Überschwenglichkeiten lächeln, wenn er hören könnte, wie man ihn über andere setzt; ihm und seiner hohen Art anzuschauen war es gewiß am allerklarsten, wie die großen Dichter aller Zeiten einander ergänzen, nicht weil einer absolut größer ist
30 als der andere, sondern weil jeder seine eigene Art hat.

Aber jene Eigenschaft gehört doch zu den segensvollsten; es ist die angeborene und ausgebildete Begeisterung für das Gute und

---

5 **doch**   *indeed; The presence of* **doch** *in a sentence permits inversions of the verb and subject; when used thus,* **doch** *strengthens the force of the statement.*

6 **seinem**   *i.e., Schiller's*

7 *Siegesfest*   *A poem by Schiller published in 1803, about the end of the Trojan War.*

8 **Neoptolem**   *Neoptolemus, son of Achilles* **(Dem Erzeuger)**

Rechte, beruhend auf einem völlig idealen Naturell; es will vor allem dieser Begeisterung dienen. Doch das große Bild der Welt, das er wie alle echten Dichter aus sich heraus ans Licht zu fördern hat, enthält ja viele Einzelteile, wo, wie man annehmen sollte, diese Eigenschaft sich nicht zeigen kann, zum Beispiel in der Schilderung 5 des äußern Daseins, der Natur, in Scherz und Genuß. Aber sie zeigt sich doch; aus dem untergeordneten Bild errät man den reinen Blick, der es schaute, die feste Hand, die es zeichnete, mit andern Worten den Menschen Schiller immer heraus! Und dann der negative Nachweis: es sind keine Gedichte aus seiner reifen Zeit da, 10 welche jener sichern Begeisterung widersprächen.

Seine Jugend fällt in die sogenannte Sturm- und Drang-Periode[9] mit ihrem unbändigen Sichvordrängen der Empfindung tale quale,[10] die bei größter Heftigkeit doch sehr arm an Gestaltung sein konnte und sich in Ermangelung wahren Ausdrucks dem 15 Ungeheuerlichen überließ. Und doch, schon in seinen frühesten lyrischen Gedichten und Dramen dringt jene wahre Begeisterung oft so siegreich durch. Mitten aus wilden, manierierten und unreifen Gesängen, Wellenschlägen zwischen Klopstock[11] und Schubart,[12] erhebt sich stellenweise strahlend die ideale Natur und findet den 20 echten Liedesklang, wie in „Hektors Abschied".[13] Seine Jugendliebe schmiegt sich an die höchsten, obwohl wunderlich gärenden Gedanken von Gott und Unsterblichkeit. Er wird melancholisch, aber nie zerrissen-interessant, mißhandelt und höhnt den Leser nie.

Seine frühen Dramen, *Räuber, Fiesko, Kabale und Liebe*,[14] 25 mußten Tendenzstücke sein, eben weil der Dichter sein Ideal vom Guten und Rechten an die phantastisch gesteigerte Wirklichkeit hielt. Eine Läuterung der Erfindung und des Stils läßt sich in den

[9] **Sturm- and Drang-Periode**   *Literary movement in Germany (1773-1784), of which Schiller and Goethe were the leading spirits. It was a precursor of Romanticism, which it closely resembled.*
[10] **tale quale**   (*Latin*) *such as it was*
[11] **Klopstock**   *Friedrich Klopstock (1724-1803) lyric poet, idol of the* **Sturm-und-Drang** *poets.*
[12] **Schubart**   *Christian Friedrich Daniel Schubart (1739-1791), popular Swabian poet whose 10 years' imprisonment served as a battle-cry to the* **Sturm-und-Drang** *writers.*
[13] **Hektors Abschied**   *Early poem of Schiller (1780) based on* **Iliad VI.**
[14] **Räuber . . . Kabale und Liebe**   *Schiller's first three plays in prose (1781-1784), and the most brilliant plays of the* **Sturm-und-Drang** *period.*

drei Dramen nicht verkennen. Dann, seit 1785, folgt auch Schillers
Stil seiner Gesinnung und ersteigt in Lyrik und Drama eine höhere
Stufe. Das erste Drama des idealen Stils ist *Don Carlos*.[15] Mit
voller mächtiger Absicht schafft er den Posa: [16] „Seine Neigung war
5 die Welt mit allen kommenden Geschlechtern." Alles an dieser
Erscheinung ist unhistorisch und a priori unmöglich, und dennoch
ist dieser Posa in der Entwicklung der deutschen Poesie und Gefühlswelt unentbehrlich, man darf wohl sagen, dieser Kosmopolit
ist die nationalste Figur der deutschen Literatur. In der Lyrik ist
10 für diese Epoche bezeichnend das Lied *An die Freude*.[17] Es hält
die logische Prüfung nicht aus, es ist ein Rausch; aber keine Literatur
der Welt besitzt wohl etwas Ähnliches. Und ein zweites char-
akteristisches Werk dieser Jahre sind *Die Götter Griechenlands*,[18]
die man ja nicht allzu dogmatisch nehmen darf, auch nicht das

15   Einen zu bereichern unter allen
            Mußte diese Götterwelt vergehn!—

denn von vor- wie von nachher gibt es die deutlichsten Aussagen
über Schillers Monotheismus. Als drittes ist in dieser Reihe zu
nennen sein Programm über die Bestimmung der Poesie auf Erden:
20 *Die Künstler*.[19] Es ist wohl das höchste Programm, das je aufgestellt
worden ist. Man darf das Gedicht neben seinen philosophischen
Schriften und den *Briefen über Don Carlos* [20] nennen als den
stärksten Beweis für seine Gewissenhaftigkeit im Fache.
        Fortan steht er einzig unter allen lyrischen Dichtern, weil er
25 mit starkem, geläutertem Willen wesentlich entsagt der Verewigung
des einzelnen Momentes, der einzelnen Situation (hierin sind vor

[15] **Don Carlos**   *Schiller's first verse play (1787), whose theme is freedom
of conscience.*
[16] **Posa**   *The leading spokesman for Schiller's ideals in* **Don Carlos.**
[17] *Lied an die Freude*   *Exuberantly happy ode (1785) from one of the
brief periods of Schiller's well-being. Part of this poem was used by
Beethoven as the text for the choral movement of his 9th Symphony.*
[18] *Die Götter Griechenlands*   *Long philosophic poem of Schiller (1788).*
[19] *die Künstler*   *Very long (480 lines) philosophic poem (1789).*
[20] *Briefe über Don Carlos*   *Critical letters published in a periodical
about 1790.*

allem groß Properz,[21] Ovid,[22] Byron,[23] Victor Hugo,[24] Goethe [25]).
Schiller verewigt das Ganze einer Empfindung in der edelsten und
gewaltigsten Stilform. Fortan sammelt er alle Strahlen des Gefühls
vollständig, so daß er trotz der Allgemeingültigkeit seiner Gedichte
doch so ergreift, wie nur das Momentane irgend kann. Tausende 5
haben schöne Liebeslieder gedichtet, nur er *die Würde der Frauen*,[26]
nur er das Allgemeine der Sehnsucht: *Ach, aus dieses Tales
Gründen*,[27] nur er das Allgemeine der edel-heitern gesellschaftlichen
Stimmung: *Und so finden wir uns wieder*,[28] nur er die Erscheinung
der Poesie im Leben in dem *Mädchen aus der Fremde* [29] und ihre 10
Herrschaft in der *Macht des Gesanges*.[30] Endlich konnte nur er
sich zu jenen kurzen, ergreifenden Programmen sammeln: *Hoffnung,
Worte des Glaubens, Worte des Wahns*.[31]

Von dieser zentralen Eigenschaft aus wählt Schiller auch seine
Balladenstoffe, und von diesem Gesichtspunkt aus behandelt er sie. 15
Er nimmt nicht die erste beste Sage, die einen poetisch-fremdartigen
Schimmer hat und in Prosa schöner ist als in Versen. Er wählt
vielmehr lauter Gegenstände, wo ein großer, menschlich bedeu-
tender Inhalt in der Erzählung voll aufging. So handeln *die
Kraniche* [32] von der Rache der Götter an den Mördern des Dichters, 20
die Bürgschaft [33] besingt die siegreiche Macht der Treue, *der Kampf
mit dem Drachen* [34] verherrlicht das gemeinsame Ideal von Helden-

---

[21] **Properz**   *Propertius (49-15 B.C.), Roman elegiac poet.*
[22] **Ovid**   *Ovid (43 B.C.-17 A.D.), Roman poet.*
[23] **Byron**   *George Gordon, Lord Byron (1788-1824), English Romantic
poet.*
[24] **Victor Hugo**   *French Romantic novelist, dramatist and poet (1802-
1885).*
[25] **Goethe**   *Johann Wolfgang von Goethe (1749-1832), Germany's supreme
literary genius, author of* **Faust**, **Wilhelm Meister**, *and many other works.*
[26] **Würde der Frauen**   *Schiller's poem (1795).*
[27] **Ach . . . Gründen**   *First line of Schiller's* **Sehnsucht** *(1801).*
[28] **Und . . . wieder**   *First line of* **Die Gunst des Augenblicks** *(1802).*
[29] **Mädchen . . . Fremde**   *Short ballad (1796).*
[30] **Macht des Gesanges**   *Short philosophic poem (1795).*
[31] **Hoffnung . . . Wahns**   *Three important short philosophic poems
(1797, 1797, 1799).*
[32] **Kraniche**   *In Schiller's ballad* **Die Kraniche des Ibykus** *(1797) a
murderer is revealed by the reappearance of cranes who witnessed the
murder.*
[33] **die Bürgschaft**   *Ballad (1797).*
[34] **der . . . Drachen**   *Ballad (1798).*

mut und Gehorsam, *der Gang zum Eisenhammer*[35] macht den
göttlichen Schutz über die Unschuld anschaulich.—Endlich hat
er geistige Bilder des ganzen Lebens und seiner höchsten Ursachen
und Zusammenhänge in großen künstlerischen Formen entworfen:
5 *die Glocke*,[36] worin das Bürgertum sich erkennt; den *Spaziergang*,[37]
eine kunstreiche Verflechtung von Landschaft und Menschenleben;
das Eleusische Fest,[38] den Ursprung von Gesellschaft und Sitte
unter dem Segen der Götter.

Derselbe ideale Geist offenbart sich merkwürdig in den Dramen
10 der reifsten Zeit, *Maria Stuart, Jungfrau von Orleans, Braut von
Messina, Wallenstein, Tell*.[39] Unser Maßstab stammt heute wesentlich von Shakespeare her. Dieser schildert die leichte Oberfläche,
die leidenschaftliche Mitte und die Abgrundtiefe des menschlichen
Wesens; er erkennt die Welt als eine gemischte zwischen Wahr-
15 heit und Lüge; Gutes und Böses ist bei ihm nur bedingt vorhanden;
über beiden stehen die geheimsten geistigen Lineamente, der
besondere innere Kern jedes Charakters; seine Personen handeln
mit solcher Notwendigkeit nach ihrem Wesen, daß man die
Menschen selber zu sehen glaubt; da entsteht endlich auch der
20 wunderbar gemischte, sich selber rätselhafte und dem Zuschauer
durchsichtige Charakter: Hamlet. Bei Schiller sind gerade in der
reiferen Zeit alle Charaktere ursprünglich gut; sie haben nicht ein
angeborenes fatalistisches Recht, nach ihrem Wesen zu handeln, wie
bei Shakespeare. Auch beiden Widersachern der idealen Char-
25 aktere erklärt Schiller, warum sie so geworden sind. Die Teufel a
priori, Franz Moor,[40] Sekretär Wurm,[41] kommen nur in seinen
Jugenddramen vor. Dagegen kann Elisabeth noch immer neben
Maria Stuart[42] bestehen, Octavio Piccolomini neben seinem Sohne

---

[35] *Gang . . . Eisenhammer*   *Ballad (1797).*
[36] *Glocke   Das Lied von der Glocke (1799), Schiller's longest and best
loved poem.*
[37] *Spaziergang   Philosophic poem on nature and culture (1795).*
[38] *Eleusische Fest   Choral ode (1798).*
[39] *Maria . . . Tell   Schiller's five last and greatest plays (1799-1804).*
[40] **Franz Moor**   *The villain of Schiller's first play* **die Räuber** *(1781).*
[41] **Sekretär Wurm**   *One of the villains of Schiller's third play,* **Kabale und
Liebe** *(1784).*
[42] **Elisabeth . . . Maria Stuart**   *Elizabeth, queen of England (1533-1603),
opponent of Mary, queen of Scots, in Schiller's* **Maria Stuart** *(1801).*

und Oberst Buttler neben Wallenstein.[43] Selbst auf Geßler ruht
noch ein letzter Abglanz dieser Art, sonst dürfte Harras [44] ihm
keine Vorstellungen machen.

Woher dies? Gewiß nicht aus Armut der Phantasie, auch nicht
aus weichlichem Widerwillen gegen das Zeichnen von Schurken 5
und Verbrechern, sondern Schiller hielt die menschliche Natur für
gut. Alles Tun und Denken der Wichtigsten und Größten dieser
Humanitätsperiode ging von dieser Voraussetzung aus, und die
Französische Revolution begann ausdrücklich damit. Sie konnten
Großes, weil sie Großes hofften. Daher sind diese Dramen allerdings 10
nicht das Vollkommenste in ihrer Gattung; aber die Menschheit
wird um so lieber ewig ihr Bild darin erkennen, weil die Charaktere
normal sind, weil sie keine Ähnlichkeit haben mit Byrons unver-
standenen höllentiefen Weltverächtern und mit den unwahren
Figuren Victor Hugos. Und die eigentlich idealen Personen sind 15
dann mit einer solchen Glut der Begeisterung gezeichnet, daß sie
auf immer das geliebte Eigentum des deutschen Geistes bleiben
müssen: die vom Unglück verklärte Königin Maria, das herbe,
wunderbare Mädchen von Orleans und, das Höchste wohl, was der
Dichter hervorgebracht hat, Max Piccolomini,[45] von dem er sagt: 20
„Sein Leben liegt faltenlos und leuchtend ausgebreitet." Ein solches
Bild, als Ideal ganzer jugendlicher Generationen, ist ein wertvoller
Besitz für das ganze Volk.

Dramatisch das Meisterhafteste ist *Wilhelm Tell*.[46] Mit höchster
künstlerischer Sicherheit verteilt der Dichter seine gleichmäßig 25
fortschreitende Handlung in drei Zweige, die sich verschlingen:
Tell, die Verbündeten, Rudenz und Bertha. Ein ganzes Volk in
reicher Abstufung von Charakteren schreitet unwiderstehlich sicher
dem Abschluß seiner Befreiung zu. Der Eindruck ist der einer
majestätischen Notwendigkeit, eines evidenten Rechtes. 30

Und dies Drama ist zugleich das höchste Geschenk Deutschlands an die Schweiz. Seit dem Tell sind zwischen den beiden

---

[43] **Octavio   Piccolomini . . . Wallenstein**   *Characters   in   Wallenstein
(1799).*
[44] **Geßler . . . Harras**   *Characters in Wilhelm Tell (1804).*
[45] **Max Piccolomini**   *The young hero of Wallenstein; the lines quoted are
3424-3425 of Wallensteins Tod.*
[46] **Dramatisch . . . Tell**   *Not every critic would agree with this statement.*

Ländern günstige Vorurteile und Gefühle in regem Austausch; wer will die seitherige Verzweigung der Sympathien berechnen? Überhaupt, wer kann den Segen ernsten künstlerischen Wollens eines großen Dichters berechnen, der seiner Nation das Beste gönnt: Er
5 ahnte, wie viel in seinen Händen lag; nicht umsonst redet er die Dichter an:

> Der Menschheit Würde ist in eure Hand gegeben—
> Bewahret sie!
> Sie sinkt mit euch! Mit euch wird sie sich heben!
10 > Der Dichtung heilige Magie
> Dient einem weisen Weltenplane,
> Still lenke sie zum Ozeane
> Der großen Harmonie! [47]

Fragen

1. Worauf beruht der Ruhm Schillers?
2. Warum ergänzen sich die Dichter aller Zeiten?
3. Welche Eigenschaft hat Schiller vor allem?
4. Wie betrachtete Schiller die Wirklichkeit in seinen jungen Jahren?
5. In welchem Drama tritt der reife Stil von Schillers Idealismus zuerst hervor?
6. Was hat Schiller allein in seinen lyrischen Gedichten erreicht?
7. Was sucht Schiller bei der Wahl seiner Balladenstoffe?
8. Welchen Unterschied merkt man zwischen Shakespeares Gestalten und Schillers?
9. Wo findet man bei Schiller wahre Teufel?
10. Was war Schillers Meinung über die menschliche Natur?
11. Welches Geschenk machte Deutschland durch Schiller an die Schweiz?

[47] „**Der Menschheit . . . Harmonie!**" *A quotation from* **Die Künstler** *(lines 443-449).*

Alfred Edmund Brehm

(1829-1884)

Alfred Edmund Brehm was born in Saxony in 1829, the son of a clergyman and amateur ornithologist. Originally he intended to be an architect, but his studies in this field were interrupted when he was invited in 1847 to accompany a private expedition to Africa. An excursion of several months turned out to be a five-year period of exploration and hardship. The fruit of this expedition was the publication of three volumes of travel sketches (1855). Between 1853 and 1856 Brehm pursued the formal study of zoology at the universities in Jena and in Vienna. For three years, near the middle of his life, he was director of the famed zoo in Hamburg, where he developed methods for the maintenance of captive animals; and for eight years he directed the Berlin Aquarium, which he had established. Further expeditions to Africa and Siberia increased his knowledge of the fauna of the world. His wife died, leaving him with five children. To support them he undertook an extensive lecture tour in the United States in 1883, a year before he died.

Brehm's great masterpiece is his *Tierleben,* published in 1878. This comprehensive treatise on animal life is written with vivacity and charm, quite without the usual professional pomposity. It became extremely popular and could be found in thousands of German homes, side by side with the Bible.

DIE HAUSMAUS

Die Hausmaus ist ein anmutiges, überaus behendes und bewegliches Tier. Mit größter Schnelligkeit rennt sie auf dem Boden dahin, klettert vortrefflich, springt ziemlich weit und hüpft oft längere Zeit nacheinander in kurzen Sätzen fort. An Zahmen [1] kann man recht deutlich beobachten, wie geschickt [2] sie alle Bewegungen unternimmt. Läßt man sie auf einem schief aufwärts gespannten Bindfaden oder einem Stöckchen gehen, so schlingt sie ihren Schwanz, sobald sie aus dem Gleichgewicht kommt,

[1] **Zahmen**   *i.e.,* **Mäusen**
[2] **geschickt**   *(adv.)* skillfully; *Not past participle of* **schicken.**

schnell um das Seil nach Art der echten Wickelschwänzler,[3] bringt sich wieder in das Gleichgewicht und klettert weiter. Setzt man sie auf einen sehr biegsamen Halmen, so steigt sie auf demselben bis zur Spitze empor, und wenn der Halmen [4] sich dann niederbiegt, hängt sie sich auf der untern Seite an und steigt hier langsam   5 herunter, ohne jemals in Verlegenheit zu kommen.[5] Beim Klettern leistet ihr der Schwanz ganz wesentliche Dienste; denn diejenigen zahmen Mäuse, denen man, um ihnen ein drolliges Aussehen zu geben, die Schwänze kurz geschnitten hatte, waren nicht mehr imstande, es ihren beschwänzten Mitschwestern gleich zu tun.   10 Ganz allerliebst sind auch die verschiedenen Stellungen, welche sie einnehmen kann. Jede Biegung, jede Bewegung ist nett. Schon wenn sie ruhig sitzt, macht sie einen ganz hübschen Eindruck; erhebt sie sich aber nach Nagerart [6] auf dem Hinterteil und putzt und wäscht sich, dann ist sie geradezu ein bezauberndes Tierchen.   15 Aber sie kann noch andere Kunststücke aufführen; sie kann sich ganz auf den Hinterbeinen aufrichten, wie ein Mensch, und sogar einige Schritte gehen. Dabei stützt sie sich nur dann und wann ein klein wenig mit dem Schwanze. Das Schwimmen versteht sie auch, obwohl sie nur im höchsten Notfalle in das Wasser geht.   20 Wirft man sie in einen Teich oder Bach, so sieht man, daß sie fast mit der Schnelligkeit der Zwergmaus oder der Wasserratte, welche beide wir später kennen lernen werden, die Wellen durchschneidet und dem ersten trocknen Orte zustrebt, um an ihm emporzuklettern und das Land wieder zu gewinnen. Ihre Sinne sind vortrefflich: sie   25 hört das feinste Geräusch, riecht sehr scharf und auf weite Entfernungen hin und sieht auch recht leidlich,[7] vielleicht noch besser bei Nacht, als bei Tage. Ihr geistiges Wesen macht sie dem, welcher das Leben des Tieres zu erkennen trachtet, zum wahren Liebling. Sie ist gutmütig und harmlos und ähnelt nicht im geringsten ihren   30 boshaften, tückischen und bissigen Verwandten, den Ratten; sie ist höchst neugierig und untersucht alles mit der größten Sorgfalt; sie ist lustig und klug, sie merkt bald, wo sie geschont wird, und gewöhnt sich hier mit der Zeit so an den Menschen, daß sie vor

---

[3] **Wickelschwänzler**   animals with prehensile tails
[4] **Halmen**   *Old form for* **Halm.**
[5] **in Verlegenheit zu kommen**   encountering difficulties
[6] **nach Nagerart**   in the manner of rodents
[7] **recht leidlich**   adequately

seinen Augen hin- und herläuft und ihre Hausgeschäfte betreibt, als
gäbe es gar keine Störung für sie. Im Käfig benimmt sie sich schon
nach wenigen Tagen ganz liebenswürdig; selbst alte Mäuse werden
noch leidlich [8] zahm, und jung [9] eingefangene übertreffen wegen
5 ihrer Gutmütigkeit und Harmlosigkeit die meisten anderen Nager,
welche man gefangen halten kann. Ganz eigentümlich ist ihre
Liebe zur Musik. Wohllautende Töne locken sie aus ihrem Versteck
hervor und lassen sie alle Furchtsamkeit vergessen. Sie erscheint
bei hellem Tage in den Zimmern, in welchen gespielt wird, und
10 Orte, in denen regelmäßig Musik ertönt, werden zuletzt ihre
Lieblingsaufenthaltsorte. Man sagt ihr nach,[10] daß sie nachts,
wenn sie zufällig in eine Stube kommt, wo ein offener Flügel steht,
sich gefällt, auf den Tasten und Saiten herumzulaufen, um ihrer
Liebhaberei frönen zu können. Mehrere glaubwürdige Leute haben
15 auch wiederholt von Mäusen berichtet, welche förmlich singen
lernten, d.h.[11] ihr bekanntes Gezwitscher in einer Weise hören ließen,
welche an den leisen Gesang von Kanarien- oder andern Stuben-
vögeln erinnert.

Fragen

1. Wie gebraucht die Hausmaus ihren Schwanz, wenn sie klettert?
2. Wann sieht die Maus etwas menschlich aus?
3. Unter welchen Umständen schwimmt die Maus?
4. Warum ist es leicht, die Hausmaus zu lieben?
5. Inwiefern unterscheidet sich der Charakter der Maus von dem
   der Ratte?
6. Welche eigentümliche Liebhaberei haben Mäuse?
7. Wie, sagt man, befriedigt die Maus manchmal diese Lust?
8. Welche menschlichen Eigenschaften besitzt die Maus?
9. Woran erinnert einen der Mausgesang?
10. Was ist wohl die Einstellung des Verfassers zum kleinen Tier,
    welches er hier beschreibt?

---

[8] **leidlich**   *here,* quite
[9] **jung**   captured while, *translate after* **eingefangene** still young
[10] **Man sagt ihr nach**   it is said of her
[11] **d.h.**   **das heißt** that is

Paul Heyse

(1830-1914)

Paul Heyse was born in Berlin, the son of a distinguished linguist and lexicographer. After completing university studies in classical and Romance philology he began at the precocious age of 19 to publish stories and plays. When he was 21 he went to Italy, which became for him, forever after, the promised land of literature and art. In 1854 the king of Bavaria invited him to reside in Munich, where he became one of the members of the Münchner Dichterkreis, a group of brilliant but ephemeral poets who were very popular during the third quarter of the nineteenth century. He remained in Munich the rest of his long life, except for sojourns in his beloved Italy, which was the scene of many of his stories.

The form of literature best suited to Heyse's talent was the *Novelle,* whose nature he brilliantly describes in the following essay, which was written in 1871.

Among his works are a collection of poetry (1871), novels *(Kinder der Welt,* 1873; *Im Paradiese,* 1875) several plays, and more than a hundred *Novellen.*

In 1910 he was awarded the Nobel prize for literature.

THEORIE DER NOVELLE

Nil humani a me alienum puto [1]—alles, was eine Menschenbrust
bewegt, gehört in meinen Kreis—dieser Losung wird die Novelle
mit vollster Unumschränktheit treu bleiben müssen. Haben doch
auch gerade in der neueren Zeit bedeutende Talente im verschie-
5 densten Sinne mit diesem Wahlspruch Ernst gemacht. Von dem
einfachen Bericht eines merkwürdigen Ereignisses oder einer sinn-

---

[1] **Nil humani a me alienum puto**   *This is slightly misquoted from the
play* **Heauton Timoroumenos** *(The Self-Tormentor), line 77, which reads:
"homo sum: humani nil a me alienum puto" (I am a man: I consider
nothing pertaining to humanity to be outside my interest). The author
is Terence (190-159 B.C.), Roman writer of comedies.*

reich erfundenen abenteuerlichen Geschichte hat sich die Novelle
nach und nach zu der Form entwickelt, in welcher gerade die
tiefsten und sittlichsten Fragen zur Sprache kommen, weil in dieser
bescheidenen dichterischen Gattung auch der Ausnahmsfall, das
höchst individuelle und allerpersönlichste Recht im Kampf der   5
Pflichten, seine Geltung findet. Fälle, die sich durch den Eigensinn
der Umstände [2] und Charaktere und eine durchaus nicht allgemein
gültige Lösung der dramatischen Behandlung entziehen, sittliche
Zartheit oder Größe, die zu ihrem Verständnis der sorgfältigsten
Einzelzüge bedarf, alles Einzige und Eigenartige, selbst Grillige und   10
bis an die Grenze des Häßlichen sich Verirrende [3] ist von der Novelle
dichterisch zu verwerten. Denn es bleibt ihr von ihrem Ursprung
her ein gewisses Schutzrecht für das bloß Tatsächliche, das schlechthin Erlebte, und für den oft nicht ganz reinlichen Erdenrest der
Wirklichkeit kann sie vollauf entschädigen, teils durch die harmlose   15
Lebendigkeit des Tons, indem sie Stoffe von geringerem dichterischen Gehalt auch in anspruchsloserer [4] Form, ohne den vollen
Nachdruck ihrer Kunstmittel überliefert, teils durch die unerschöpf-
liche Bedeutsamkeit des Stoffes selbst, da der Mensch auch in seinen
Unzulänglichkeiten dem Menschen doch immer das Interessanteste   20
bleibt.

Töricht wäre daher die Forderung, auch Probleme der oben
bezeichneten Art, die oft nur durch die zartesten Schattierungen,
reizendes Helldunkel oder eine photographische Deutlichkeit unser
Interesse gewinnen, in jener naiven Holzschnittmanier der alten   25
Italiener oder mit den ungebrochenen Farben des großen Spaniers
zu behandeln.[5] Hier sind alle jene Mittel höchst individueller
Vortragsweise nicht nur erlaubt, sondern sogar gefordert, wie sie
einigen der französischen Erzähler und in noch höherem Grade
dem russischen Meister der Seelenkunde, Iwan Turgeniew,[6] in so   30
bewundernswertem Maße zu Gebote stehen. Der Dichter, der uns

[2] **Eigensinn der Umstände**   oddity *or* caprice of circumstances
[3] **bis an die Grenze . . . Verirrende**   bordering on the limits of ugliness
[4] **anspruchsloserer**   *here,* less defined, less demanding
[5] **in jener naiven . . . zu behandeln**   to depict them in the naive
    manner of old Italian wood-cuts or in the intense colors of the great
    Spaniard (*presumably, Diego Velasquez, 1599-1660*)
[6] **Iwan Turgeniew**   *Russian novelist and prose stylist (1818-1883).*

in die geheimnisvollen Gemütstiefen seltener oder doch sehr entschieden ausgeprägter Individuen blicken läßt, wird, um uns in
volle Illusion zu bringen, andere Töne anschlagen müssen,[7] als
wer uns von einem geraubten und unter Zigeunern wiederge-
5 fundenen Kinde erzählt, in dessen Geschick die abenteuerliche
Verwicklung und Lösung *äußerer* Umstände das Hauptinteresse
bildet. Bei jenen höchst modernen Aufgaben ist eine dramatische
Unmittelbarkeit berechtigt, eine gesteigerte Schärfe der Naturlaute,
ein gewisser nervöser, herzklopfender Stil, die mit der oben
10 gerühmten epischen Ruhe im äußersten Gegensatz stehen.

Und freilich ist diese, wie jede Virtuosität, auch sehr der
Gefahr ausgesetzt, die Mittel zum Zweck zu machen und über dem
Reiz, mit der Schwierigkeit der Form zu spielen, den Sinn für den
Wert des Ganzen einzubüßen. Auch der Erzähler dürfte nie ver-
15 gessen, daß, wie bloße Farbeneffekte noch kein Bild machen, ein
noch so geistreiches Spiel mit zerflatternden Motiven keine *Geschichte* ergibt, die unserer Phantasie eingegraben bleibt, und daß
auch in diesem Gebiet „groß sein heißt, nicht ohne großen Gegenstand sich regen".

20 Denn wie sehr auch die kleinste Form großer Wirkungen fähig
sei, beweist unseres Erachtens gerade die Novelle, die im Gegensatz zum Roman den Eindruck eben so verdichtet, auf Einen
Punkt sammelt und dadurch zur höchsten Gewalt zu steigern
vermag, wie es der Ballade, dem Epos gegenüber, vergönnt ist, mit
25 einem raschen Schlage uns das innerste Herz zu treffen. Es kann
hier nicht unsere Aufgabe sein, das Kapitel der Ästhetik über Roman
und Novelle zu schreiben, so wenig wir mit den einleitenden Notizen
eine Geschichte der deutschen Novellistik zu geben dachten. So
viel aber muß doch zu vorläufiger Verständigung gesagt werden,
30 daß wir allerdings den Unterschied beider Gattungen nicht in das
Längenmaß setzen, wonach ein Roman eine mehrbändige Novelle,
eine Novelle ein kleiner Roman wäre. Da lang und kurz relative
Begriffe sind und man bekanntlich die simpelste Liebesgeschichte
für den Liebhaber nicht lang genug ausspinnen, dagegen den Inhalt

---

[7] **andere Töne anschlagen müssen**   must employ different means (*or*
techniques)

der Odyssee [8] „zum Gebrauch des Dauphin" [9] auf eine Quartseite [10]
bringen kann, so muß, wenn es sich um mehr als Namen handeln
soll, schon im Thema, im Problem, im unentwickelten Keim etwas
liegen, das mit Notwendigkeit zu der einen oder der andern Form
hindrängt.   5
Und dies scheint, wenn man auf das Wesentliche sieht, in
Folgendem zu beruhen.

Wenn der Roman ein Kultur- und Gesellschaftsbild im Großen,
ein Weltbild im Kleinen entfaltet, bei dem es auf ein gruppenweises
Ineinandergreifen oder ein konzentrisches Sichumschlingen ver-   10
schiedener Lebenskreise recht eigentlich abgesehen ist, so hat die
Novelle in einem *einzigen* Kreise einen *einzelnen* Konflikt, eine sittliche oder Schicksals-Idee oder ein entschieden abgegrenztes
Charakterbild darzustellen und die Beziehungen der darin handeln-
den Menschen zu dem großen Ganzen des Weltlebens nur in   15
andeutender Abbreviatur durchschimmern zu lassen. Die *Ge-*
schichte, nicht die Zustände, das Ereignis, nicht die sich in ihm
spiegelnde Weltanschauung, sind hier die Hauptsache; denn selbst
der tiefste ideelle Gehalt des einzelnen Falles wird wegen seiner
Einseitigkeit und Abgetrenntheit—der Isolierung des Experiments,   20
wie die Naturforscher sagen—nur einen relativen Wert behalten,
während es in der Breite des Romans möglich wird, eine Lebens-
oder Gewissensfrage der Menschheit erschöpfend von allen Seiten
zu beleuchten.   Freilich wird es auch hier an Übergangsformen
nicht fehlen.   Hat doch unser größter Erzähler in seinen *Wahlver-*   25
wandtschaften [11] ein echt novellistisches Thema mit vollem Recht
zum Roman sich auswachsen lassen, indem er das bedeutende
Problem mitten in ein reich gegliedertes soziales Leben hinein-
setzte, obwohl vier Menschen auf einer wüsten Insel eben so gut

---

[8] **Odyssee**   (*Odyssey*) *Homer's epic recounting the wanderings and
return home after the Trojan War of the Achaean hero Odysseus.*
[9] **„zum Gebrauch des Dauphin"**   *When the Duke of Montausier was
appointed tutor of the Dauphin (crown prince) of France by Louis XIV
in 1668 he had special editions made of the classics from which all possibly
offensive passages were deleted. Very much abbreviated versions were the
result.*
[10] **Quartseite**   *page in quarto (size of book: ca. 9½ x 12½ inches)*
[11] **Erzähler . . . Wahlverwandtschaften**   *Johann Wolfgang von Goethe
(1749-1832), published his monumental novel* **Die Wahlverwandtschaften**
(The Elective Affinities) in 1809.

in die Lage kommen konnten, die Gewalt dieses Naturgesetzes an
sich zu erfahren.

Im Allgemeinen aber halten wir auch bei der Auswahl für
unsern Novellenschatz an der Regel fest, *der* Novelle den Vorzug zu
5 geben, deren Grundmotiv sich am deutlichsten abrundet und—mehr
oder weniger gehaltvoll—etwas Eigenartiges, Spezifisches schon
in der bloßen Anlage verrät. Eine *starke Silhouette*—um nochmals
einen Ausdruck der Malersprache zu Hilfe zu nehmen—dürfte dem,
was wir im eigentlichen Sinne *Novelle* nennen, nicht fehlen, ja wir
10 glauben, die Probe auf die Trefflichkeit eines novellistischen Motivs
werde in den meisten Fällen darin bestehen, ob der Versuch
gelingt, den Inhalt in wenige Zeilen zusammenzufassen, in der
Weise, wie die alten Italiener ihren Novellen kurze Überschriften
gaben, die dem Kundigen schon im Keim den spezifischen Wert des
15 Themas verraten. Wer, der im Boccaz [12] die Inhaltsangabe der
neunten Novelle des fünften Tages liest:

> Federigo degli Alberighi liebt, ohne Gegenliebe zu finden; in
> ritterlicher Werbung verschwendet er all seine Habe und behält
> nur noch einen einzigen Falken; diesen, da die von ihm geliebte
20 > Dame zufällig sein Haus besucht und er sonst nichts hat, ihr ein
> Mahl zu bereiten, setzt er ihr bei Tische vor. Sie erfährt, was er
> getan, ändert plötzlich ihren Sinn und belohnt seine Liebe, indem
> sie ihn zum Herrn ihrer Hand und ihres Vermögens macht.

wer erkennt nicht in diesen wenigen Zeilen alle Elemente einer
25 rührenden und erfreulichen Novelle, in der das Schicksal zweier
Menschen durch eine äußere Zufallswendung, die aber die Charaktere tiefer entwickelt, aufs Liebenswürdigste sich vollendet?
Wer, der diese einfachen Grundzüge einmal überblickt hat, wird
die kleine Fabel je wieder vergessen, zumal wenn er sie nun mit
30 der ganzen Anmut jenes im Ernst wie in der Schalkheit un-
vergleichlichen Meisters vorgetragen findet?

Wir wiederholen es: eine so einfache Form wird sich nicht
für jedes Thema unseres vielbrüchigen modernen Kulturlebens
finden lassen. Gleichwohl aber könnte es nicht schaden, wenn der

---

[12] **Boccaz** *Giovanni Boccaccio (1313-1375), Italian poet and novelist; his
most famous work* **The Decameron** *(1348-1353), is a collection of 100
tales, whose style exerted great influence upon the development of Italian
prose literature.*

Erzähler auch bei dem innerlichsten oder reichsten Stoff sich zuerst fragen wollte, wo „der Falke" sei, das Spezifische, das diese Geschichte von tausend anderen unterscheidet.

Fragen

1. Warum eignet sich die Novelle besonders den Problemen des modernen Lebens?
2. Was ist für Menschen immer das interessanteste Thema?
3. Welche Dichter besitzen die Fähigkeit, die seelischen Tiefen der Menschen durch ihre Novellenkunst zu beleuchten?
4. Für welche Art des Erzählens wird das höchste Talent verlangt?
5. Welcher Gefahr ist der novellistische Erzähler ausgesetzt?
6. Was heißt in diesem Gebiet groß sein?
7. Welchen Vorteil hat die Novelle über den Roman?
8. Welche Beschränkung hat die Novelle?
9. Wie hätte Goethe seine *Wahlverwandtschaften* als Novelle schreiben können?
10. Worin besteht die Probe auf die Trefflichkeit einer Novelle?
11. Was soll sich der Erzähler fragen?

Friedrich Wilhelm Nietzsche
(1844-1900)

Friedrich Wilhelm Nietzsche was the son and grandson of Lutheran pastors. He was born in his father's parsonage in Röcken, Saxony, on October 15, 1844, the birthday of the Prussian king whose name he received. His father died when Nietzsche was three; the family (mother and sister) moved to Naumburg. Five women joined forces to raise this one boy: grandmother, mother, sister, and two aunts. He spent five years at the excellent *Gymnasium* of Schulpforta, where he did very well except for his final year.

His single year at the University of Bonn was devoted more to wine than to wisdom; his serious studies began at Leipzig in 1865, where he became a specialist in classics. Here also he mastered the philosophy of Schopenhauer, by which he was convinced that the will to power is man's prime motivation, and that he must assert it in order to preserve the will to live.

In 1867 he was drafted into the Prussian cavalry, but was soon dismissed for poor health. In 1868 he was appointed Professor of Philology at Basel.

Into this period also falls his ill-starred friendship with Richard Wagner. Nietzsche's first book, *Die Geburt der Tragödie aus dem Geiste der Musik,* hails Wagner as the triumphant embodiment of the Dionysian spirit. The book was unfavorably reviewed, and Nietzsche's scholarly reputation was damaged. He continued at Basel until 1879, when he retired and devoted himself entirely to writing.

The decade from 1879 to 1889 saw the publication of his major works. *Also sprach Zarathustra* (the most celebrated) urges men to assert their natural strength against what Nietzsche called the slave morality of Christianity. *Jenseits von Gut und Böse* and *Die Genealogie der Moral* were a more careful development of the thoughts already formulated.

Nietzsche became incurably insane in 1889, and died in Weimar after eleven years of total but not violent insanity.

His philosophy has been described as giving aid and comfort to totalitarian regimes, notably Hitler's, but some critics point out that he would have been horrified to see the extremities to which his theories of *der Übermensch* and *die Herrenmoral* have been carried. About his stature as a prose stylist in the tradition of Luther and Goethe there can be no question, and his slim volume of intensely personal lyric poetry ranks among the best in the German language.

ZUCHT UND ZÜCHTUNG

Mit dem Wort „dionysisch" [1] ist ausgedrückt: ein Drang zur Einheit, ein Hinausgreifen [2] über Person, Alltag, Gesellschaft, Realität, über den Abgrund des Vergehens: das leidenschaftlich-schmerzliche Überschwellen in dunklere, vollere, schwebendere

---

[1] *The Nietzschian concepts of the Dionysian and Apollonian elements in esthetics were derived from Schiller's ideas of the naive and the sentimental. Dionysus was the Greek god of wine and revelry—here denoting passion and irrationality—while Apollo personified the intellect—discipline and rationality. Nietzsche in* **Die Geburt der Tragödie** *pleaded for a return to a Dionysian approach to art and saw in the Wagnerian music drama the* **Gesamtkunstwerk** *he deemed essential to the Greek spirit.*

[2] **Hinausgreifen**   reaching beyond

Zustände; ein verzücktes Jasagen zum Gesamt-Charakter des Lebens, als dem in allem Wechsel Gleichen, Gleich-Mächtigen,
Gleich-Seligen; die große pantheistische Mitfreudigkeit und Mitleidigkeit,[3] welche auch die furchtbarsten und fragwürdigsten
Eigenschaften des Lebens gutheißt und heiligt; der ewige Wille   5
zur Zeugung, zur Fruchtbarkeit, zur Wiederkehr; das Einheitsgefühl
der Notwendigkeit des Schaffens und Vernichtens.

Mit dem Wort „apollinisch" ist ausgedrückt: der Drang zum
vollkommenen Für-sich-sein, zum typischen „Individuum", zu allem
was vereinfacht, heraushebt, stark, deutlich, unzweideutig, typisch   10
macht; die Freiheit unter dem Gesetz.

An den Antagonismus dieser beiden Natur-Kunstgewalten ist
die Fortentwicklung der Kunst ebenso notwendig geknüpft, als die
Fortentwicklung der Menschheit an den Antagonismus der Ge-
schlechter. Die Fülle der Macht und die Mäßigung, die höchste   15
Form der Selbstbejahung in einer kühlen, vornehmen, spröden
Schönheit: der Apollinismus des hellenischen Willens.

Diese Gegensätzlichkeit des Dionysischen und Apollinischen
innerhalb der griechischen Seele ist eines der großen Rätsel, von
dem ich mich angesichts des griechischen Wesens angezogen fühlte.   20
Ich bemühte mich im Grunde um nichts als um zu erraten, warum
gerade der griechische Apollinismus aus einem dionysischen Untergrund herauswachsen mußte: der dionysische Grieche nötig hatte,
apollinisch zu werden: das heißt, seinen Willen zum Ungeheuren,
Vielfachen, Ungewissen, Entsetzlichen zu brechen an einem Willen   25
zum Maß, zur Einfachheit, zur Einordnung in Regel und Begriff.[4]
Das Maßlose, Wüste, Asiatische liegt auf seinem Grunde: die
Tapferkeit des Griechen besteht im Kampfe mit seinem Asiàtismus:
die Schönheit ist ihm nicht geschenkt, so wenig als die Logik, als
die Natürlichkeit der Sitte,—sie ist erobert, gewollt, erkämpft—sie   30
ist sein Sieg.

Zu den höchsten und erlauchtesten [5] Menschen-Freuden, in
denen das Dasein seine eigene Verklärung feiert, kommen, wie
billig, nur die Allerseltensten und Bestgeratenen: und auch diese

---

[3] **Mitfreudigkeit und Mitleidigkeit**   capacity for joy and compassion
[4] **zur Einordnung in Regel und Begriff**   to be disciplined and sub-
ordinated
[5] **erlauchtesten**   *old form for* **erleuchtet**: illustrious, noble

nur, nachdem sie selber und ihre Vorfahren ein langes vorbereitendes
Leben auf dieses Ziel hin, und nicht einmal im Wissen um dieses
Ziel, gelebt haben. Dann wohnt ein überströmender Reichtum viel-
fältigster Kräfte und zugleich die behendeste Macht eines „freien
5 Wollens" und herrschaftlichen Verfügens [6] in einem Menschen
liebreich beieinander; der Geist ist dann ebenso in den Sinnen
heimisch und zu Hause, wie die Sinne in dem Geiste zu Hause und
heimisch sind; und alles, was nur in diesem sich abspielt, muß
auch in jenen ein feines außerordentliches Glück und Spiel auslösen.
10 Und ebenfalls umgekehrt! man denke über diese Umkehrung bei
Gelegenheit von Hafis [7] nach; selbst Goethe, wie sehr auch im abge-
schwächten Bilde, gibt von diesem Vorgange eine Ahnung. Es ist
wahrscheinlich, daß bei solchen vollkommenen und wohlgeratenen
Menschen zuletzt die allersinnlichsten Verrichtungen von einem
15 Gleichnis-Rausche der höchsten Geistigkeit verklärt werden; sie
empfinden an sich eine Art Vergöttlichung des Leibes und sind am
entferntesten von der Asketen-Philosophie des Satzes „Gott ist ein
Geist": wobei sich klar herausstellt, daß der Asket der „mißratene
Mensch" ist, welcher nur ein Etwas an sich, und gerade das
20 richtende und verurteilende Etwas, gut heißt—und „Gott" heißt.
Von jener Höhe der Freude, wo der Mensch sich selber und sich
ganz und gar als eine vergöttlichte Form und Selbstrechtfertigung
der Natur fühlt, bis hinab zu der Freude gesunder Bauern und
gesunder Halbmensch-Tiere: diese ganze lange ungeheure Licht-
25 und Farbenleiter des Glücks nannte der Grieche, nicht ohne die
dankbaren Schauder dessen, der in ein Geheimnis eingeweiht ist,
nicht ohne viele Vorsicht und fromme Schweigsamkeit—mit dem
Götternamen: Dionysos.

Was wissen denn alle neueren Menschen, die Kinder einer
30 brüchigen,[8] vielfachen, kranken, seltsamen Zeit, von dem Umfange
des griechischen Glücks, was könnten sie davon wissen! Woher
nähmen gar die Sklaven der „modernen Ideen" ein Recht zu
dionysischen Feiern!

Als der griechische Leib und die griechische Seele „blühte",
35 und nicht etwa in Zuständen krankhafter Überschwenglichkeit und

---

[6] **herrschaftlichen Verfügens**   authoritarian arbitrariness
[7] **Hafis**   *Persian poet, died ca. 1389.*
[8] **brüchigen**   decadent

Tollheit, entstand jenes geheimnisreiche Symbol der höchsten bisher
auf Erden erreichten Welt-Bejahung und Daseins-Verklärung. Hier
ist ein Maßstab gegeben, an dem alles, was seitdem wuchs, als
zu kurz, zu arm, zu eng befunden wird:—man spreche nur das
Wort „Dionysos" vor den besten neueren Namen und Dingen aus,   5
vor Goethe etwa, oder vor Beethoven,[9] oder vor Shakespeare, oder
vor Raffael:[10] und auf einmal fühlen wir unsere besten Dinge und
Augenblicke gerichtet. Dionysos ist ein Richter!—Hat man mich
verstanden?—Es ist kein Zweifel, daß die Griechen die letzten
Geheimnisse „vom Schicksal der Seele" und alles, was sie über die   10
Erziehung und Läuterung, vor allem über die unverrückbare
Rangordnung und Wert-Ungleichheit von Mensch und Mensch
wußten, sich aus ihren dionysischen Erfahrungen zu deuten suchten;
hier ist für alles Griechische die große Tiefe, das große Schweigen,
—man kennt die Griechen nicht, solange hier der verborgene   15
unterirdische Zugang noch verschüttet liegt. Zudringliche Ge-
lehrten-Augen werden niemals etwas in diesen Dingen sehen, so
viel Gelehrsamkeit auch im Dienste jener Ausgrabung noch ver-
wendet werden muß; selbst der edle Eifer solcher Freunde des
Altertums, wie Goethes und Winckelmanns[11], hat gerade hier etwas   20
Unerlaubtes, fast Unbescheidenes. Warten und sich-vorbereiten;
das Aufspringen neuer Quellen abwarten; in der Einsamkeit sich
auf fremde Gesichte[12] und Stimmen vorbereiten; vom Jahrmarkts-
Staube und -Lärm dieser Zeit seine Seele immer reiner waschen;
alles Christliche durch ein Überchristliches überwinden und nicht   25
nur von sich abtun—denn die christliche Lehre war die Gegenlehre
gegen die dionysische—; den Süden in sich wieder entdecken und
einen hellen glänzenden geheimnisvollen Himmel des Südens über
sich aufspannen; die südliche Gesundheit und verborgene Nächtigkeit[13] der Seele sich wieder erobern; Schritt vor Schritt um-   30
fänglicher werden, übernationaler, europäischer, morgenländischer,
endlich griechischer—denn das Griechische war die erste große
Bindung und Synthesis alles Morgenländischen und eben damit

---

[9] **Beethoven**   *Ludwig van Beethoven (1770-1827), great German composer.*
[10] **Raffael**   *Raffaello Santi (1483-1520), Italian painter.*
[11] **Winckelmanns**   *Johann Winckelmann (1717-1768), German art historian
    and critic who opened the world of Greek art to Germany.*
[12] **Gesichte**   *variant of* **Gesichter;** *here,* visions, apparitions
[13] **Nächtigkeit**   gloominess, pessimism

der Anfang der europäischen Seele, die Entdeckung unsrer „neuen
Welt"—: wer unter solchen Imperativen lebt, wer weiß, was Dem
eines Tages begegnen kann? Vielleicht eben—ein neuer Tag!
Die zwei Typen: Dionysos und der Gekreuzigte.[14]—Festzu-
5 stellen: ob der typische religiöse Mensch eine décadence-Form ist
(die großen Neuerer sind samt und sonders krankhaft und epilep-
tisch); aber lassen wir nicht da einen Typus des religiösen Menschen aus, den heidnischen? Ist der heidnische Kult nicht eine
Form der Danksagung und der Bejahung des Lebens? Müßte nicht
10 sein höchster Repräsentant eine Apologie und Vergöttlichung des
Lebens sein? Typus eines wohlgeratenen und entzückt-über-
strömenden Geistes! Typus eines die Widersprüche und Frag-
würdigkeiten des Daseins in sich hineinnehmenden und erlösenden
Geistes! [15]
15 Hierher stelle ich den Dionysos der Griechen: die religiöse
Bejahung des Lebens, des ganzen, nicht verleugneten und halbierten [16] Lebens; (typisch—daß der Geschlechtsakt Tiefe, Geheimnis, Ehrfurcht erweckt).
Dionysos gegen den „Gekreuzigten": da habt ihr den Gegen-
20 satz. Es ist nicht eine Differenz hinsichtlich des Martyriums,—nur
hat dasselbe einen anderen Sinn. Das Leben selbst, seine ewige
Fruchtbarkeit und Wiederkehr bedingt die Qual, die Zerstörung,
den Willen zur Vernichtung. Im andern Falle gilt das Leiden, der
„Gekreuzigte als der Unschuldige", als Einwand gegen dieses Leben,
25 also Formel seiner Verurteilung.—Man errät: das Problem ist das
vom Sinn des Leidens: ob ein christlicher Sinn, ob ein tragischer
Sinn. Im ersten Falle soll es der Weg sein zu einem heiligen Sein;
im letzteren Fall gilt das Sein als heilig genug, um ein Ungeheures
von Leid noch zu rechtfertigen. Der tragische Mensch bejaht noch
30 das herbste Leiden: er ist stark, voll, vergöttlichend genug dazu;
der christliche verneint noch das glücklichste Los auf Erden; er
ist schwach, arm, enterbt [17] genug, um in jeder Form noch am Leben
zu leiden.

[14] **Gekreuzigte**   *Jesus Christ*
[15] **Typus eines . . . Geistes!**   The kind of spirit which will absorb and
resolve the contradictions and imponderables of existence!
[16] **halbierten**   fragmented
[17] **enterbt**   deprived, disinherited

Fragen

1. Welcher große Unterschied besteht zwischen den Begriffen „dionysisch" und „apollinisch"?
2. Welche Parallele besteht zwischen der Polarität der Geschlechter und dem Gegensatz zwischen Apollo und Dionysos?
3. Unter welchen Umständen kommt der Mensch zur höchsten Freude?
4. Was behauptet Nietzsche über die Askese?
5. Wann entstand der Begriff des Dionysos?
6. Welche Einstellung zum Christentum zeigt Nietzsche?
7. Wer ist der große Gegenspieler zu Dionysos?
8. Welche Eigenschaften haben die großen Neuerer gemeinsam?
9. Wovon ist Christus angeblich das Symbol?
10. Wovon ist Dionysos das Symbol?

Sigmund Freud

(1856-1939)

The influence of Sigmund Freud upon modern theories of the human personality and upon psychology in general is deeper and wider than that of any other single individual. He was born and educated in Austria and worked most of his adult life in Vienna. From 1902 until 1938 he was professor of neuropathology at the University of Vienna. When the Nazis took over Austria in 1938, Freud fled to England, where he died the next year.

His major contribution was the development of psychoanalysis. He believed that such phenomena as dream symbolisms, slips of the tongue, and manifestations of emotional irrationality originate in sexual experiences and psychic traumas during infancy, which, when forbidden free expression by social taboos, are repressed into the unconscious and represent undischarged emotional energy. These traumas may reappear in symbolic disguises and later induce many types of neurotic symptoms. By psychoanalytic procedures, chiefly hypnosis and free association, these repressed wishes are released; the patient is made to understand their true nature in order to replace them by more acceptable patterns of behavior. Freudian theory has had enormous impact upon many branches of learning apart from psychology.

Among Freud's major works are: *Die Traumdeutung* (1900), *Zur Psychopathologie des Alltaglebens* (1901), *Totem und Tabu* (1913), *Drei Abhandlungen zur Sexualtheorie* (1905), *Das Ich und das Es* (1923), and *Das Unbehagen in der Kultur* (1930).

DIE „KULTURELLE" SEXUALMORAL
UND DIE MODERNE NERVOSITÄT

In seiner kürzlich veröffentlichten *Sexualethik* verweilt v. Ehrenfels [1] bei der Unterscheidung der „natürlichen" und der „kulturellen" Sexualmoral. Als natürliche Sexualmoral sei diejenige zu verstehen, unter deren Herrschaft ein Menschenstamm sich andauernd bei Gesundheit und Lebenstüchtigkeit zu erhalten vermag, als kulturelle diejenige, deren Befolgung die Menschen [5]

[1] **v. Ehrenfels** *Christian Freiherr von Ehrenfels (1859-1932), eminent Viennese psychiatrist.*

vielmehr zu intensiver und produktiver Kulturarbeit anspornt. Dieser Gegensatz werde am besten durch die Gegenüberstellung von konstitutivem und kulturellem Besitz eines Volkes erläutert. Indem ich für die weitere Würdigung dieses bedeutsamen Ge-
5 dankenganges auf die Schrift von v. Ehrenfels selbst verweise, will ich aus ihr nur soviel herausheben, als es für die Anknüpfung meines eigenen Beitrages bedarf.

Die Versuchung liegt nahe, daß unter der Herrschaft einer kulturellen Sexualmoral Gesundheit und Lebenstüchtigkeit der
10 einzelnen Menschen Beeinträchtigungen ausgesetzt sein können, und daß endlich diese Schädigung der Individuen durch die ihnen auferlegten Opfer einen so hohen Grad erreiche, daß auf diesem Umwege auch das kulturelle Endziel in Gefahr geriete. V. Ehrenfels weist auch wirklich der unsere gegenwärtige abendländische Ge-
15 sellschaft beherrschenden Sexualmoral eine Reihe von Schäden nach, für die er sie verantwortlich machen muß, und obwohl er ihre hohe Eignung zur Förderung der Kultur voll anerkennt, gelangt er dazu, sie als reformbedürftig zu verurteilen. Für die uns beherr-schende kulturelle Sexualmoral sei charakteristisch die Übertragung
20 femininer Anforderungen auf das Geschlechtsleben des Mannes und die Verpönung eines jeden Sexualverkehres mit Ausnahme des ehelich-monogamen. Die Rücksicht auf die natürliche Verschieden-heit der Geschlechter nötige dann allerdings dazu, Vergehungen des Mannes minder rigoros zu ahnden ² und somit tatsächlich eine
25 doppelte Moral für den Mann zuzulassen. Eine Gesellschaft aber, die sich diese doppelte Moral einläßt, kann es in „Wahrheits-liebe, Ehrlichkeit und Humanität" nicht über ein bestimmtes, eng begrenztes Maß hinausbringen, muß ihre Mitglieder zur Verhüllung der Wahrheit, zur Schönfärberei,³ zum Selbstbetruge wie zum
30 Betrügen anderer anleiten. Noch schädlicher wirkt die kulturelle Sexualmoral, indem sie durch die Verherrlichung der Monogamie den Faktor der virilen Auslese lahmlegt,⁴ durch dessen Einfluß allein eine Verbesserung der Konstitution zu gewinnen sei, da die

---

² **Vergehungen** . . . **zu ahnden**   to punish transgressions of the male less rigorously
³ **Schönfärberei**   painting in glowing colors, glossing over
⁴ **indem sie** . . . **lahmlegt**   while it tends to minimize the importance of a virile selection through glorification of monogamy

vitale Auslese bei den Kulturvölkern durch Humanität und Hygiene
auf ein Minimum herabgedrückt werde.

Unter den der kulturellen Sexualmoral zur Last gelegten
Schädigungen [5] vermißt nun der Arzt die eine, deren Bedeutung
hier ausführlich erörtert werden soll. Ich meine die auf sie zurück-   5
zuführende Förderung der Modernen, das heißt in unserer gegenwärtigen Gesellschaft sich rasch ausbreitenden Nervosität. Gelegentlich macht ein nervöser Kranker selbst den Arzt auf den in
der Verursachung des Leidens zu beachtenden Gegensatz von
Konstitution und Kulturanforderung [6] aufmerksam, indem er äußert: 10
„Wir in unserer Familie sind alle nervös geworden, weil wir etwas
Besseres sein wollten, als wir nach unserer Herkunft sein können."
Auch wird der Arzt häufig genug durch die Beobachtung nach-
denklich gemacht, daß gerade die Nachkommen solcher Väter der
Nervosität verfallen, die, aus einfachen und gesunden ländlichen   15
Verhältnissen stammend, Abkömmlinge roher aber kräftiger Fa-
milien, als Eroberer in die Großstadt kommen und ihre Kinder in
einem kurzen Zeitraum auf ein kulturell hohes Niveau sich erheben
lassen. Vor allem aber haben die Nervenärzte [7] selbst laut den
Zusammenhang der „wachsenden Nervosität" mit dem modernen   20
Kulturleben proklamiert . . .

Sieht man von den unbestimmteren Arten, „nervös" zu sein,
ab und faßt die eigentlichen Formen des nervösen Krankseins ins
Auge, so reduziert sich der schädigende Einfluß der Kultur im
wesentlichen auf die schädliche Unterdrückung des Sexuallebens   25
der Kulturvölker (oder Schichten) durch die bei ihnen herrschende
„kulturelle" Sexualmoral . . .

Geschärfte klinische Beobachtung gibt uns das Recht, von
den nervösen Krankheitszuständen zwei Gruppen zu unterscheiden,
die eigentlichen Neurosen und die Psychoneurosen. Bei den ersteren   30
scheinen die Störungen (Symptome), mögen sie sich in den kör-
perlichen oder in den seelischen Leistungen äußern, toxischer
Natur zu sein: sie verhalten sich ganz ähnlich wie die Erscheinungen

---

[5] **Unter den der . . . Schädigungen**   among the damaging effects at-
tributed to a cultural sexual morality
[6] **Kulturanforderung**   *the demands made upon us through participation
in a civilized society*
[7] **Nervenärzte**   psychiatrists

bei übergroßer Zufuhr oder bei Entbehrung gewisser Nervengifte. Diese Neurosen—meist als Neurasthenie zusammengefaßt—können nun, ohne daß die Mithilfe einer erblichen Belastung [8] erförderlich wäre, durch gewisse schädliche Einflüsse des Sexuallebens erzeugt
5 werden, und zwar korrespondiert die Form der Erkrankung mit der Art dieser Schädlichkeiten, so daß man oft genug das klinische Bild ohne weiteres zum Rückschluß auf die besondere sexuelle Ätiologie verwenden kann.[9] Eine solche regelmäßige Entsprechung wird aber zwischen der Form der nervösen Erkrankung und den
10 anderen schädigenden Kultureinflüssen, welche die Autoren als krankmachend anklagen, durchaus vermißt. Man darf also den sexuellen Faktor für den wesentlichen in der Verursachung der eigentlichen Neurosen erklären.

Bei den Psychoneurosen ist der hereditäre Einfluß bedeutsamer,
15 die Verursachung minder durchsichtig. Ein eigentümliches Untersuchungsverfahren, das als Psychoanalyse bekannt ist, hat aber gestattet zu erkennen, daß die Symptome dieser Leiden (der Hysterie, Zwangsneurose [10] usw.) psychogen [11] sind, von der Wirksamkeit unbewußter (verdrängter) Vorstellungskomplexe abhängen.
20 Dieselbe Methode hat uns aber auch diese unbewußten Komplexe kennen gelehrt und uns gezeigt, daß sie, ganz allgemein gesprochen, sexuellen Inhalt haben; sie entspringen den Sexualbedürfnissen unbefriedigter Menschen und stellen für sie eine Art von Ersatzbefriedigung [12] dar. Somit müssen wir in allen Momenten, welche
25 das Sexualleben schädigen, seine Betätigung unterdrücken, seine Ziele verschieben, pathogene Faktoren auch der Psychoneurosen erblicken . . .

Unsere Kultur ist ganz allgemein auf der Unterdrückung von Trieben aufgebaut. Jeder einzelne hat ein Stück seines Besitzes,
30 seiner Machtvollkommenheit, der aggressiven und vindikativen Neigungen seiner Persönlichkeit abgetreten; [13] aus diesen Beiträgen ist

[8] **erblichen Belastung**   hereditary taint
[9] **so daß man oft . . . verwenden kann**   so that quite often it is possible to arrive at certain conclusions as to the exact nature of the sexual etiology directly from the clinical syndrome
[10] **Zwangsneurose**   involuntary phobia
[11] **psychogen**   emotionally conditioned, dependent on psychic processes
[12] **Ersatzbefriedigung**   sublimation
[13] **abgetreten**   *here,* sacrificed

der gemeinsame Kulturbesitz an materiellen und ideellen Gütern
entstanden. Außer der Lebensnot sind es wohl die aus der Erotik
abgeleiteten Familiengefühle, welche die einzelnen Individuen zu
diesem Verzichte bewogen haben. Der Verzicht ist im Laufe der
Kulturentwicklung ein progressiver gewesen; die einzelnen Fort- ⁵
schritte desselben wurden von der Religion sanktioniert; das Stück
Triebbefriedigung, auf das man verzichtet hatte, wurde der Gottheit
zum Opfer gebracht; das so erworbene Gemeingut für „heilig"
erklärt. Wer kraft seiner unbeugsamen Konstitution diese Triebunterdrückung nicht mitmachen kann, steht der Gesellschaft als ¹⁰
„Verbrecher", als „outlaw" gegenüber, insofern nicht seine soziale
Position und seine hervorragenden Fähigkeiten ihm gestatten, sich
ihr als großer Mann, als „Held" durchzusetzen.

Der Sexualtrieb—oder richtiger gesagt: die Sexualtriebe, denn
eine analytische Untersuchung lehrt, daß der Sexualtrieb aus vielen ¹⁵
Komponenten, Partialtrieben, zusammengesetzt ist—ist beim
Menschen wahrscheinlich stärker ausgebildet als bei den meisten
höheren Tieren und jedenfalls stetiger, da er die Periodizität fast
völlig überwunden hat, an die er sich bei den Tieren gebunden
zeigt. Er stellt der Kulturarbeit außerordentlich große Kraftmengen ²⁰
zu Verfügung, und dies zwar infolge der bei ihm besonders ausge-
prägten Eigentümlichkeit, sein Ziel verschieben zu können, ohne
wesentlich an Intensität abzunehmen. Man nennt diese Fähigkeit,
das ursprünglich sexuelle Ziel gegen ein andres, nicht mehr
sexuelles, aber psychisch mit ihm verwandtes, zu vertauschen, die ²⁵
Fähigkeit zu Sublimierung. Im Gegensatze zu dieser Verschiebbarkeit, in welcher sein kultureller Wert besteht, kommt beim
Sexualtrieb auch besonders hartnäckige Fixierung vor, durch die
er unverwertbar wird und gelegentlich zu den sogenannten Ab-
normitäten entartet. Die ursprüngliche Stärke des Sexualtriebes ³⁰
ist wahrscheinlich bei den einzelnen Individuen verschieden groß;
sicherlich schwankend ist der von ihm zur Sublimierung geeignete
Betrag. Wir stellen uns vor, daß es zunächst durch die mitgebrachte
Organisation entschieden ist, ein wie großer Anteil des Sexualtriebes
sich beim einzelnen als sublimierbar und verwertbar erweisen wird; ³⁵
außerdem gelingt es den Einflüssen des Lebens und der intellektuel-
len Beeinflussung des seelischen Apparates einen weiteren Anteil
zur Sublimierung zu bringen. Ins Unbegrenzte fortzusetzen ist

dieser Verschiebungsprozeß aber sicherlich nicht, so wenig wie die Umsetzung der Wärme in mechanische Arbeit bei unseren Maschinen. Ein gewisses Maß direkter sexueller Befriedigung scheint für die allermeisten Organisationen unerläßlich, und die
5 Versagung dieses individuell variablen Maßes straft sich durch Erscheinungen, die wir infolge ihrer Funktionsschädlichkeit und ihres subjektiven Unlustcharakters zum Kranksein rechnen müssen . . .

Mit bezug auf die Entwicklungsgeschichte des Sexualtriebes
10 könnte man also drei Kulturstufen unterscheiden: eine erste, auf welcher die Betätigung des Sexualtriebes auch über die Ziele der Fortpflanzung hinaus frei ist; eine zweite, auf welcher alles am Sexualtrieb unterdrückt ist bis auf das, was der Fortpflanzung dient, und eine dritte, auf welcher nur die legitime Fortpflanzung
15 als Sexualziel zugelassen wird. Dieser dritten Stufe entspricht unsere gegenwärtige „kulturelle" Sexualmoral.

Nimmt man die zweite dieser Stufen zum Niveau,[14] so muß man zunächst konstatieren, daß eine Anzahl von Personen aus Gründen der Organisation den Anforderungen derselben nicht
20 genügt. Bei ganzen Reihen von Individuen hat sich die erwähnte Entwicklung des Sexualtriebes vom Autoerotismus zur Objektliebe mit dem Ziel der Vereinigung der Genitalien nicht korrekt und nicht genug durchgreifend vollzogen, und aus diesen Entwicklungsstörungen ergeben sich zweierlei schädliche Abweichungen
25 von der normalen, das heißt kulturförderlichen Sexualität, die sich zueinander nahezu wie positiv und negativ verhalten. Es sind dies zunächst—abgesehen von den Personen mit überstarkem und unhemmbarem Sexualtrieb überhaupt—die verschiedenen Gattungen der Perversen, bei denen eine infantile Fixierung auf ein
30 vorläufiges Sexualziel das Primat der Fortpflanzungsfunktion aufgehalten hat, und die Homosexuellen, oder Invertierten, bei denen auf noch nicht ganz aufgeklärte Weise das Sexualziel vom entgegengesetzten Geschlecht abgelenkt worden ist. Wenn die Schädlichkeit dieser beiden Arten von Entwicklungsstörung geringer
35 ausfällt, als man hätte erwarten können, so ist diese Erleichterung gerade auf die komplexe Zusammensetzung des Sexualtriebes

---

[14] **nimmt man . . . Niveau**   if one accepts as standard the second of these stages

zurückzuführen, welche auch dann noch eine brauchbare Endgestaltung des Sexuallebens ermöglicht, wenn ein oder mehrere Komponenten des Triebes sich von der Entwicklung ausgeschlossen haben. Die Konstitution der von der Inversion betroffenen, der Homosexuellen, zeichnet sich sogar häufig durch eine besondere Eignung des Sexualtriebes zur kulturellen Sublimierung aus.

Stärkere und zumal exklusive Ausbildungen der Perversionen und der Homosexualität machen allerdings deren Träger sozial unbrauchbar und unglücklich, so daß selbst die Kulturanforderungen der zweiten Stufe als eine Quelle des Leidens für einen gewissen Anteil der Menschheit anerkannt werden müssen. Das Schicksal dieser konstitutiv von den anderen abweichenden Personen ist ein mehrfaches, je nachdem sie einen absolut starken oder schwächeren Geschlechtstrieb mitbekommen haben. Im letzteren Falle, bei allgemein schwachem Sexualtrieb, gelingt den Perversen die völlige Unterdrückung jener Neigungen, welche sie in Konflikt mit der Moralforderung ihrer Kulturstufe bringen. Aber dies bleibt auch, ideell betrachtet, die einzige Leistung, die ihnen gelingt, denn für diese Unterdrückung ihrer sexuellen Triebe verbrauchen sie die Kräfte, die sie sonst an die Kulturarbeit wenden würden. Sie sind gleichsam in sich gehemmt und nach außen gelähmt. Es trifft für sie zu, was wir später von der Abstinenz der Männer und Frauen, die auf der dritten Kulturstufe gefördert wird, wiederholen werden.

Bei intensiverem, aber perversem Sexualtrieb sind zwei Fälle des Ausgangs möglich. Der erste, weiter nicht zu betrachtende, ist der, daß die Betroffenen pervers bleiben und die Konsequenzen ihrer Abweichung vom Kulturniveau zu tragen haben. Der zweite Fall ist bei weitem interessanter—er besteht darin, daß unter dem Einflusse der Erziehung und der sozialen Anforderungen allerdings eine Unterdrückung der perversen Triebe erreicht wird, aber eine Art von Unterdrückung, die eigentlich keine solche ist, die besser als ein Mißglücken der Unterdrückung bezeichnet werden kann. Die gehemmten Sexualtriebe äußern sich zwar dann nicht als solche: darin besteht der Erfolg—aber sie äußern sich auf andere Weisen, die für das Individuum genau ebenso schädlich sind und es für die Gesellschaft ebenso unbrauchbar machen wie die unveränderte Befriedigung jener unterdrückten Triebe: darin liegt dann der

Mißerfolg des Prozesses, der auf die Dauer den Erfolg mehr als bloß aufwiegt.[15] Die Ersatzerscheinungen,. die hier infolge der Triebunterdrückung auftreten, machen das aus, was wir als Nervosität, spezieller als Psychoneurosen beschreiben. Die Neurotiker ⁵ sind jene Klasse von Menschen, die es bei widerstrebender Organisation unter dem Einflusse der Kulturanforderungen zu einer nur scheinbaren und immer mehr mißglückenden Unterdrückung ihrer Triebe bringen, und die darum ihre Mitarbeiterschaft an den Kulturwerken nur mit großem Kräfteaufwand, unter innerer Verar-¹⁰ mung, aufrechterhalten oder zeitweise als Kranke aussetzen müssen. Die Neurosen aber habe ich als das „Negativ" der Perversionen bezeichnet, weil sich bei ihnen die perversen Regungen nach der Verdrängung aus dem Unbewußten des Seelischen äußern, weil sie dieselben Neigungen wie die positiv Perversen im „verdrängten" ¹⁵ Zustand enthalten.

Die Erfahrung lehrt, daß es für die meisten Menschen eine Grenze gibt, über die hinaus ihre Konstitution der Kulturanforderung nicht folgen kann. Alle, die edler [16] sein wollen, als ihre Konstitution es ihnen gestattet, verfallen der Neurose; sie hätten ²⁰ sich wohler befunden, wenn es ihnen möglich geblieben wäre, schlechter [17] zu sein. Die Einsicht, daß Perversion und Neurose sich wie postiv und negativ zueinander verhalten, findet oft eine unzweideutige Bekräftigung durch Beobachtung innerhalb der nämlichen Generation. Recht häufig ist von Geschwistern der ²⁵ Bruder ein sexuell Perverser, die Schwester, die mit dem schwächeren Sexualtrieb als Weib ausgestattet ist, eine Neurotika, deren Symptome aber dieselben Neigungen ausdrücken wie die Perversionen des sexuell aktiveren Bruders, und dementsprechend sind überhaupt in vielen Familien die Männer gesund, aber in sozial ³⁰ unerwünschtem Maße unmoralisch, die Frauen edel und überfeinert,[18] aber—schwer nervös. . .

Setzen wir uns vor, drei hier entspringende Fragen zu beantworten: 1. welche Aufgabe die Kulturforderung der dritten Stufe an den einzelnen stellt, 2. ob die zugelassene legitime Sexual-

---

¹⁵ **mehr als bloß aufwiegt**   more than compensates for
¹⁶ **edler**   *here,* more cultivated, sophisticated, genteel
¹⁷ **schlechter**   *here,* less cultivated, sophisticated, genteel
¹⁸ **überfeinert**   excessively refined

befriedigung eine annehmbare Entschädigung für den sonstigen Verzicht zu bieten vermag, 3. in welchem Verhältnisse die etwaigen Schädigungen durch diesen Verzicht zu dessen kulturellen Ausnützungen stehen.

Die Beantwortung der ersten Frage rührt an ein oftmals behandeltes, hier nicht zu erschöpfendes Problem, das der sexuellen Abstinenz. Was unsere dritte Kulturstufe von dem einzelnen fordert, ist die Abstinenz bis zur Ehe für beide Geschlechter, die lebenslange Abstinenz für alle solche, die keine legitime Ehe eingehen. Die allen Autoritäten genehme Behauptung, die sexuelle Abstinenz sei nicht schädlich und nicht gar schwer durchzuführen, ist vielfach auch von Ärzten vertreten worden.[19] Man darf sagen, die Aufgabe der Bewältigung einer so mächtigen Regung wie des Sexualtriebes, anders als auf dem Wege der Befriedigung, ist eine, die alle Kräfte eines Menschen in Anspruch nehmen kann. Die Bewältigung durch Sublimierung, durch Ablenkung der sexuellen Triebkräfte vom sexuellen Ziele weg auf höhere kulturelle Ziele gelingt einer Minderzahl, und wohl auch dieser nur zeitweilig, am wenigsten leicht in der Lebenszeit feuriger Jugendkraft. Die meisten anderen werden neurotisch oder kommen sonst zu Schaden. Die Erfahrung zeigt, daß die Mehrzahl der unsere Gesellschaft zusammensetzenden Personen der Aufgabe der Abstinenz konstitutionell nicht gewachsen ist. Wer auch bei milderer Sexualeinschränkung erkrankt wäre, erkrankt unter den Anforderungen unserer heutigen kulturellen Sexualmoral um so eher und um so intensiver, denn gegen die Bedrohung des normalen Sexualstrebens durch fehlerhafte Anlagen[20] und Entwicklungsstörungen kennen wir keine bessere Sicherung als die Sexualbefriedigung selbst. Je mehr jemand zur Neurose disponiert ist, desto schlechter verträgt er die Abstinenz; die Partialtriebe, die sich der normalen Entwicklung im oben niedergelegten Sinne entzogen haben, sind nämlich auch gleichzeitig um soviel unhemmbarer geworden. Aber auch diejenigen, welche bei den Anforderungen der zweiten Kulturstufe gesund geblieben wären, werden nun in großer Anzahl der Neurose zugeführt. Denn der psychische Wert der Sexualbefriedigung erhöht sich mit ihrer

---

[19] **ist vielfach . . . vertreten worden**   has been advocated frequently by physicians
[20] **fehlerhafte Anlagen**   *here,* tainted heredity

Versagung; die gestaute Libido [21] wird nun in den Stand gesetzt, irgendeine der selten fehlenden schwächeren Stellen im Aufbau der Vita sexualis [22] auszuspüren, um dort zur neurotischen Ersatzbefriedigung in Form krankhafter Symptome durchzubrechen. Wer
5 in die Bedingtheit nervöser Erkrankung einzudringen versteht, verschafft sich bald die Überzeugung, daß die Zunahme der nervösen Erkrankungen in unserer Gesellschaft von der Steigerung der sexuellen Einschränkung herrührt. . .

Auch wer diese Schädigungen durch die kulturelle Sexualmoral
10 zugibt, kann zur Beantwortung unserer dritten Frage geltend machen, daß der kulturelle Gewinn aus der so weit getriebenen Sexualeinschränkung diese Leiden, die in schwerer Ausprägung [23] doch nur eine Minderheit betreffen, wahrscheinlich mehr als bloß aufwiegt. Ich erkläre mich für unfähig, Gewinn und Verlust hier
15 richtig gegeneinander abzuwägen, aber zur Einschätzung der Verlustseite könnte ich noch allerlei anführen. Auf das vorhin gestreifte Thema der Abstinenz zurückgreifend, muß ich behaupten, daß die Abstinenz noch andere Schädigungen bringt als die der Neurose, und daß diese Neurosen meist nicht nach ihrer vollen Bedeutung
20 veranschlagt werden.

Die Verzögerung der Sexualentwicklung und Sexualbetätigung, welche unsere Erziehung und Kultur anstrebt, ist zunächst gewiß unschädlich; sie wird zur Notwendigkeit, wenn man in Betracht zieht, in wie späten Jahren erst die jungen Leute gebildeter Stände [24]
25 zu selbständiger Geltung und zum Erwerb zugelassen werden. Man wird hier übrigens an den intimen Zusammenhang aller unserer kulturellen Institutionen und an die Schwierigkeit gemahnt, ein Stück derselben ohne Rücksicht auf das Ganze abzuändern. Die Abstinenz weit über das zwanzigste Jahr hinaus ist aber für
30 den jungen Mann nicht mehr unbedenklich und führt zu anderen Schädigungen, auch wo sie nicht zur Nervosität führt. Man sagt zwar, der Kampf mit dem mächtigen Triebe und die dabei erforderliche Betonung aller ethischen und ästhetischen Mächte im Seelenleben „stähle" den Charakter, und dies ist für einige

[21] **die gestaute Libido**   repressed sexual desire
[22] **Vita sexualis**   *(Latin)* sex life
[23] **schwerer Ausprägung**   most serious manifestations
[24] **gebildeter Stände**   educated classes, intelligentsia

besonders günstig organisierte Naturen richtig; zuzugeben ist auch, daß die in unserer Zeit so ausgeprägte Differenzierung der individuellen Charaktere erst mit der Sexualeinschränkung möglich geworden ist. Aber in der weitaus großeren Mehrheit der Fälle zehrt der Kampf gegen die Sinnlichkeit die verfügbare Energie des Charakters 5 auf und dies gerade zu einer Zeit, in welcher der junge Mann all seiner Kräfte bedarf, um sich seinen Anteil und Platz in der Gesellschaft zu erobern. Das Verhältnis zwischen möglicher Sublimierung und notwendiger sexueller Betätigung schwankt natürlich sehr für die einzelnen Individuen und sogar für die verschiedenen 10 Berufsarten. Ein abstinenter Künstler ist kaum recht möglich, ein abstinenter junger Gelehrter gewiß keine Seltenheit. Der letztere kann durch Enthaltsamkeit freie Kräfte für sein Studium gewinnen, beim ersteren wird wahrscheinlich seine künstlerische Leistung durch sein sexuelles Erleben mächtig angeregt werden. Im allge- 15 meinen habe ich nicht den Eindruck gewonnen, daß die sexuelle Abstinenz energische, selbständige Männer der Tat oder originelle Denker, kühne Befreier und Reformer heranbilden helfe, weit häufiger brave Schwächlinge,[25] welche später in die große Masse eintauchen, die den von starken Individuen gegebenen Impulsen 20 widerstrebend zu folgen pflegt.

Fragen

1. Welcher Unterschied besteht zwischen der natürlichen und der kulturellen Sexualmoral?
2. Was hält Freud für charakteristisch an der herrschenden kulturellen Sexualmoral?
3. Wozu führt die natürliche Verschiedenheit der Geschlechter?
4. Was sind die Ergebnisse von diesem Zustand?
5. Welchen Einfluß hat die Vererbung auf die Nervosität?
6. Welche zwei Gruppen von nervösen Krankheiten gibt es?
7. Wie unterscheidet Freud zwischen den Neurosen und den Psychoneurosen?

[25] **brave Schwächlinge**   decent mediocrities

8. Woher entspringen im allgemeinen die Psychoneurosen?
9. Worauf ist unsere Kultur allgemein aufgebaut?
10. Unter welchen Umständen hat unsere Kultur die Unterdrückung von Geschlechtstrieben bewirkt?
11. Wer gilt für die Gesellschaft als Verbrecher?
12. Was ist das Eigentümliche bei menschlichen Sexualtrieben?
13. Warum kann der Verschiebungsprozeß nicht ins Unbegrenzte fortgesetzt werden?
14. Welche drei Kulturstufen beziehen sich auf die Entwicklungsgeschichte des Sexualtriebes?
15. Welche zwei Ausgänge sind bei intensivem perversem Sexualtrieb möglich?
16. Welche drei Fragen werden hier aufgeworfen?
17. Von welchen Gefahren bei sexueller Abstinenz oder Einschränkung wird hier gesprochen?
18. Welches Verhältnis besteht zwischen der Neigung zur Neurose und der sexuellen Abstinenz?
19. Warum begünstigt unsere moderne Kultur eine Verzögerung der Sexualbetätigung?
20. Wieso schwanken die Folgen sexueller Sublimierung für die verschiedenen Berufsarten?

Friedrich Meinecke

(1862-1954)

The historian Friedrich Meinecke was one of the most distinguished intellectuals of the liberal tradition. He was professor of history at the University of Berlin from 1914 until 1933, when the Nazi seizure of power caused him to leave his post. As coeditor of the *Historische Zeitschrift* with Heinrich von Treitschke, he was critical of the nationalistic ideas of the latter. He was also the editor of the encyclopedic *Handbuch der mittleren und neueren Geschichte*. Two of his major books are *Idee der Staatsräson in der neueren Geschichte* (1924) which has recently been translated into English under the title *Machiavellism,* and *Weltbürgertum und Nationalstaat* (1919). His last important work, *Die deutsche Katastrophe* (1946) attempts to interpret the disaster that befell Germany between 1933 and 1945. After World War II Meinecke became one of the founders of the Free University in Berlin, and eventually its rector.

The following selection is taken from *Die deutsche Katastrophe.* Meinecke is seeking to evaluate the men and the circumstances surrounding the abortive attempt on Hitler's life which took place on July 20, 1944.

AUS DER VORGESCHICHTE
DES 20. JULI 1944

Es wäre ein Segen gewesen, wenn das deutsche Volk in sich selbst die Kraft gefunden hätte, das Hitlerjoch abzuschütteln. Aber jeder, der das Dritte Reich [1] mit erlebt hat, weiß, daß es schon physisch unmöglich war, dies durch eine allgemeine Volks-
5 bewegung [2] zu erreichen. „Nur durch einen Krieg werden wir die

---

[1] **das Dritte Reich** *the Nazi regime*
[2] **eine allgemeine Volksbewegung** a popular uprising

Gesellschaft [3] wieder los", hörte ich einmal einen derer murmeln, die zuerst auf sie hereingefallen waren und dann rasch enttäuscht wurden. Alles kam auf die Haltung der Reichswehr [4] an. Sie hatte das Ihre getan, um Hitler zur Macht zu verhelfen. Aber konnte nicht auch bei ihren besseren und reiferen Elementen die Illusion [5] über den nationalen Wert der Hitlerbewegung der Erkenntnis ihres Unwertes weichen? Und konnten sie nicht eines Tages vielleicht danach handeln? Das war eine dumpfe Zukunftshoffnung, die viele Patrioten sich insgeheim untereinander zusprachen. Etwas Ungeheures wurde damit von der Reichswehr erhofft, der Form nach [10] nichts Geringeres als ein Militärputsch, etwas schlechthin Unerhörtes in den Traditionen des preußisch deutschen Heeres. Aber unerhört war auch die Lage im Staate, die durch Hitler und die Partei geschaffen war. Ein Verbrecherklub regierte uns, ein Staatsnotstand [5] war eingetreten. In solchen Lagen können Menschen, die [15] auf demselben Boden sittlicher Strenge zu stehen glaubten, mit einem Male sich auseinandergerissen fühlen. Den einen trieb sein Gewissen, jeden Bruch des Hitler einmal geleisteten Fahneneides [6] zu verdammen, der andere sah die höhere sittliche Pflicht darin, ihn zu brechen, das Vaterland von einer Rotte von Verbrechern zu [20] befreien und vor weiterem unabsehbarem Unglück zu bewahren. Das ethische Problem von Schillers „Wilhelm Tell" wurde wieder lebendig.

Der erste, soweit ich weiß, der dies Problem in sich zu beantworten hatte, war der Generaloberst v. Fritsch,[7] der als Chef der [25] Heeresleitung [8] Anfang 1938 seinen Abschied nehmen mußte unter Umständen, die ihn vielleicht zu einer Schilderhebung [9] gegen Hitler hätten führen können. Er enthielt sich ihrer.[10] Aber nicht lange danach, als weiteres Unheil von Hitlers Seite geschah, sagte

---

[3] **Gesellschaft**   *here,* crowd; *Used to refer contemptuously to the Nazis.*
[4] **Reichswehr**   the German armed forces
[5] **Staatsnotstand**   national emergency
[6] **jeden Bruch . . . Fahneneides**   *All military personnel were required to swear an oath of allegiance to Hitler personally, rather than to the Constitution.*
[7] **v. Fritsch**   *Werner von Fritsch, German general (1880-1939).*
[8] **Chef der Heeresleitung**   Chief of Staff
[9] **Schilderhebung**   military revolt
[10] **enthielt sich ihrer**   refrained from it

mir Groener,[11] der mit ihm verkehrte, einmal vertraulich—man darf das jetzt für die Geschichte enthüllen—: „Fritsch bedauert jetzt, nicht gehandelt zu haben." Als dann der Polenkrieg ausbrach,[12] nahm Fritsch als Freiwilliger ohne Kommando an ihm teil und
5 starb im feindlichen Feuer vor den Mauern von Warschau. Dies wenigstens ist die mir wahrscheinlichste unter den umlaufenden Versionen über sein Ende,—das Ende eines Soldaten mit gebrochenem Herzen.

Es kam der eisige Winter von 1941-1942, der uns fast ein
10 zweites 1812 in Rußland [13] zu bereiten drohte, und wieder drängte sich denkenden Menschen die Frage auf die Lippen: warum handelt die Generalität nicht? Warum macht sie nicht gut, was sie durch Begünstigung der Hitlerbewegung bisher gesündigt hat? Warum stürzt sie nicht den gemeingefährlichen Menschen? [14]
15 Da erfuhr ich gegen Ende des Jahres 1941, daß es in der Tat Generäle gab, die sich zu der Einsicht durchgerungen hatten, daß nur durch eine Tat, die formal ein todeswürdiges Verbrechen war, Deutschland vor weiterem Hinabgleiten in den Abgrund gerettet werden könne. Der frühere Chef des Generalstabs, Generaloberst
20 i. R.[15] Beck, der als der bedeutendste Kopf im Heere galt, sprach damals zu meinem Gewährsmann [16] das Wort: „Dieser gordische Knoten [17] kann nur durch einen einzigen Schwerthieb gelöst werden. Wer aber diesen Schwerthieb tut, muß die gewaltige Maschine des deutschen Heeres sowohl kennen als auch beherrschen." Die Aktion
25 vom 20. Juli 1944, die sich an die Namen Beck und Goerdeler [18] knöpft, war also schon damals in Vorbereitung. Mein Gewährsmann

---

[11] **Groener**   *Wilhelm Groener, courageous anti-Nazi general; he had a distinguished career in World War I, served as Minister of the Interior in the Weimar Republic, and after years of opposition to the Nazi regime was executed in 1945.*
[12] **Polenkrieg ausbrach**   *September 1, 1939*
[13] **ein zweites 1812 in Rußland**   *Reference to Napoleon's disastrous defeat in Russia.*
[14] **gemeingefährlichen Menschen**   public enemy
[15] **i. R.**   **im Ruhestand** retired
[16] **Gewährsmann**   confidant, source of information
[17] **gordische Knoten**   *Legendary knot tied by Phrygian king, Gordius, and cut by Alexander the Great; figuratively, any seemingly insurmountable task to be accomplished by violent action.*
[18] **Goerdeler**   *Wilhelm Goerdeler, Lord Mayor of Leipzig, executed by the Nazis in 1945.*

aber war der Hauptmann im OKW.[19] Hermann Kaiser, ein früherer Historiker, der mich von nun an öfter aufsuchte, ein glühender Idealist, eine tief religiöse Natur, die das Hitlertum als Sünde wider Gott empfand und von nun an entschlossen mit Beck und Goerdeler zusammen arbeitete, um eine Erhebung aus dem Zentrum der 5 Wehrmacht heraus gegen Hitler vorzubereiten. Sein erster Besuch bei mir galt noch einer rein historischen Frage, die aber schon vorbedeutend war. Er forschte den politischen Geheimbünden aus der Zeit der Befreiungskriege [20] nach, und wir sprachen dabei über den „Deutschen Bund" [21] von 1812/1813. Er war in Zellen von je 10 drei bis vier Gesinnungsgenossen gegliedert, von denen immer nur je einer etwas von der nächsten Zelle und deren Vertrauensmann wußte. Ich merkte, worauf er hinauswollte,[22] und er begann nun Becks und Goerdelers Pläne zu enthüllen. Für jenen hatte er den Decknamen „Eisenmann", für dieesn den Decknamen „Messer". 15 Eines Tages erzählte er dann befriedigt: „Jetzt ist auch bei uns der ‚Deutsche Bund' als bestehend zu betrachten." Goerdeler sage, daß er auf Tausende rechnen könne, die ihm, wenn der Hauptschlag [23] geglückt sei, für alles weitere helfen würden.

Meine Gespräche mit Kaiser gehören zu den innerlich erregend- 20 sten meines Lebens. Es genügte ihm, daß ich ihm grundsätzlich zustimmte. Von den Vorbereitungen im einzelnen erfuhr ich nur Weniges, habe auch von der Tat des 20. Juli vorher nichts gewußt. Aber er vermittelte, daß auch Beck und ich miteinander in Verkehr und Gedankenaustausch traten. Da habe ich einen jener leider nicht 25 allzu zahlreichen höheren Offiziere kennengelernt, die als die echten Erben Scharnhorsts [24] gelten können, nicht nur als straffe und energische Soldaten, sondern auch als hochgebildete, weitblickende Patrioten.

[19] **OKW   Oberkommando der Wehrmacht** Supreme Headquarters of the Armed Forces
[20] **Befreiungskriege**   Wars of Liberation *(from Napoleon), in which Prussia took a leading part.*
[21] **„Deutschen Bund"**   *Secret association of patriots pledged to throw off Napoleon's yoke.*
[22] **worauf . . . hinaus wollte**   what his intention was
[23] **Hauptschlag**   *Hitler's assassination.*
[24] **Scharnhorsts**   *Gerhard Johann David von Scharnhorst (1755-1813), respected Prussian general of the Napoleonic Wars.*

Seinem und Goerdelers Vorhaben lag ein durchaus richtiger politischer Gedanke zugrunde. Die Niederkämpfung Deutschlands durch das von einem entschlossenen Willen geführte größere Potential der Gegner war nur eine Frage der Zeit, zumal seit der
5 Katastrophe von Stalingrad [25] und der Landung der Amerikaner in Afrika.[26] Ein noch länger dauerndes Hitlerregiment konnte die Agonien Deutschlands nur verlängern, und mit einem Hitlerregiment wollte der Gegner nie und nimmer verhandeln. Also ein bodenloses Unglück war von ihm mit Sicherheit zu erwarten. Trat nun aber
10 eine neue verhandlungsfähige [27] Regierung an seine Stelle, so konnte man, gestützt auf ein zwar nicht mehr siegen könnendes, aber noch kampffähiges und Respekt einflößendes Heer günstigere Friedensbedingungen erhoffen als von einem Weißbluten unter Hitler.
15 Es ließ sich freilich auch manches gegen diesen Gedanken einwenden. Unzweifelhaft war nach geglückter Tat sine neue Dolchstoßlegende [28] zu erwarten, ein wildes Geschrei der Nazis, daß uns durch Verrat der Endsieg aus der Hand gerungen sei, —hat man doch den Mythos vom Endsiege noch wenige Wochen vor der
20 Endkatastrophe zu verbreiten die Stirn gehabt.[29] Nun, wer die Aufgabe, Deutschland vor der größten Katastrophe seiner Geschichte zu bewahren, über alles stellte, konnte auch den moralischen Mut aufbringen, die Schmähungen zu ertragen, die eine zweite Dolchstoßlegende ihm zuziehen mußte. Diesen Mut haben Beck
25 und die Seinen gehabt.

Ernster aber ist ein andrer Einwand. Konnte man denn sicher sein, daß das Heer nach Hitlers Sturze der Generalsfronde [30] auch folgen würde? Daß nicht andere Generäle sich gegen sie erheben

---

[25] **Stalingrad**   *Major defeat of Nazi forces during the winter of 1942-43; destruction of the VI. Army of General v. Paulus marked the turning point of the campaign in Russia.*

[26] *Allied troops landed in Morocco and Algeria during the period of November 8-11, 1942.*

[27] **verhandlungsfähige**   *here,* responsible

[28] **Dolchstoßlegende**   "stab-in-the-back" legend; *Raised by German revanchists to blame the defeat in World War I on the collapse of the home front.*

[29] **die Stirn gehabt**   had the temerity

[30] **Generalsfronde**   rebellious group of generals

würden, daß angesichts des Feindes ein Bürgerkrieg an der Front
und in der Heimat entbrennen würde?

Die Nazisierung des Heeres war doch schon weit vorgeschritten,
als der Krieg ausbrach, und es kam nicht nur auf die Generäle, sondern auch auf die jungen Leutnants an, ob sie die wahre Lage   5
Deutschlands erkennen und der neuen Regierung Gehorsam leisten
würden. An dieser politisch unreifen und bisher schwer mißleiteten
Generation des Offizierkorps konnte vielleicht das ganze Unternehmen schon im Beginne scheitern. Ob freilich die Haltung des
Berliner Wachbataillons [31] am 20. Juli so hitlertreu gewesen ist,   10
wie Goebbels [32] uns hat glauben machen wollen, ist nach einer mir
neuerdings zugegangenen Information sehr zweifelhaft. Es soll
stundenlang mit zusammengestellten Gewehren „neutral" dagestan-
den haben. Gescheitert ist der 20. Juli vor allem an dem einen
Zufall, daß Hitler leben blieb, weil die Sprengbombe, die auf die   15
Zementmauern eines Bunkers berechnet war, in der Holzbaracke,
in der ganz ausnahmsweise die Beratung an jenem Tage stattfand,
nicht recht zur Wirkung kam. Wäre Hitler getötet worden, so
würde alles auf die Auseinandersetzung der neuen Heeresleitung
mit der Waffen-SS [33] angekommen sein. Man würde sie aufgefordert   20
haben, in das Heer sich eingliedern zu lassen, den Kampf gegen
den äußeren Feind dabei fortzusetzen und würde nur die wider-
strebenden Teile der Waffen-SS niederzukämpfen gehabt haben.
Nun aber Hitler leben blieb, war auch die Aussicht auf das Gelingen
dieses Verfahrens viel geringer geworden.   25

Man kann zu Rechtfertigung der Verschwörer auch das geltend
machen, daß ihnen das Unglück, das durch die Fortdauer des Hitler-
regiments über Deutschland hereinbrechen mußte, eben viel
größer erschien als das Unglück eines Bürgerkrieges. Dieser wäre
voraussichtlich nur von kurzer Dauer gewesen, auch der Krieg   30
gegen den äußeren Feind würde dann rasch zu Ende gekommen
sein. Viele Städte aber wären unzerstört, viele Tausende von

---

[31] **Wachbataillons**   *Elite SS unit charged with security measures in Berlin.*
[32] **Goebbels**   *Joseph Goebbels (1897-1945), Hitler's effective Propaganda
Minister; committed suicide in May, 1945.*
[33] **Waffen-SS**   *Originally paramilitary Nazi party security forces, subsequently incorporated into armed forces; they continued to be responsible
solely to Hitler or Himmler rather than to the field commander in whose
area they were deployed.*

Menschenleben bewahrt geblieben, wenn das Attentat vom 20. Juli etwa zu einem derartigen Ausgange, —zwar Hitler zu beseitigen, aber eine Spaltung im Heere hervorzurufen—geführt haben würde. Ein letzter Einwand kann schließlich gegen die Art und gar 5 zu lange Dauer der Vorbereitung erhoben werden. Es wurden, vielleicht auch es mußten mehr Menschen ins Geheimnis gezogen werden, als an sich ratsam war, um das Geheimnis zu hüten. Unvorsichtigkeiten sind auch begangen worden. Die lange Hinausziehung des Unternehmens ist vor allem verursacht worden durch 10 eine schwere, zur Operation führende Erkrankung Becks im Jahre 1943. Die Gefahr, verraten zu werden, wurde nun aber immer größer.

Anfang 1944 teilte mir Kaiser in der Tat mit, daß das Unternehmen verraten sei und aufgegeben werden müsse. Und als mich 15 Beck im Mai 1944 zum letzten Male besuchte, sagte er zu mir „Es hilft nichts, es gibt keine Rettung, wir müssen den bitteren Leidenskelch nun auslöffeln bis zum bittersten Ende." [34] Und ich vermute nun, daß man das Attentat schließlich deswegen gewagt hat, weil es eben schon verraten war und weil man vor der nun 20 drohenden Massenverhaftung wenigstens noch einen letzten Versuch der Rettung Deutschlands machen wollte.

Es ging dann bekanntlich ein Massenstrafgericht über die wirklichen oder auch nur angeblichen Mitschuldigen nieder, das vermutlich auch möglichst viele derer treffen sollte, die berufen 25 waren, bei einem Neuaufbau mitzuhelfen. Viele wertvolle, unersetzliche Kräfte sind uns dadurch entrissen worden. In Volke erfuhr man es anfangs noch nicht, daß sich unter den Hingerichteten Männer wie der aktive preußische Finanzminister Popitz, der frühere Botschafter in Rom Ulrich v. Hassel und der frühere 30 Botschafter in Moskau Graf Schulenburg befanden. Es war Unsinn, von einer reaktionärmilitaristischen Clique zu sprechen, die das Attentat verübt habe. Viele Namen aus alten Familien stehen neben denen von Sozialdemokraten auf der jetzt bekanntgewordenen Liste von Hingerichteten, die wahrscheinlich nur einen kleinen Teil der 35 wirklich Getöteten nennt. Wie wenig reaktionär Beck selbst gesonnen war, weiß ich aus meinen mit ihm geführten Gesprächen.

[34] **wir müssen . . . Ende** we shall have to swallow the bitter pill and wait to the bitter end.

In dem letzten, schon erwähnten Gespräche vom Mai 1944 meinte er, daß man nach der zu erwartenden Endkatastrophe eine antinazistische Einheitspartei gründen müsse, die von der äußersten Rechten bis zu den Kommunisten reiche,—denn auf die Zuverlässigkeit der Kommunisten in nationalen Grundfragen könne man sich, [5] wie er in Oberschlesien [35] es erlebt habe, verlassen.

Es wird wohl niemals zu einem einhelligen, sei es anerkennenden, sei es verdammenden Urteil über die Männer des 20. Juli kommen. Als ein Mitwisser im weiteren Sinne kann ich nur sagen, daß ich ihre Motive für rein und hochsinnig halte. Sie haben der [10] Welt bewiesen, daß es im deutschen Heere und im deutschen Volke doch noch Kräfte gab, die nicht wie stumme Hunde sich unterwerfen wollten, die den Mut zum Martyrium besaßen.

Fragen

1. Warum hätte die Reichswehr eine weit energischere Rolle in der Niederwerfung der Hitlerregierung spielen sollen?
2. Mit welchen sittlichen Konflikten rangen die Mitglieder des deutschen Offizierkorps?
3. Wie reagierte General von Fritsch zur Hitlerregierung?
4. Zu welcher Einsicht kamen viele der Generäle im Winter 1941-1942?
5. Welche Rolle spielte General Beck in den Ereignissen vom 20. Juli 1944?
6. Wieso entstand jetzt eine Neubildung des „Deutschen Bundes" von 1812-1813?
7. Wie war die militärische Lage Deutschlands zu dieser Zeit und was würden die Folgen einer Kriegsfortsetzung sein?
8. Warum fürchtete man das Aufkommen einer neuen Dolchstoßlegende?
9. Wie weit war die Nazisierung des deutschen Heeres fortgeschritten?

[35] **Oberschlesien**   Upper Silesia; *A former province in Southeastern Germany now under Polish administration.*

10. Durch welche besonderen Umstände ist das Attentat vorwiegend gescheitert?
11. Welche Schwierigkeiten standen den Vorbereitungen auf das Attentat gegen Hitler im Wege?
12. Welches entsetzliche Strafgericht wurde von den Nazis über die Attentäter samt ihren Familien verübt?

Ricarda Huch

(1864-1947)

Ricarda Huch was born in Braunschweig, the daughter of a merchant. She was one of the first women to study at a continental university; she received her doctorate in history and philosophy at the University of Zürich in 1891. This university, one of the most liberal of its time, was among the first to admit women students. Ricarda Huch was a librarian and teacher before she married an Italian dentist, Ermanno Ceconi. A second marriage, to her cousin Richard Huch, took place in 1906, but this was terminated in 1910. She lived in Munich, Berlin, and at the end of her life in Jena, where she died in 1947 in great hardship as a result of the war.

Her literary career includes the publication of poems (1891, 1907, 1920, 1924, 1929, 1944), novels (*Rudolf Ursleu*, 1893; *Michael Unger*, 1903), *Novellen* (1897, 1899, 1905, 1910, 1919, 1926, 1943, 1947), biographies (Keller, Garibaldi, Federigo Confalonieri, Luther, Bakunin), literary criticism (*Die Romantik, 1908*), and history (*Der große Krieg in Deutschland*, 1912-1914; *Im alten Reich. Lebensbilder deutscher Städte*, 1927-1929; *Deutsche Geschichte*, 1937). At the time of her death she was working on a collection of biographies of heroes of the resistance movement against Hitler.

The selection that follows is the brief introduction to her monumental and definitive study of Romanticism.

DIE ROMANTIK: ÜBERBLICK

Das will alles umfassen und verliert sich darüber immer ins Elementarische

—GOETHE [1]

Ringseis [2] erzählt in seinen Lebenserinnerungen eine merkwürdige Geschichte: der kleine Sohn eines Offiziers hörte eines Tages

[1] **Das . . . Elementarische** it strives to embrace everything and tends to dissipate itself in the elemental; *A remark made by Goethe as he was looking at some frescoes by the Romantic painter Philipp Otto Runge, recorded by Goethe's friend Sulpiz Boisserée in his* **Lebensbeschreibung** *(1862), p. 114.*

[2] **Ringseis** *Johann Nepomuk Ringseis (1785-1880), physician, literary scholar, and confidant of King Ludwig I of Bavaria.*

auf freiem Felde eine Hirtenflöte blasen, lief voll Sehnsucht dem
Klange nach und kam nicht zurück. Die Eltern mußten es endlich
aufgeben, den Verlorenen zu suchen, der irgendwo in einem Dorfe
ein Hirtenbube geworden war; nach vielen Jahren fanden sie ihn
zufällig mit Familie in einer Hütte und so in die bäuerlichen ⁵
Verhältnisse eingelebt, daß es untunlich gewesen wäre, ihn in die
früheren zurückzuversetzen.

Dies kann wohl als ein Bild für die Geschichte der Romantik
gelten: sie ging dem süßen, volkstümlichen Tone einer Schalmei
nach, wie sie Kinder oder Hirten blasen, setzte sie selbst an den ¹⁰
Mund, gab sich der wilden, freien Natur hin, stolz, einmal die
Kultur abstreifen zu können, und ging dabei unversehens ihrer
gebildeten Geisteskräfte verlustig,³ bis sie schließlich nichts anderes
mehr konnte als auf der Schalmei blasen.

Die ersten Romantiker waren Norddeutsche gewesen, durch ¹⁵
hellen Verstand, Wissensdurst und geistige Energie ausgezeichnet,
wie sie dem Norddeutschen im allgemeinen eigen sind.⁴ Was sie
von den meisten ihrer Zeitgenossen unterschied, war der Sinn für
das Geheimnisvolle, für das dunkle Reich in unserem Innern, das
uns mit dem Allgemeinen, mit dem Kosmos verbindet. ²⁰

    . . . Es liegt um uns herum
    Gar mancher Abgrund, den das Schicksal grub;
    Jedoch in unsrem Herzen ist der tiefste,
    Und reizend ist es sich hinabzustürzen.⁵

Über diesen Abgrund beugten sich die Romantiker, lauschten ²⁵
hinunter, förderten Schätze aus ihm zutage,⁶ erkannten in ihm den
Urquell des Lebens und der Kunst. Wenn sie sich an den pythischen ⁷ Diensten, die aus der Tiefe aufstiegen, hie und da berausch-
ten, so behielten sie doch im allgemeinen den Kopf frei und klar.
Sie blieben die bewußten Pfadfinder durch das dunkle Land des ³⁰
Unbewußten, sie deuteten Mythologie, Märchen, Sage, Aberglauben,

---

³ **und ging . . . verlustig**   and unexpectedly lost its intellectual powers
⁴ **wie sie . . . eigen sind**   which, generally speaking, are characteristic
of North Germans
⁵ *Johann Wolfgang von Goethe,* **Torquato Tasso,** *V, ii, (1790)*
⁶ **förderten . . . zutage**   unearthed treasures from it
⁷ **pythischen**   *Pertaining to Apollo, with reference to his Oracle of Delphi
in ancient Greece.*

aber sie verirrten sich nicht oder fanden sich doch bald wieder zurecht. Mit klardenkendem, ja kritischem Kopfe liebten sie eine schöne Raserei, die Verwirrung des Traumes; und eine Verbindung der entgegengesetzten Pole, nenne man sie Vernunft und Phantasie oder Geist und Trieb, stellten sie als Ideal auf.

Bald indessen drängten sich andere hinzu, die keine Verwandtschaft mit dem Verstand und der Geisteskraft jener fühlten, sondern einzig durch die berauschenden Dünste angelockt wurden, die aus dem aufgedeckten Abgrund stiegen. Es waren durchaus keine kritischen Köpfe, sondern unklare Träumer, Halberwachte, Schwache, denen es Wollust war, sich zu verirren und in den Abgrund hinuntergleiten zu lassen. Um dem Zwiespalt zwischen Geist und Natur zu entgehen, den sie nicht in sich zu überwinden vermochten, gaben sie sich ganz und gar der Natur, ihrem Triebleben hin, den Geist abschwörend, worauf denn eben bald die flache Natürlichkeit wieder da war, die die ersten Romantiker bekämpft hatten. Diese waren keineswegs stolz auf das junge Gefolge, sondern blickten mit Befremden und geheimem Mißfallen auf die Selbstmörder, die den Geist in sich erstickten und dabei ihren Namen anriefen. In ihren weiteren Grenzen erlebten freilich die Älteren auch einen Niedergang.

Dem Kreise des Erblühens und Verwelkens ist die Natur eingestellt; der mit ihr verbundene Geist wird von ihr überwältigt, teilt ihr Los, nur in seltenen Fällen macht er sich von ihr unabhängig und überstrahlt sie mit dem Lichte einer ewigen Jugend. Gerade für den Künstler sind die Bedingungen schwierig; denn ohne reiche Natur gäbe es keine Künstlerschaft (etwa wie kein gutes Drama ohne eine Frauenrolle, keine schöne Stadt ohne einen landschaftlichen Hintergrund oder Umgebung), der das Gleichgewicht zu halten schon eines starken Geistes bedarf. Daran fehlte es den jüngeren Romantikern, und so kam immer ein Augenblick, wo das Triebleben in ihnen das Geistesleben überwucherte, und damit begann der Untergang. Der Schwelgerei der Jugend folgte Erschöpfung, ja Faselei und Albernheit. Das neue tatkräftige Geschlecht rottete Blumen, Gras und Unkraut mit einander aus, um die Saat zu bestellen und Häuser zu bauen.

Die jüngere romantische Bewegung wurde aber nicht nur von jungen schwachgeistigen Dichtern und Künstlern getragen; die

Ideen von Novalis,[8] Schlegel,[9] Schelling[10] regten die Mehrzahl der bedeutenden Zeitgenossen an, unter denen viele Männer von Kopf und Charakter waren. Alle Gebiete—Religion, Kunst, Wissenschaft—erfuhren durch die Romantik Erweiterung und Vertiefung, nach allen Richtungen gingen die Strahlen, erleuchteten und erloschen   5
schließlich. Das Ideal, Geist und Natur, Bewußtes und Unbewußtes in gleichkräftigem Vereine zu halten, erfüllt sich schwer im einzelnen, sowie in irgend einer Erscheinung oder Bewegung. Einen Augenblick lang erhielt sich die romantische Richtung über den Polen, das Alte und das Neue, das Historische und Radikale, den   10
Katholizismus und Protestantismus, den Zwang und die Freiheit gleich wertend, jedem das Seine lassend, allein die Kraft erlahmte bald, eine Schale mußte sinken, und zwar in den meisten Fällen die der Vernunft, während die der Neigung in die Höhe ging. Man könnte den Weg, den die Romantik nahm, so bezeichnen: vom   15
Norden ausgehend wandte sie sich nach Süden, hielt kurze Zeit die Mitte zwischen Norden und Süden, um dann nach Süden hinunter zu gleiten.

Was für reichen Samen sie auf diesem Wege ausstreute, ist kaum zu sagen; hier soll zunächst nur versucht werden, die Richtung zu   20
zeigen, in der er geworfen wurde, oder, um bei dem vorhin gebrauchten Bilde zu bleiben, die Hauptstrahlen aufzuweisen, die von der neuen Ideenwelt ausgingen.

Der höchste Ruhm der Romantiker, was in den oben angeführten Worten Goethe als ihren Fehlgriff und die Ursache ihres Unter-   25
ganges bezeichnete, war daß sie alles umfassen wollten. Er habe die Welt müssen vermodern und in ihre Elemente zurückkehren sehen, sagte Goethe in derselben Hinsicht, er habe versucht, sich Welt und Natur als Plastiker klar zu machen, nun machten jene wieder einen Dunst darüber. Es kam den Romantikern in der Tat weniger auf   30
eine klare, sichtbare Welt an, als auf die unergründeten Tiefen, auf die verborgenen Zauberkessel, wo die Elemente sich mischen und

---

[8] **Novalis**   Pen name of Friedrich von Hardenberg (1772-1801), German Romantic poet.
[9] **Schlegel**   August Wilhelm von Schlegel (1767-1845) and his brother Friedrich (1772-1829) were distinguished German critics, poets, and actually the first leaders of the Romantic movement in Germany.
[10] **Schelling**   Friedrich von Schelling (1775-1854) eminent German philosopher, associated with the Romantics.

kochen und oben die Dünste ans Licht senden, die es trüben. Die kosmischen Kräfte ließen sich beschwören, wurden aber der Menschen Meister und unterwühlten ihre edle Bewußtseinswelt, anstatt sie zu einem Ganzen zu vollenden. Dieser Prozeß mag indessen so notwendig sein, wie dem einzelnen Menschen der Schlaf ist, damit sich der Geist aus den Elementen des Seins, die ihn verschlingen, wieder Kraft zu leben schöpfe.

5

Fragen

1. Warum wollten die Eltern des Hirtenknaben ihn nicht nach Hause bringen?
2. Was unterschied die ersten Romantiker von ihren Zeitgenossen?
3. Warum gaben sich die Romantiker der nächsten Generation der Natur hin?
4. Was dachte die ältere Gruppe von der jüngeren?
5. Was muß ein Drama haben, um gut zu sein?
6. Was muß eine Stadt haben, um schön zu sein?
7. Was war der höchste Ruhm der Romantiker?
8. Welche Einstellung hatte Goethe zu den Romantikern?
9. Zwischen welchen Polen entstand die Spannung in der Romantik?

Max Weber

(1864-1920)

Weber was professor of sociology at the Universities of Berlin, Freiburg, and Heidelberg. Frequent illness, beginning in his early thirties, interrupted his work, but he was nonetheless a most productive and stimulating scholar. His basic orientation was toward the importance of the scientific method of inquiry and its relationship to values in social action. He emphasized the need for development of a distinct methodology for the social sciences, based upon rationality rather than intuition. He opposed Hegelian idealism as well as the Marxian view that economics is the sole factor in social causation, stressing instead the multiplicity and interrelationship of causative factors. Perhaps his most outstanding contribution is his speculation on the relationship between the rise of capitalism and the ascetic character of Protestantism, particularly Calvinism. The latter thesis was developed in his *Gesammelte Aufsätze zur Religionssoziologie* (1920-1921). Among his other important writings are *Wirtschaft und Gesellschaft* and *Wirtschaftsgeschichte*.

Wissenschaft als Beruf (1919), of which the beginning portion is reprinted here, dates from the last years of Weber's life, a time when his interest centered increasingly upon the general problems of education and pedagogy.

WISSENSCHAFT ALS BERUF [1]

Ich soll nach Ihrem Wunsch über „Wissenschaft [2] als Beruf"
sprechen. Nun ist es eine gewisse Pedanterie von uns Nationalökonomen, an der ich festhalten möchte: daß wir stets von den
äußeren Verhältnissen ausgehen, hier also von der Frage: Wie
5 gestaltet sich Wissenschaft als Beruf im materiellen Sinne des
Wortes? Das bedeutet aber praktisch heute im wesentlichen: Wie
gestaltet sich die Lage eines absolvierten Studenten, der entschlossen
ist, der Wissenschaft innerhalb des akademischen Lebens sich

---

[1] **Wissenschaft als Beruf**   the academic profession
[2] **Wissenschaft**   *here in its broader sense,* research, scholarship

berufsmäßig hinzugeben? Um zu verstehen, worin da die Besonderheit unserer deutschen Verhältnisse besteht, ist es zweckmäßig,
vergleichend zu verfahren und sich zu vergegenwärtigen, wie es im
Auslande dort aussieht, wo in dieser Hinsicht der schärfste Gegensatz zu uns besteht: in den Vereinigten Staaten.   5

Bei uns—das weiß jeder—beginnt normalerweise die Laufbahn
eines jungen Mannes, der sich der Wissenschaft als Beruf hingibt,
als „Privatdozent".[3] Er habilitiert sich nach Rücksprache und mit
Zustimmung des betreffenden Fachvertreters, auf Grund eines
Buches und eines meist mehr formellen Examens vor der Fakultät,   10
an einer Universität[4] und hält nun, unbesoldet, entgolten nur
durch das Kolleggeld der Studenten, Vorlesungen, deren Gegenstand
er innerhalb seiner *venia legendi*[5] selbst bestimmt. In Amerika
beginnt die Laufbahn normalerweise ganz anders, nämlich durch
Anstellung als „assistant". In ähnlicher Art etwa, wie das bei uns   15
an den großen Instituten der naturwissenschaftlichen und medizini-
schen Fakultäten vor sich zu gehen pflegt, wo die förmliche Habilitation als Privatdozent nur von einem Bruchteil der Assistenten und
oft erst spät erstrebt wird. Der Gegensatz bedeutet praktisch: daß
bei uns die Laufbahn eines Mannes der Wissenschaft im ganzen auf   20
plutokratischen Voraussetzungen aufgebaut ist. Denn es ist außerordentlich gewagt für einen jungen Gelehrten, der keinerlei Vermögen hat, überhaupt den Bedingungen der akademischen Laufbahn sich auszusetzen. Er muß es mindestens eine Anzahl Jahre
aushalten können, ohne irgendwie zu wissen, ob er nachher die   25
Chancen hat, einzurücken in eine Stellung, die für den Unterhalt
ausreicht. In den Vereinigten Staaten dagegen besteht das büro-
katische System. Da wird der junge Mann von Anfang an besoldet.[6]
Bescheiden freilich. Das Gehalt entspricht meist kaum der Höhe der
Entlohnung eines nicht völlig ungelernten Arbeiters. Immerhin: 30

---

[3] **Privatdozent**   *Unsalaried lecturer at a German university who receives
only the students' fees. The position of "Privatdozent" was abolished in
1934.*
[4] **Er habilitiert . . . Universität**   *Before appointment to the University
faculty, the candidate was expected to prove his competence by presenting
a paper in his area of specialization before the faculty, and thus qualify
for the venia legendi, his teaching license.*
[5] **venia legendi**   *(Latin)* right to lecture
[6] **besoldet**   salaried

er beginnt mit einer scheinbar sicheren Stellung, denn er ist fest
besoldet. Allein die Regel ist, daß ihm, wie unseren Assistenten,
gekündigt werden kann, und das hat er vielfach rücksichtslos zu
gewärtigen, wenn er den Erwartungen nicht entspricht. Diese
5 Erwartungen aber gehen dahin, daß er „volle Häuser" macht. Das
kann einem deutschen Privatdozenten nicht passieren. Hat man
ihn einmal, so wird man ihn nicht mehr los.[7] Zwar „Ansprüche" hat
er nicht. Aber er hat doch die begreifliche Vorstellung: daß er,
wenn er jahrelang tätig war, eine Art moralisches Recht habe, daß
10 man auf ihn Rücksicht nimmt.

Ein weiterer Unterschied gegenüber Amerika ist der: Bei uns
hat im allgemeinen der Privatdozent weniger mit Vorlesungen [8] zu
tun, als er wünscht. Er kann zwar dem Rechte nach jede Vorlesung
seines Faches lesen. Das gilt aber als ungehörige Rücksichtslo-
15 sigkeit gegenüber den älteren vorhandenen Dozenten, und in der
Regel hält die „großen" Vorlesungen der Fachvertreter,[9] und der
Dozent begnügt sich mit Nebenvorlesungen.[10] Der Vorteil ist:
er hat, wennschon etwas unfreiwillig, seine jungen Jahre für die
wissenschaftliche Arbeit frei.

20 In Amerika ist das prinzipiell anders geordnet. Gerade in
seinen jungen Jahren ist der Dozent absolut überlastet, weil er
eben bezahlt ist. In einer germanistischen Abteilung z. B. wird der
ordentliche Professor [11] etwa ein dreistündiges Kolleg über Goethe
lesen und damit: genug—, während der jüngere „assistant" froh
25 ist, wenn er, bei zwölf Stunden die Woche, neben dem Einbläuen [12]
der deutschen Sprache etwa bis zu den Dichtern vom Range
Uhlands [13] hinauf etwas zugewiesen bekommt. Denn den Lehrplan
schreiben die amtlichen Fachinstanzen vor,[14] und darin ist der „assistant", ebenso wie bei uns der Institutsassistent, abhängig.

---

[7] **Hat man . . . mehr los**   once you have him, you can't get rid of him
[8] **Vorlesungen**   *It is customary at German universities to conduct classes
by means of large lecture sections in conjunction with seminars.*
[9] **Fachvertreter**   *The departmental "big name" specialist.*
[10] **Nebenvorlesungen**   ancillary *or* supplementary lectures
[11] **ordentliche Professor**   full professor
[12] **Einbläuen**   drilling
[13] **Uhlands**   *Ludwig Uhland (1787-1862), German Romantic poet of
relatively minor rank.*
[14] **Denn den Lehrplan . . . vor**   the teaching schedule is determined by
the department's administrative head

Nun können wir bei uns mit Deutlichkeit beobachten: daß die neueste Entwicklung des Universitätswesens auf breiten Gebieten der Wissenschaft in der Richtung des amerikanischen verläuft. Die großen Institute medizinischer oder naturwissenschaftlicher Art sind „staatskapitalistische" Unternehmungen.[15] Sie können nicht ver- 5 waltet werden ohne Betriebsmittel größten Umfangs. Und es tritt da der gleiche Umstand wie überall, wo der kapitalistische Betrieb einsetzt: die „Trennung des Arbeiters von den Produktionsmitteln.". Der Arbeitnehmer, der Assistent also, ist angewiesen auf die Arbeitsmittel, die vom Staat zur Verfügung gestellt werden; er ist infolge- 10 dessen vom Institutsdirektor ebenso abhängig wie ein Angestellter in einer Fabrik:—denn der Institutsdirektor stellt sich ganz gutgläubig vor, daß dies Institut „sein" Institut sei, und schaltet darin,—und er steht häufig ähnlich prekär wie jede „proletaroide" Existenz und wie der „assistant" der amerikanischen Universität. 15

Unser deutsches Universitätsleben amerikanisiert sich, wie unser Leben überhaupt, in sehr wichtigen Punkten, und diese Entwicklung, das bin ich überzeugt, wird weiter übergreifen auch auf die Fächer, wo, wie es heute noch in meinem Fach in starkem Maß der Fall ist, der Handwerker das Arbeitsmittel (im wesentlichen: 20 die Bibliothek) selbst besitzt, ganz entsprechend, wie es der alte Handwerker in der Vergangenheit innerhalb des Gewerbes auch tat. Die Entwicklung ist in vollem Gange. Die technischen Vorzüge sind ganz unzweifelhaft, wie bei allen kapitalistischen und zugleich bürokratisierten Betrieben. Aber der „Geist", der in ihnen herrscht, 25 ist ein anderer als die althistorische Atmosphäre der deutschen Universitäten. Es besteht eine außerordentlich starke Kluft, äußerlich und innerlich, zwischen dem Chef eines solchen großen kapitalistischen Universitätsunternehmens und dem gewöhnlichen Ordinarius [16] alten Stils. Auch in der inneren Haltung. Ich möchte das hier 30 nicht weiter ausführen. Innerlich ebenso wie äußerlich ist die alte Universitätsverfassung fiktiv geworden. Geblieben aber und wesentlich gesteigert ist ein der Universitätslaufbahn eigenes Moment: Ob es einem solchen Privatdozenten, vollends einem Assistenten, jemals gelingt, in die Stelle eines vollen Ordinarius und gar eines Insti- 35

---

[15] „staatskapitalistische" Unternehmungen *These research institutes were either wholly or in large part subsidized by state funds.*
[16] **Ordinarius**   full professor

tutsvorstandes einzurücken, ist eine Angelegenheit, die einfach
Hasard ist. Gewiß: nicht nur der Zufall herrscht, aber er herrscht
doch in ungewöhnlich hohem Grade. Ich kenne kaum eine Laufbahn auf Erden, wo er eine solche Rolle spielt. Ich darf das um so
5 mehr sagen, als ich persönlich es einigen absoluten Zufälligkeiten
zu verdanken habe, daß ich seinerzeit in sehr jungen Jahren in eine
ordentliche Professur eines Faches berufen wurde, in welchem
damals Altersgenossen unzweifelhaft mehr als ich geleistet hatten.
Und ich bilde mir allerdings ein, auf Grund dieser Erfahrung ein
10 geschärftes Auge für das unverdiente Schicksal der vielen zu haben,
bei denen der Zufall gerade umgekehrt gespielt hat und noch spielt
und die trotz aller Tüchtigkeit innerhalb dieses Ausleseapparates
nicht an die Stelle gelangen, die ihnen gebühren würde. Daß nun
das Hasard und nicht die Tüchtigkeit als solche eine so große Rolle
15 spielt, liegt nicht allein und nicht einmal vorzugsweise an den
Menschlichkeiten, die natürlich bei dieser Auslese ganz ebenso
vorkommen wie bei jeder anderen. Es wäre unrecht, für den
Umstand, daß zweifellos so viele Mittelmäßigkeiten an den Universitäten eine hervorragende Rolle spielen, persönliche Minder-
20 wertigkeiten von Fakultäten oder Ministerien verantwortlich zu
machen. Sondern das liegt an den Gesetzen menschlichen Zusammenwirkens, zumal eines Zusammenwirkens mehrerer Körper-
schaften, hier: der vorschlagenden Fakultäten mit den Ministerien,
an sich.[17]
25 Kein Universitätslehrer denkt gern an Besetzungserörterungen[18]
zurück, denn sie sind selten angenehm. Und doch darf ich sagen:
der gute Wille, rein sachliche Gründe entscheiden zu lassen, war
in den mir bekannten zahlreichen Fällen ohne Ausnahme da. Denn
man muß sich weiter verdeutlichen: es liegt nicht nur an der Un-
30 zulänglichkeit der Auslese durch kollektive Willensbildung,[19] daß
die Entscheidung der akademischen Schicksale so weitgehend
„Hasard" ist. Jeder junge Mann, der sich zum Gelehrten berufen
fühlt, muß sich vielmehr klar machen, daß die Aufgabe, die ihn

---

[17] **der verschlagenden . . . an sich** *Since all German universities are
state institutions, all faculty appointments are subject to approval by the
Ministry of Education.*

[18] **Besetzungserörterungen** *Deliberations concerned with the evaluation
and selection of candidates to fill teaching posts.*

[19] **kollektive Willensbildung** collective judgment or appraisal

erwartet, ein Doppelgesicht hat. Er soll qualifiziert sein als Gelehrter nicht nur, sondern auch: als Lehrer. Und beides fällt ganz und gar nicht zusammen. Es kann jemand ein ganz hervorragender Gelehrter und ein geradezu entsetzlich schlechter Lehrer sein.

Die Frage aber: ob einer ein guter oder ein schlechter Lehrer ist, wird beantwortet durch die Frequenz, mit der ihn die Herren Studenten [20] beehren. Nun ist es aber eine Tatsache, daß der Umstand, daß die Studenten einem Lehrer zuströmen, in weitgehendem Maß von reinen Äußerlichkeiten bestimmt ist: Temperament, sogar Stimmfall, in einem Grade, wie man es nicht für möglich halten sollte. Ich habe nach immerhin ziemlich ausgiebigen Erfahrungen und nüchterner Überlegung ein tiefes Mißtrauen gegen die Massenkollegien,[21] so unvermeidbar gewiß auch sie sind. Die Demokratie da, wo sie hingehört. Wissenschaftliche Schulung aber, wie wir sie nach der Tradition der deutschen Universitäten an diesen betreiben sollen, ist eine geistesaristokratische Angelegenheit, das sollten wir uns nicht verhehlen. Nun ist es freilich andererseits wahr: die Darlegung wissenschaftlicher Probleme so, daß ein ungeschulter, aber aufnahmefähiger Kopf sie versteht und daß er—was für uns das allein Entscheidende ist—zum selbständigen Denken darüber gelangt, ist vielleicht die pädagogisch schwierigste Aufgabe von allen. Gewiß: aber darüber, ob sie gelöst wird, entscheiden nicht die Hörerzahlen.

Das akademische Leben ist also ein wildes Hasard. Wenn junge Gelehrte um Rat fragen wegen ihrer Habilitation, so ist die Verantwortung des Zuredens fast nicht zu tragen. Ist er ein Jude, so sagt man ihm natürlich: „lasciate ogni speranza".[22] Aber auch jeden anderen muß man auf das Gewissen fragen: Glauben Sie, daß Sie es aushalten, daß Jahr und Jahr Mittelmäßigkeit nach Mittelmäßigkeit über Sie hinaussteigt, ohne innerlich zu verbittern und zu verderben? Dann bekommt man selbstverständlich jedesmal die Antwort: Natürlich, ich lebe nur meinem „Beruf"; aber ich wenigstens habe es nur von sehr wenigen erlebt, daß sie das ohne inneren Schaden für sich aushielten.

[20] **die Herren Studenten**   *Ironical allusion to "their Lordships," the students.*
[21] **Massenkollegien**   *lectures for large numbers of students*
[22] **„lasciate ogni speranza"**   **(voi ch'entrate)** *"Abandon hope, all ye who enter," Dante, Inferno, Canto 3,9.*

Fragen

1. Welche Pedanterie ist nach Weber den Nationalökonomen eigen?
2. Womit beginnt die Laufbahn eines deutschen Akademikers?
3. Welche finanzielle Unterstützung bekommt der Privatdozent an einer deutschen Universität?
4. Wer bestimmt den Gegenstand der Vorlesungen eines Privatdozenten?
5. Auf welchen Voraussetzungen beruht die Laufbahn des deutschen Wissenschaftlers?
6. Welchen Vorteil genießt der amerikanische Wissenschaftler am Anfang seiner Laufbahn?
7. Welchen Nachteil hat er?
8. Welchen Vorteil hat der deutsche Privatdozent?
9. Welche Überlastung muß der amerikanische „assistant" auf sich nehmen?
10. Welche Tendenz läßt sich im deutschen Universitätsleben beobachten?
11. Welcher Art sind die Vorzüge des amerikanischen Systems?
12. Welche Rolle spielt der Zufall im akademischen Leben?
13. Welches Doppelgesicht hat die Laufbahn des Gelehrten?
14. Aus welchen Gründen sind Studenten geneigt, den Vorlesungen eines beliebigen Lehrers beizuwohnen?
15. Welche pädagogische Aufgabe ist die schwierigste?
16. Welches Schicksal, nach Max Weber, erwartet den jüdischen Akademiker?

Hugo von Hofmannsthal

(1874-1929)

Hugo von Hofmannsthal was born and spent most of his life in Vienna. This gifted poet, dramatist, novelist, and essayist, together with his Viennese contemporaries, Arthur Schnitzler and Richard Beer-Hofmann, championed a neoromantic orientation in literature in opposition to the crass naturalism of the writers of the time who were based in Berlin. His precocious literary talents were displayed with the publication of *Der Tod des Tizian* (1892) and *Der Tor und der Tod* (1893). As Hofmannsthal matured in his art he became increasingly interested in the reinterpretation of ancient classical dramatic themes: *Elektra* (1903), *Oedipus und die Sphinx* (1906), and *Das gerettete Venedig* (1905). *Elektra* initiated a remarkably fruitful partnership with the composer Richard Strauss, for whom Hofmannsthal furnished the libretti of *Der Rosenkavalier* (1911), *Ariadne auf Naxos* (1912), *Die Frau ohne Schatten* (1919), *Die ägyptische Helena* (1928), and *Arabella* (1933). In association with Max Reinhardt, the theatrical impresario, he helped found the Salzburg Festival, for which he adapted plays by Sophocles, Molière and Calderon; *Das Salzburger große Welttheater* was a particularly notable success.

In the slightly abridged essay that follows, Hofmannsthal voices his comments attendant upon the discovery of the earliest version of Goethe's masterpiece *Wilhelm Meisters Lehrjahre,* which was entitled *Wilhelm Meisters theatralische Sendung.* The manuscript was found, under the circumstances described in the essay, in December, 1909.

WILHELM MEISTER [1] IN DER URFORM

Von gehobenen Schätzen hört jeder gerne reden, wenn auf dem
Dachboden eines Trödlerladens einer ein köstliches Bild aufstöbert,
so freuen wir uns, als ob wir es selbst gewesen wären, alte mächtige

[1] *Wilhelm Meister* *From 1777 until 1785 Goethe worked intermittently
on* Wilhelm Meisters theatralische Sendung. *The six books of the novel
were later recast and condensed to form the first four books of the work
which appeared in 1796 under the new title* Wilhelm Meisters Lehrjahre.
*In 1784 Goethe had sent a copy of the manuscript to Frau Bertha
Schulthes, a Zurich acquaintance. She and her daughter decided to make
a copy of it before returning the manuscript to Weimar. It was this
document, a copy of a copy, which was discovered in Zurich by G. Billeter
in 1910.*

Schreibtische mit Geheimfächern haben etwas Anziehendes wie alte
Häuser und Burgen. Die Mappe des Urgroßvaters [2] gibt einem
unserer seelenvollsten Dichter den Stoff vielleicht zur schönsten
seiner Erzählungen; *Die verlorene Handschrift* [3] war der Titel eines
durch Dezennien hochberühmten Romans. Und wie es gegangen, [5]
so geht es auch heute: ein Gymnasiast in Zürich kommt zum
Lehrer, bringt ein Konvolut, eine Handschrift, die seit Jahren in
des Vaters altem Schreibtisch liegt: ob das wohl was wäre.[4] Der
Lehrer nimmts, blätterts auf, es ist der *Wilhelm Meister*, eine alte
Abschrift, meint er, zu Goethes Zeiten Gott weiß von wem, Gott [10]
weiß zu welchem Zwecke angefertigt. Er legt die Blätter weg,
nimmt sie einmal wieder zur Hand, verwundert sich über den
Text, der ihm neu klingt, vergleicht, schlägt nach: er hat „Wilhelm
Meisters theatralische Sendung" in Händen, die erste Form des
Romans, dem Namen nach von der Goethe-Forschung gekannt, seit [15]
je und immer verloren geglaubt, einen Schatz, zumindest für die
vom Fach,[5] vielleicht für ganz Deutschland, für die ganze Welt.

Vor Jahren, nicht allzuvielen, war im Weimarschen [6] Archiv ein
ähnlich überraschender Fund getan: die Szenenreihe, fragmen-
tarisch, welche die älteste Fassung von Goethes Faust-Drama [7] [20]
darstellt. Ein Namen rein Goetheschen Gepräges [8] war schnell
gefunden: Ur-Faust. Neben ihn stellt sich jetzt der Ur-Meister.
Wie sollte nicht die Analogie in den Namen walten, da das
Schicksal schon analogisch verfahren ist, beide Handschriften aben-
teuerlich zutage kommen ließ. Auf eine dritte Analogie haben die [25]
Philologen hingewiesen, beidemal waren Frauen die Bewahrerinnen
der Handschrift. Neben das Weimarsche Hoffräulein von Göch-

---

[2] **Die Mappe des Urgroßvaters**   *title of a story by the Austrian novelist
Adalbert Stifter (1805-1868).*

[3] **Die verlorene Handschrift**   *A novel by Gustav Freytag (1816-1895),
popular when published (1864), but rarely read today.*

[4] **ob das wohl was wäre**   (he asks) whether this might be something

[5] **zumindest für die vom Fach**   at least for the scholars

[6] **Weimar(schen)**   *City in central Germany (Thuringia); from 1770 until
1830 it was the "Athens" of Germany, numbering among its residents
many of Germany's greatest creative minds.*

[7] **Faust-Drama**   *Goethe's great philosophic poem **Faust** appeared in two
parts: part I (1808), part II (1832).*

[8] **Goetheschen Gepräges**   *Goethe in his botanical studies sought the
Urpflanze, the archetypal plant, evolutionary predecessor of existent
species.*

hausen [9] tritt die Schweizerin Frau Barbara Schultheß, ein Mitglied des Züricher Freundeskreises, der sich um Lavater [10] gruppierte. Goethe nennt sie „du", schreibt ihr durch viele Jahre, macht auf der Rückreise von Rom einen beträchtlichen Umweg, um sie wieder zu
5 sehen. Uns ist sie ein neues Gesicht, eines von den tüchtigen, herzlichen Achtzehnten-Jahrhundert-Gesichtern, die uns scharf und fein entgegenschauen, wenn wir wie in eine zaubervolle Camera obscura [11] in die Jünglingsjahre Goethes hineinblicken. Da regt sich, wie auf einer schwarzen Spiegelfläche aufgefangen, aber doch
10 lebendig farbenvoll, ein ganzes Volk von deutschen Menschen, tüchtig, warm und wahr, Männer und Frauen, Greise, Jünglinge und Mädchen. Unter ihnen ist Barbara Schultheß, Gattin des Fabrikanten David Schultheß von Zürich. In Goethes Schriften, worin Tausende von Namen genannt, wo tausend Gesichtern ein
15 Umriß gegeben ist, durch die das Wesentliche weiterlebt, fanden wir ihrer nicht erwähnt.[12] Da wird neuerdings gemeldet, es sei durch ein kürzlich aufgefundenes Schema zur Fortsetzung von *Dichtung und Wahrheit* [13] bezeugt, daß der Dichter auch dieser Freundin Bild habe für unabsehbare Zeiten an solcher Stelle
20 festhalten wollen.

So halten wir denn in der Frau Barbara Schultheß Abschrift *Wilhelm Meisters theatralische Sendung* in Händen, den Ur-Meister neben dem „wirklichen" Meister, das Werk, das den Achtundzwanzigjährigen beschäftigte, neben jenem, das zwischen dem zweiund-
25 vierzigsten und dem siebenundvierzigsten Lebensjahre aufs neue vorgenommen und zur Vollendung getrieben wurde. Wir kannten ein geräumiges, palastähnliches Wohnhaus der besondersten Art und wußten, es sei auf den Fundamenten eines älteren, eingeschränkten Bürgerhauses errichtet und manches von den Mauern, ja von

---

[9] *In 1775 Frl. von Göchh.usen had made a copy of the* **Urfaust,** *the first draft of the* **Faust** *poem.*

[10] **Lavater** *Johann Kaspar Lavater (1741-1801), Swiss theologian and writer.*

[11] **Camera obscura** *Darkened boxlike device which receives images of objects through an aperture; they are then projected in their natural colors on a screen inside the box.*

[12] **fanden . . . erwähnt** we found no mention of her

[13] *Dichtung und Wahrheit Goethe's monumental autobiography, consisting of four parts, was written and published between 1811-1833; it covers the first 26 years of the poet's life.*

Treppen und Gemächern des alten Hauses in das neue einbezogen. Nun steht das Alte vor unseren Augen, wir können sie nebeneinander sehen, können vergleichen, und nun erst hat unsere Bewunderung für den Baumeister keine Grenzen. . .

Wilhelm Meisters theatralische Sendung, sei es immer ein ⁵ fragmentarisches Buch—besäßen wir diesen Torso eines Buches allein, nur ihn, der die Gestalten Wilhelm, Mignon, Philine, Aurelie ¹⁴ uns überlieferte, es wäre ein bedeutendes, gehaltreiches, unvergleichliches Buch. In ihm hätten wir von der Hand unseres größten Dichters einen unvollendeten Roman, nicht ohne Ver- ¹⁰ wandtschaft mit den großen ausländischen Romanen des achtzehnten Jahrhunderts und doch mit Elementen darin, die ihn über alle diese Vorbilder hinausheben. Gewiß, der Einschlag von Abenteuer- und Komödiantenroman ¹⁵ in dem Buch ist nicht ganz so, wie er ist, zu denken, ohne daß ein „Roman comique" des ¹⁵ Scarron,¹⁶ ein „Gil Blas" des Lesage ¹⁷ existierte. Eine gewisse unnachahmliche, dunkelhelle Atmosphäre des bürgerlichen Stadthauses, worin das ganze Leben mit herzlichem Behagen wechselweise aus dämmerigem Tageslicht und dem Licht einer bescheidenen Kerze herausmodelliert ist — wir kennen sie, diese ²⁰ Atmosphäre, aus den *Geschwistern* ¹⁸ vor allem —, setzt, nebst dem Genie dessen, der sie schuf, auch die Existenz der großen englischen Schriftsteller voraus, die mit solchem Blick des Herzens zum erstenmal die eingeschränkte Welt des Bürgerhauses, des Gasthofes erfaßten: Sternes, Richardsons, Goldsmiths.¹⁹ Und Rousseau ist ²⁵ ebensowenig hier wegzudenken wie für den *Werther:* ²⁰ weder

---

¹⁴ **Wilhelm, Mignon, Philine, Aurelie**   *Characters in* **Wilhelm Meister.**
¹⁵ *Abenteuer- und Komödiantenroman*   *The picaresque novel, of Spanish origin, generally had a rogue or adventurer as a hero.*
¹⁶ **Scarron**   *Paul Scarron (1610-1660), French novelist.*
¹⁷ **Lesage**   *Alain Lesage (1668-1747), French novelist, whose major work,* **Gil Blas de Sautillane,** *is one of the most famous of picaresque novels.*
¹⁸ *Geschwistern*   **Die Geschwister,** *a one-act play by Goethe written in 1776.*
¹⁹ **Sternes, Richardsons, Goldsmiths**   *Laurence Sterne (1713-1768) Samuel Richardson (1689-1761), and Oliver Goldsmith (1728-1774); three British novelists who exerted great influence upon the young Goethe.*
²⁰ *Werther*   **Die Leiden des jungen Werther;** *the publication of this novel in 1774 established the literary reputation of young Goethe.*

der Rousseau [21] der *Neuen Heloise* noch der der *Konfessionen*,[22]
weder der breite Strom des neuen Pathos, der mit der Einheit des
Fühlens die Einheit der Welt wiederherstellt, noch die unendliche
Subtilität des sich selbst durchschauenden, sich selbst enthüllenden
5 Herzens. So ist die Basis dieses wie jedes bedeutenden Werkes
Aneignung, selbstverständliche Aneignung in einem großen Geist
und originalem Sinne. Dazu die Hand des Mannes, der vor zehn
Jahren den *Werther* geschaffen, der seitdem viel von der Welt
gesehen hat, dem sich die Menschen zueinander, die Stände
10 gegeneinander in ein klares Licht setzen, der mit vielerlei Menschen
verknüpft ist, viel erfahren, genossen, gelitten hat und gewillt ist,
aus dem allen einen Roman zu machen, ein großes Stück Welt
hinzustellen, in sich verbunden, „vielleicht mehr durch Stetigkeit als
durch Einheit".
15 Zur Mittelfigur nimmt er einen Wilhelm Meister, Bürgersohn
aus wohlhabendem Hause wie Werther, bildsam, regsam, zartfühlend wie Werther, den oberen Ständen zugeneigt wie dieser, nicht
ohne daß diese Hinneigung ihm wie dem andern zweideutige Situa-
tionen und bittere Momente brächte, kurz eine Art von Werther,
20 genau so ähnlich und doch so unähnlich, als etwa Halbbrüder oder
Geschwisterkinder sein mögen. Dieser wie jener ein halb und halb
autobiographisches Gebilde, in dessen Brust der Geist des Dichters,
wenn es ihm gefällt, so oft und so behaglich Wohnung nehmen kann
wie in der eigenen Stube. Aber als der Jüngling Goethe den Jüng-
25 ling Werther schuf, stürzte er sich in diesen hinein und verließ ihn
erst, als der entseelte Leib starr am Boden lag.[23] Goethe der Mann
geht neben dem Jüngling Wilhelm Meister ruhigen Schrittes einher
und sieht gelassen zu, wie der labyrinthische Pfad allmählich doch
sich entwirre und nach einem Ziel führe. Er läßt ihn vor uns auf-
30 wachsen, die Liebe und das Leid erfahren, in Beziehungen und
Abenteuer sich verstricken, den Großen der Erde mit Scheu und
Begierde vors Antlitz treten, seltsame Geschöpfe an sich ketten, sein
Geld vertun, Erfahrungen einsammeln. Ein Roman—was man so
einen Roman nennt, ist dieser Torso von 1782 mehr als jenes andere

---

[21] **Rousseau** *Jean Jacques Rousseau, 1712-1778, French philosopher and social reformer.*
[22] *Neuen Heloise . . . Konfessionen La Nouvelle Héloise (1761) and Confessions (1782) are two of Rousseau's most famous works.*
[23] *Werther ends his life by suicide over his tragic love affair with Lotte.*

majestätische Werk von 1796 . . . Denn wir hatten—kannten wir
nur die Bücher der *Theatralischen Sendung*—in unserer Phantasie
an einer Behandlungsweise festgehalten, worin jedes Ding: Figuren,
Abenteuer, Lebensverhältnisse, um seiner selbst willen hingestellt
ist gleichwie in einem realistischen Gemälde. Die Vortragsweise ⁵
dagegen, die in *Wilhelm Meisters Lehrjahren* herrscht, ist das
Gegenteil: es ist durchwegs eine symbolisierende, bei der vollkomm-
ensten Natürlichkeit des Vorgangs und Anschaulichkeit des Details.
Die Blätter der *Theatralischen Sendung* enthalten, was sie eben
enthalten, und es ist nicht wenig; die Blätter der *Lehrjahre* enthalten ¹⁰
Unendliches. Was das neuere Werk voraus hat, was dem älteren
Buch fehlt, ist das Entscheidende.

Was dazu gehörte, aus dem Stoff, der dies eine Buch hergege-
ben hatte, jenes andere zu machen, darüber belehrt uns die zehn-
jährige Stockung. Zehn Jahre von den reifsten Jahren des größten ¹⁵
Mannes, zehn mittlere Lebensjahre Goethes mußten hingehen. Eine
innere Verwandlung mußte sich vollziehen: wer das eine und das
andere Buch zu lesen versteht, kann sie ermessen. Kein intensives
Bekenntnis, kein Brief von der erhabensten Weisheit reicht an die
Belehrung heran, die von dem Nebeneinander dieser beiden Bücher ²⁰
ausgeht. Alles wandelt sich, alles strebt empor; der Schöpfer ein
andrer, mit ihm die Geschöpfe; verwandelt, geläutert in ihm das
Gefühl zu den eignen Geschöpfen, das Gefühl zur Welt. Werther
ist Goethes Doppelgänger, Mignon, Therese, Natalie ²⁴ sind seine
Töchter. Dieser stete, unmerkliche, nie stockende Zug nach dem ²⁵
Höheren, dem Lichteren, wie ein Tag, der sich ausreinigen will:
welches Dokument, welches tiefe, ins eigene Innere blickende
Gedicht vermöchte eine solche ungeheure Metamorphose auszu-
sprechen!

So scheiden wir von dem merkwürdigen Buch, das ein aben- ³⁰
teuerlicher Zufall uns in die Hände brachte, und fühlen uns in
unserem Verhältnis zu dem unausschöpflichen Werk, das wir kannten
—freilich, wie wenig kennt man, was man seit Jahren zu besitzen
meint—innerlichst bekräftigt. Es ist eines der berühmtesten Werke
der Weltliteratur, ein vorzüglicher und stolzer Besitz des deutschen ³⁵
Volkes. Und dennoch, es ist kein volkstümliches Buch, es ist beinahe
ein unbekanntes, nein, ein wenig gekanntes Buch. Als Schiller die

---

²⁴ **Therese, Natalie**   *Characters in* ***Wilhelm Meister.***

acht Bücher des Romans zu Ende gelesen hatte, schrieb er, am 2. Juli 1796, den ersten von drei wundervollen Briefen. Man wird es nie überdrüssig, sie nachzulesen, und der Schluß des ersten enthält in den zartesten und wahrsten Worten alles, was über diesen Gegen-
5 stand gesagt werden kann. „Leben Sie jetzt wohl, mein geliebter, mein verehrter Freund! Wie rührt es mich, wenn ich denke, daß, was wir sonst nur in der weiten Ferne eines begünstigten Altertums suchen und kaum finden, mir in Ihnen so nahe ist. Wundern Sie sich nicht mehr, wenn es so wenige gibt, die sie zu verstehen fähig
10 und würdig sind. Die bewunderungswürdige Natur, Wahrheit, und Leichtigkeit Ihrer Schilderungen entfernt bei dem gemeinen Volk der Beurteiler allen Gedanken an die Schwierigkeit, an die Größe der Kunst, und bei denen, die dem Künstler zu folgen imstande sein könnten, wirkt die genialische Kraft, welche Sie hier so handeln
15 sehen, so feindlich und vernichtend, bringt ihr bedürftiges Selbst so sehr ins Gedränge, daß sie es mit Gewalt von sich stoßen." Da ists gesagt: ein Werk dieser Art ist nicht eine müßige Ergötzung der Einbildungskraft, es wendet sich an das innerste Gemüt, und wer es nicht mit Liebe aufnehmen kann, wen es nicht beglückt, der
20 schiebt es fort von sich, ratlos, verlegen, und mit verhohlener Unlust, ja mit Haß. Schwer ists zu fassen, nicht um seiner Verschlungenheit willen, denn Verschlungenes hätte sich in drei Menschenaltern zur durchsichtigsten Einfalt aufgelöst, sondern um seiner Reinheit und Hoheit willen. Denn nichts ist schwerer an
25 zueignen, schwerer auch nur wahrzunehmen, als das Große und Erhabene, trotzdem oder eben weil es nichts anderes ist als das Reinste und Wahrste des Natürlichen.

Fragen

1. Wie reagiert man, wenn man etwas Altes und Wertvolles plötzlich findet?
2. Was dachte der Gymnasialprofessor, wie ihm die alte Handschrift in die Hände gekommen ist?

3. Welche drei Analogien bestehen zwischen dem *Urfaust* und dem *Urmeister?*

4. In welchem Alter hat Goethe mit dem *Wilhelm Meister* begonnen?

5. Welche Literatur hat Goethe bei der Verfassung des *Wilhelm Meister* beeinflußt?

6. Was hatte Goethe zehn Jahre vorher geschrieben?

7. Welche Ähnlichkeiten bestehen zwischen Werther und Wilhelm Meister?

8. Inwiefern unterscheidet sich die Art des Dichtens in den beiden Werken?

9. Welcher Unterschied besteht zwischen der *Theatralischen Sendung* und den *Lehrjahren?*

10. Was kann der Leser aus dem Vergleich der beiden Fassungen lernen?

11. Was lobt Schiller an Goethes Roman?

12. Was ist das Schwerste wahrzunehmen, und warum?

Arnold Schoenberg
(1874-1951)

Arnold Schoenberg, one of the most eminent of 20th century composers, was born and spent his youth and early maturity in Vienna. He founded the Society for Private Performances, which gave concerts to which neither critics nor applause were admitted. In 1925 he came to Berlin to teach at the Prussian Academy of Fine Arts, where he remained until 1933. In that year he came to America, settling in California, where he taught in various universities, especially the University of California at Los Angeles. In 1941 he became an American citizen, and changed the spelling of his name from Schönberg to Schoenberg.

His early compositions, *Verklärte Nacht* (1899), *Pelleas und Melisande* (1902), and *Gurre-Lieder* (1900) continue the romantic tradition of Brahms, Wagner, and Richard Strauss. Later, in his drift toward atonality, and with the development of the twelve-tone system, Schoenberg employed harmonies and a style of orchestration far in advance of any system hitherto known. His flights of fancy were hindered by neither material nor mechanical considerations. In consequence the performance of many of his compositions offers marked technical difficulty. Other important works are *Der hängende Garten* (1908), to which poems of Stefan George furnished the text, *Pierrot Lunaire* (1912), which introduced a *Sprechstimme, Kammersymphonie* (1939), and *Ode to Napoleon* (1944) set to a Byron poem.

The following selection first appeared in Schoenberg's *Harmonielehre* (1949).

THEORIELEHRER
ODER MUSIKMEISTER?

Wenn einer musikalische Komposition unterrichtet, wird er Theorielehrer genannt; wenn er aber ein Buch über Harmonielehre geschrieben hat, heißt er gar Theoretiker. Aber einem Tischler, der ja auch seinem Lehrbuben das Handwerk beizubringen hat, wird es nicht einfallen, sich für einen Theorielehrer auszugeben. Er nennt sich eventuell Tischlermeister, das ist aber mehr eine Standesbezeichnung als ein Titel. Keinesfalls hält er sich für so was wie einen Gelehrten, obwohl er schließlich auch sein Handwerk versteht. Wenn da ein Unterschied ist, dann kann er nur darin bestehen, daß

die musikalische Technik „theoretischer" ist als die tischlerische.[1]
Das ist nicht so leicht einzusehen. Denn wenn der Tischler weiß,
wie man aneinanderstoßende Hölzer haltbar verbindet,[2] so gründet
sich das ebenso auf gute Beobachtung und Erfahrung, wie wenn
5 der Musiktheoretiker Akkorde wirksam zu verbinden versteht. Und
wenn der Tischler weiß, welche Holzsorten er bei einer bestimmten
Beanspruchung verwenden soll, so ist das ebensolche Berechnung
der natürlichen Verhältnisse und des Materials, wie wenn der Musiktheoretiker, die Ergiebigkeit der Themen einschätzend, erkennt, wie
10 lang ein Stück werden darf. Wenn aber der Tischler Kannelierungen
anbringt um eine glatte Fläche zu beleben, dann zeigt er zwar so
schlechten Geschmack und fast ebenso wenig Phantasie wie die
meisten Künstler, aber doch noch immer soviel wie jeder Musiktheoretiker. Wenn nun also der Unterricht des Tischlers ebenso wie
15 der des Theorielehrers auf Beobachtung, Erfahrung, Überlegung
und Geschmack, auf Kenntnis der Naturgesetze und der Bedingungen des Materials beruht: ist dann da wirklich ein wesentlicher
Unterschied?

Warum nennt sich dann also ein Tischlermeister nicht auch
20 Theoretiker, oder ein Musiktheoretiker sich nicht Musikmeister?
Weil da ein kleiner Unterschied ist: der Tischler dürfte nie sein
Handwerk bloß theoretisch verstehen, während der Musiktheoretiker vor allem gewöhnlich praktisch nichts kann; kein Meister
ist. Und noch einer: der wahre Musiktheoretiker schämt sich des
25 Handwerkes, weil es nicht das seine, sondern das anderer ist. Das
zu verbergen, ohne aus der Not eine Tugend zu machen, genügt
ihm nicht. Der Titel *Meister* ist entwertet; man könnte verwechselt werden—ein dritter Unterschied—dem vornehmeren Beruf muß
ein vornehmerer Titel entsprechen und darum hat die Musik, obwohl
30 der große Künstler auch heute noch „Meister" angesprochen wird,
nicht, wie sogar die Malerei, einfach eine Handwerkslehre, sondern
einen Theorie-Unterricht.

Und die Folge: Keine Kunst ist in ihrer Entwicklung so sehr
gehemmt durch ihre Lehrer wie die Musik. Denn niemand wacht
35 eifersüchtiger über sein Eigentum als der, der weiß, daß es, genau
genommen, nicht ihm gehört. Je schwerer der Eigentumsnachweis

---

[1] **tischlerische**   *associated with carpentry*
[2] **wie man . . . verbindet**   how to join two pieces of wood firmly

zu führen ist, desto größer die Anstrengung, ihn zu erbringen. Und der Theoretiker, der gewöhnlich nicht Künstler oder ein schlechter (das ist ja: Nicht-Künstler) ist, hat also allen Grund, sich um die Befestigung seiner unnatürlichen Stellung Mühe zu geben. Er weiß: am meisten lernt der Schüler durch das Vorbild, das ihm die ⁵ Meister in ihren Meisterwerken zeigen. Und könnte man beim Komponieren ebenso zuschauen lassen wie beim Malen, könnte es Komponierateliers geben wie es Malateliers gab, dann wäre es klar, wie überflüssig der Musiktheoretiker ist und daß er ebenso schädlich ist wie die Kunstakademien.³ Das fühlt er und sucht ¹⁰ Ersatz zu schaffen, indem er an die Stelle des lebendigen Vorbildes die Theorie, das System setzt.

Ich will nicht gegen jene redlichen Versuche streiten, die sich bemühen, die mutmaßlichen Gesetze der Kunst zu finden. Diese Bemühungen sind notwendig. Sie sind vor allem dem strebenden ¹⁵ Menschenhirn notwendig. Der edelste Trieb, der Trieb zu erkennen, legt uns die Pflicht auf, zu suchen. Und eine in ehrlichem Suchen gefundene Irrlehre steht noch immer höher als die beschauliche Sicherheit dessen, der sich gegen sie wehrt, weil er zu wissen ver- meint—zu wissen, ohne selbst gesucht zu haben! Es ist geradezu ²⁰ unsere Pflicht, über die geheimnisvollen Ursachen der Kunstwirk- ungen immer wieder nachzudenken. Aber: immer wieder, immer wieder von vorne anfangend; immer wieder von neuem selbst beobachtend und selbst zu ordnen versuchend. Nichts als gegeben ansehend als die Erscheinungen. Die darf man mit mehr Recht ²⁵ für ewig ansehen als die Gesetze, die man zu finden glaubt. Wir dürfen, da wir sie bestimmt wissen, mit mehr Recht unser Wissen um die Erscheinungen Wissenschaft nennen als jene Vermutungen, die sie erklären wollen. Doch auch diese Vermutungen haben ihre Berechtigung: als Versuche, als Resultate von Denkbemühungen, ³⁰ als geistige Gymnastik; vielleicht sogar manchmal als Vorstufen zur Wahrheit.

Gäbe sich die Kunsttheorie damit zufrieden, begnügte sie sich mit dem Lohn, den ehrliches Suchen gewährt, so könnte man nichts gegen sie einwenden. Aber sie will mehr sein. Sie will nicht sein: ³⁵ der Versuch, Gesetze zu finden; sie behauptet: die ewigen Gesetze

---

³ **Kunstakademien**   academics of fine arts; *here, used in an ironic manner*

gefunden zu haben. Sie beobachtet eine Anzahl von Erscheinungen, ordnet sie nach einigen gemeinsamen Merkmalen und leitet daraus Gesetze ab. Das ist ja schon deshalb richtig, weil es kaum anders möglich ist. Aber nun beginnt der Fehler, denn hier wird der
5 falsche Schluß gezogen, daß diese Gesetze, weil sie für die bisher beobachteten Erscheinungen scheinbar zutreffen, nunmehr auch für alle zukünftigen Erscheinungen gelten müßten. Und das Verhängnisvollste: man glaubt einen Maßstab zur Ermittlung des Kunstwerts auch künftiger Kunstwerke gefunden zu haben. So oft
10 auch die Theoretiker von der Wirklichkeit desavouiert [4] wurden, wenn sie für unkunstmäßig erklärten, „was nicht nach ihrer Regeln Lauf", können sie doch „vom Wahn nicht lassen". Denn was wären sie, wenn sie nicht wenigstens die Schönheit gepachtet hätten, da doch die Kunst ihnen gehört? Was wären sie, wenn es für alle
15 Zeiten jedem klar würde, was hier wieder einmal einer zeigt? Was wären sie, da die Kunst sich in Wirklichkeit doch durch die Kunstwerke fortpflanzt und nicht durch die Schönheitsgesetze? Wäre das wirklich noch ein Unterschied zwischen ihnen und einem Tischlermeister zu ihren Gunsten? Man könnte behaupten, ich gehe zu
20 weit; das wisse ohnedies heute jeder, daß die Ästhetik nicht Schönheitsgesetze vorschreibe, sondern nur ihr Vorhandensein aus den Kunstwirkungen abzuleiten versuche. Ganz richtig: das weiß heute fast jeder. Aber kaum einer berücksichtigt es. Darauf käme es aber an. Ich will das in einem Beispiel zeigen. Ich glaube, es ist
25 mir in diesem Buch gelungen, einige alte Vorurteile der Musikästhetik zu widerlegen. Daß es sie bis jetzt gab, wäre schon ein genügender Beweis für meine Behauptung. Aber wenn ich ausspreche, was ich nicht für ein notwendiges Erfordernis der Kunstwirkung halte, wenn ich sage: die Tonalität ist kein ewiges Natur-
30 gesetz der Musik, dann sieht wohl jeder, wie die Theoretiker entrüstet aufspringen, um ihr Veto gegen meine Ehre zu erheben. Wer würde das heute zugeben wollen, und wenn ich es noch schärfer bewiese, als es hier geschehen wird?
Die Macht, die der Theoretiker nötig hat, um eine unhaltbare
35 Stellung zu befestigen, stammt von seinem Bündnis mit der Ästhetik her. Die beschäftigt sich nur mit den ewigen Dingen, kommt also im Leben immer zu spät. Das nennt man konservativ. Aber es ist

---

[4] **desavouiert** *here,* refuted

ebenso lächerlich wie ein konservativer Schnellzug. Doch die Vorteile, die die Ästhetik dem Theoretiker sichert, sind zu groß, als
daß er sich darum kümmern sollte. Wie wenig grandios klingt es,
wenn der Lehrer dem Schüler sagt; Eines der dankbarsten Mittel
zur Erzielung musikalischer Formwirkung ist die Tonalität. Wie ⁵
anders aber macht es sich, wenn er vom Prinzip der Tonalität
spricht, als von einem Gesetz: „Du sollst . . .", dessen Befolgung
unerläßlich sei für alle musikalische Formwirkung. Dieses „unerläßlich"—man spürt einen Hauch von Ewigkeit! Wage anders zu
fühlen, junger Künstler, und du hast sie alle gegen dich, die das ¹⁰
schon längst wissen, was ich hier wieder zeige. Und sie werden dich
„Neu-Junker-Unkraut" ⁵ nennen und „Schwindler" und werden verleumden: „Du wolltest düpieren, bluffen." Und wenn sie dich mit
ihrer Gemeinheit besudelt haben, werden sie als jene tapferen
Männer dastehen, die es für feige hielten, für ihre Ansicht nicht ¹⁵
etwas zu riskieren, was nur dem andern schadet. Und du bist dann
der Lump! Zum Teufel mit allen diesen Theorien, wenn sie immer
nur dazu dienen, der Entwicklung der Kunst einen Riegel vorzu-
schieben. Und wenn, was sie Positives leisten, höchstens darin
besteht, daß sie denjenigen, die ohnedies schlecht komponieren ²⁰
werden, helfen, das rasch zu erlernen.

Fragen

1. Was muß man tun, um Theorielehrer genannt zu werden?
2. Was muß man tun, um Theoretiker zu heißen?
3. Worauf gründet sich die Kunst des Tischlers?
4. Welche Parallele besteht zwischen dem Unterricht des Tischlers und dem des Theorielehrers?
5. Welcher Unterschied besteht, dem Wesen nach, zwischen den
   Kenntnissen des Musiktheoretikers und denen des Tischlers?
6. Warum schämt sich der Musiktheoretiker des Musikhand-
   werkes?

⁵ **„Neu-Junker-Unkraut"**   presumptuous faddist or charlatan

7. Warum darf der Beruf des Musiktheoretikers keine Handwerkslehre haben?
8. Welche Wirkung auf die Entwicklung der Musik haben deren Lehrer?
9. Wie lernt der Musikschüler am meisten?
10. Wie könnte man beweisen, daß der Musiktheoretiker überflüssig ist?
11. Warum ist es gut, die Gesetze der Kunst zu suchen?
12. Was muß man, bei solchem Suchen, als gegeben ansehen?
13. Welcher Fehler der Kunsttheorie ist der größte?
14. Was ist die Aufgabe der Ästhetik?
15. Wie werden die Theoretiker auf Schönbergs Ablehnung der Tonalität reagieren?
16. Welche Gefahr läuft der junge Musiker, wenn er sich der Meinung der Theoretiker nicht unterwirft?

Thomas Mann

(1875-1955)

Thomas Mann was probably the most distinguished German man of letters of the twentieth century. Born in Lübeck, the son of a wealthy merchant and a Brazilian woman of exotic background, he moved with his family, in about 1890, to Munich, the cultural center of Germany at that time. Schopenhauer, Nietzsche and Wagner were among the influences on his intellectual life, while the German novelist Fontane and the Russians Tolstoi and Dostoievski were important literary mentors.

Mann's early works show a preoccupation with various interrelated problems such as the relationship between the creative impulse and neurosis, the artist's longing for death, the relationship between death and disease and genius, and, above all, the artist's inability to adjust himself to bourgeois values and mores. He subsequently broadened his intellectual horizon by venturing into profound speculations in esthetics, philosophy, psychology, and eventually politics. Until 1914, Mann lived the life of a nonpolitical, conservative German intellectual. The end of World War I wrought profound changes in his political views. He now saw politics not only as the legitimate but as the obligatory concern of the creative artist. He became a vociferous spokesman and essayist against all forms of human tyranny, especially fascism. In 1933 he went into voluntary exile, coming to the United States in 1937. Shortly before he died he returned permanently to Europe, making his home in Switzerland. In 1929 he was awarded the Nobel prize for literature. His major novels are *Buddenbrooks* (1900), *Der*

Zauberberg (1924), *Joseph und seine Brüder* (1933-1943), and *Dr. Faustus* (1947). He also wrote several volumes of short stories and essays.

The following exchange of letters between Mann and the Dean of the University of Bonn was occasioned by the former's loss of the privilege of an honorary doctorate granted years before by the University. The administration was acting under pressure from the Nazi authorities, who had deprived Mann of his citizenship for his decision not to remain in Nazi Germany. The letters have been slightly abridged.

BRIEFWECHSEL MIT BONN

Philosophische Fakultät der
Rheinischen Friedrich-Wilhelms-Universität
Bonn, den 19. Dezember 1936

 Im Einverständnis mit dem Herrn Rektor der Universität Bonn
muß ich Ihnen mitteilen, daß die Philosophische Fakultät sich nach   5
Ihrer Ausbürgerung [1] genötigt gesehen hat, Sie aus der Liste der

[1] **Ausbürgerung** loss of citizenship; *In 1936, Thomas Mann was deprived
of his German citizenship by official decree for his refusal to return to
Nazi Germany from his self-imposed exile in Switzerland.*

Ehrendoktoren zu streichen. Ihr Recht, diesen Titel zu führen, ist gemäß Art. VIII unserer Promotionsordnung erloschen.

(unleserlich)

Dekan

5 Herrn Schriftsteller Thomas Mann!

❉ ❉ ❉

An den Herrn Dekan der Philosophischen Fakultät der Universität Bonn! Sehr geehrter Herr Dekan, ich habe die trübselige Mitteilung erhalten, die Sie unterm 19. Dezember an mich gerichtet haben.
10 Erlauben Sie mir, Ihnen folgendes darauf zu erwidern:
Die schwere Mitschuld an allem gegenwärtigen Unglück, welche die deutschen Universitäten auf sich geladen haben, indem sie aus schrecklichem Mißverstehen der historischen Stunde sich zum Nährboden der verworfenen Mächte [2] machten, die Deutschland
15 moralisch, kulturell und wirtschaftlich verwüsten,—diese Mitschuld hatte mir die Freude an der mir einst verliehenen akademischen Würde längst verleidet und mich gehindert, noch irgendwelchen Gebrauch davon zu machen . . .
In diesen vier Jahren eines Exils, das freiwillig zu nennen wohl
20 eine Beschönigung wäre, da ich, in Deutschland verblieben oder dorthin zurückgekehrt, wahrscheinlich nicht mehr am Leben wäre, hat die sonderbare Schicksalsirrtümlichkeit [3] meiner Lage nicht aufgehört, mir Gedanken zu machen. Ich habe es mir nicht träumen lassen, es ist mir nicht an der Wiege gesungen worden, daß ich
25 meine höheren Tage [4] als Emigrant, zu Hause enteignet und verfemt, in tief notwendigem politischem Protest verbringen würde. Seit ich ins geistige Leben eintrat, habe ich mich in glücklichem Einvernehmen mit den seelischen Anlagen meiner Nation, in ihren geistigen Traditionen sicher geborgen gefühlt. Ich bin weit eher zum Repräsentanten geboren als zum Märtyrer, weit eher dazu, ein
30 wenig höhere Heiterkeit in die Welt zu tragen, als den Kampf, den

[2] **der verworfenen Mächte**   sinister forces, *i.e., Nazis*
[3] **Schicksalsirrtümlichkeit**   *here,* capriciousness of fate
[4] **meine höheren Tage**   old age

Haß zu nähren. Höchst Falsches [5] mußte geschehen, damit sich
mein Leben so falsch, so unnatürlich gestaltete. Ich suchte es
aufzuhalten nach meinen schwachen Kräften, dies grauenhaft
Falsche,—und eben dadurch bereitete ich mir das Los, das ich nun
lernen muß, mit meiner ihm eigentlich fremden Natur zu vereinigen. [5]

Gewiß, ich habe die Wut dieser Machthaber [6] herausgefordert
nicht erst in den letzten vier Jahren, durch mein Außenbleiben, die
ununterdrückbaren Kundgebungen meines Abscheus. Lange vorher
schon hatte ich es getan und mußte es tun, weil ich früher als das
heute verzweifelte deutsche Bürgertum sah, wer und was da herauf- [10]
kam. Als Deutschland dann wirklich in diese Hände gefallen war,
gedachte ich zu schweigen; ich meinte, mir durch die Opfer, die ich
gebracht, das Recht auf ein Schweigen verdient zu haben, das es mir
ermöglichen würde, etwas mir herzlich Wichtiges, den Kontakt mit
meinem innerdeutschen Publikum aufrecht zu erhalten. Meine [15]
Bücher, so sagte ich mir, sind für Deutsche geschrieben, für solche
zuerst; die „Welt" und ihre Teilnahme waren mir immer nur ein
erfreuliches Akzidens. Sie sind, diese Bücher, das Produkt einer
wechselseitigen erzieherischen Verbundenheit von Nation und
Autor [7] und rechnen mit Voraussetzungen, die ich selber erst in [20]
Deutschland habe schaffen helfen. Das sind zarte und hütenswerte [8]
Beziehungen, die plump [9] zu zerreißen man der Politik nicht erlauben soll. Gab es Ungeduldige daheim, die, selbst geknebelt, dem in
der Freiheit Lebenden sein Stillschweigen verübeln würden; [10] die
große Mehrzahl, durfte ich hoffen, würde meine Zurückhaltung [25]
verstehen, ja sie mir danken . . .

Der einfache Gedanke daran, wer die Menschen sind, denen die
erbärmlich-äußerliche Zufallsmacht gegeben ist, mir mein Deutschtum abzusprechen,[11] reicht hin, diesen Akt in seiner ganzen

---

[5] **Höchst Falsches**   *the rise of Hitlerism*
[6] **Machthaber**   ruling powers, *i.e., Nazi hierarchy*
[7] **das Produkt . . . und Autor**   the product of a reciprocal educational
fusion between nation and author
[8] **hütenswerte**   precarious, worth preserving
[9] **plump**   *here,* violently, abruptly
[10] **die, selbst geknebelt, . . . verübeln würden**   who, having been
muzzled themselves, would resent the silence of the one living in freedom
(*i.e., Mann's life in exile*)
[11] **mir mein Deutschtum abzusprechen**   to disfranchise me of my German
origin (character *or* nationality)

Lächerlichkeit erscheinen zu lassen. Das Reich, Deutschland soll ich beschimpft haben, indem ich mich gegen sie bekannte! Sie haben die unglaubwürdige Kühnheit, sich mit Deutschland zu verwechseln! Wo doch vielleicht der Augenblick nicht fern ist, da
5 dem deutschen Volke das Letzte daran gelegen sein wird, nicht mit ihnen verwechselt zu werden.

Wohin haben sie, in noch nicht vier Jahren, Deutschland gebracht? Ruiniert, seelisch und physisch ausgesogen von einer Kriegsaufrüstung, mit der es die ganze Welt bedroht, die ganze Welt
10 aufhält und an der Erfüllung ihrer eigentlichen Aufgaben, ungeheurer und dringender Aufgaben des Friedens, hindert; geliebt von niemandem, mit Angst und kalter Abneigung betrachtet von allen, steht es am Rande der wirtschaftlichen Katastrophe, und erschrocken strecken sich die Hände seiner „Feinde" nach ihm aus, um
15 ein so wichtiges Glied der zukünftigen Völkergemeinschaft vom. Abgrunde zurückzureißen, ihm zu helfen, wenn anders es nur zur Vernunft kommen und sich in die wirklichen Notwendigkeiten der Weltstunde finden will, statt sich irgendeine falschheilige Sagennot zu erträumen.[12] Ja, die Bedrohten und Aufgehaltenen müssen ihm
20 schließlich noch helfen, damit es nicht den Erdteil mit sich reiße und gar in den Krieg ausbreche, auf den es, als auf die ultima ratio,[13] immer noch die Augen gerichtet hält. Die reifen und gebildeten Staaten, —wobei ich unter „Bildung" die Bekanntschaft mit der grundlegenden Tatsache verstehe, daß der Krieg nicht mehr
25 erlaubt ist—behandeln dies große, gefährdete und alles gefährdende Land oder vielmehr die unmöglichen Führer, denen es in die Hände gefallen, wie Ärzte den Kranken: mit größter Nachsicht und Vorsicht, mit unerschöpflicher, wenn auch nicht gerade ehrenvoller Geduld; jene aber glauben, „Politik", Macht- und Hegemonie-
30 Politik gegen sie treiben zu sollen. Das ist ein ungleiches Spiel. Macht einer „Politik", wo die anderen an Politik gar nicht mehr denken, sondern an den Frieden, so fallen ihm vorübergehend gewisse Vorteile zu.[14] Die anachronistische Unwissenheit darüber, daß der Krieg nicht mehr statthaft ist, trägt selbstverständlich eine
35 Weile „Erfolge" ein, über die, die es wissen. Aber wehe dem Volk,

---

[12] **statt . . . erträumen**   instead of imagining a nonexistent state of crisis
[13] **ultima ratio**   (*Latin*) extremest urgency
[14] **so fallen . . . Vorteile zu**   certain temporary advantages accrue to it

das, weil es nicht mehr ein noch aus weiß,[15] am Ende wirklich seinen Ausweg in den Gott und Menschen verhaßten Greuel des Krieges suchte! Dies Volk wäre verloren. Es wird geschlagen werden, daß es sich nie wieder erhebt.

Sinn und Zweck des nationalsozialistischen Staatssystems ist 5 einzig der und kann nur dieser sein: das deutsche Volk unter unerbittlicher Ausschaltung, Niederhaltung, Austilgung jeder störenden Gegenregung für den „kommenden Krieg" in Form zu bringen,[16] ein grenzenlos willfähriges,[17] von keinem kritischen Gedanken angekränkeltes,[18] in blinde und fanatische Unwissenheit gebanntes 10 Kriegsinstrument aus ihm zu machen. Einen anderen Sinn und Zweck, eine andere Entschuldigung kann dieses System nicht haben; alle Opfer an Freiheit, Recht, Menschenglück, eingerechnet die heimlichen und offenen Verbrechen, die es ohne Bedenken auf sich genommen hat, rechtfertigen sich allein in der Idee der unbedingten 15 Ertüchtigung [19] zum Kriege. Sobald der Gedanke des Krieges dahinfiele, als Zweck seiner selbst, wäre es nichts weiter mehr als Menschheitsschinderei [20]—es wäre vollkommen sinnlos und überflüssig.

Die Wahrheit zu sagen: es ist dies beides, sinnlos und überflüs- 20 sig,—nicht nur, weil man ihm den Krieg nicht erlauben wird, sondern weil es selbst in Ansehung seiner Leitidee, der absoluten und „totalen" Kriegsertüchtigung, das Gegenteil von dem bewirkt, was es anstrebt. Kein Volk der Erde ist heute so wenig in der Verfassung, so ganz und gar untauglich, den Krieg zu bestehen, wie dieses. Daß 25 es keinen Verbündeten haben wird, nicht einen einzigen in der Welt, ist das erste, doch das geringste. Deutschland würde allein sein, furchtbar gewiß immer noch in seiner Verlassenheit; aber diese wäre furchtbarer, denn es wäre eine Verlassenheit auch von sich selbst. Geistig reduziert und erniedrigt, moralisch ausgehöhlt,[21] 30 innerlich zerrissen, in tiefem Mißtrauen gegen seine Führer und

---

[15] **nicht . . . weiß**   no longer knows which way to turn
[16] **das deutsche Volk . . . zu bringen**   to prepare the German people for the "coming war" through inexorable obliteration, repression, and liquidation of all bothersome counteraction (of decency)
[17] **willfähriges**   servile, prostrate
[18] **angekränkeltes**   defiled; *used ironically here*
[19] **unbedingten Ertüchtigung**   unconditional inurement
[20] **Menschheitsschinderei**   maltreatment of humanity
[21] **ausgehöhlt**   eviscerated

alles, was sie durch Jahre mit ihm angestellt,[22] tief unheimlich sich selber, zwar unwissend, aber übler Ahnungen voll, würde es in diesen Krieg gehen—nicht in dem Zustande von 1914, sondern, selbst physisch schon, in dem von siebzehn, von achtzehn. Zehn

5 Prozent unmittelbare Nutznießer des Systems, auch sie schon halb abgefallen, würden nicht hinreichen, einen Krieg zu gewinnen, in welchem die Mehrzahl der andern nur die Gelegenheit sähe, den schändlichen Druck abzuschütteln,[23] der so lange auf ihnen gelastet, —einen Krieg also, der nach der ersten Niederlage in Bürgerkrieg

10 sich verkehren würde.

Nein, dieser Krieg ist unmöglich. Deutschland kann ihn nicht führen, und sind seine Machthaber irgend [24] bei Verstande, so sind die Versicherungen ihrer Friedfertigkeit nicht das, als was sie sie vor ihren Anhängern blinzelnd ausgeben möchten: taktische Lü-

15 gen, sondern entspringen der scheuen Einsicht in eben diese Unmöglichkeit. Kann und soll aber nicht Krieg sein—wozu dann Räuber und Mörder? Wozu Vereinsamung, Weltfeindschaft, Rechtlosigkeit, geistige Entmündigung,[25] Kulturnacht [26] und jeglicher Mangel? Warum nicht lieber Deutschlands Rückkehr nach Europa, seine

20 Versöhnung mit ihm, seine freie, vom Erdkreis mit Jubel und Glokkengeläut begrüßte Einfügung in ein europäisches Friedenssystem mit all ihrem inneren Zubehör an Freiheit, Recht, Wohlstand und Menschenanstand? Warum nicht? Nur weil ein das Menschenrecht in Wort und Tat verneinendes Regime, das an der Macht bleiben

25 will und nichts weiter, sich selbst verneinen und aufheben würde, wenn es, da es denn nicht Krieg machen kann, wirklich Frieden machte? Aber ist das auch ein Grund?—

Ich habe wahrhaftig vergessen, Herr Dekan, daß ich noch immer zu Ihnen spreche. Gewiß darf ich mich getrösten, daß Sie

30 schon längst nicht mehr weiter gelesen haben, entsetzt von einer Sprache, deren man in Deutschland seit Jahren entwöhnt ist, voll Schrecken, daß jemand sich erdreistet, das deutsche Wort in alter

---

22 **was sie durch Jahre mit ihm angestellt**   what for years was perpetrated in its name

23 **den schändlichen Druck abzuschütteln**   to shake off the shameful yoke; *i.e., the Nazi regime*

24 **irgend**   *here,* at all

25 **geistige Entmündigung**   intellectual emasculation

26 **Kulturnacht**   cultural darkness

Freiheit zu führen. —Ach, nicht aus dreister Überheblichkeit habe
ich gesprochen, sondern aus einer Sorge und Qual, von welcher
Ihre Machtergreifer mich nicht entbinden konnten, als sie ver-
fügten, ich sei kein Deutscher mehr; einer Seelen- und Gedankennot,[27] von der seit vier Jahren nicht eine Stunde meines Lebens frei   5
gewesen ist und gegen die ich meine künstlerische Arbeit tagtäglich
durchzusetzen hatte. Die Drangsal ist groß. Und wie wohl auch ein
Mensch, der aus religiöser Schamhaftigkeit den obersten Namen [28]
gemeinhin nur schwer über die Lippen oder gar aus der Feder
bringt, in Augenblicken tiefer Erschütterung ihn dennoch um letzten   10
Ausdrucks willen nicht entbehren mag, so lassen Sie mich—da
alles doch nicht zu sagen ist—diese Erwiderung mit dem Stoßgebet [29] schließen:

Gott helfe unserm verdüsterten und mißbrauchten Lande und
lehre es, seinen Frieden zu machen mit der Welt und mit sich selbst!   15

Küsnacht am Zürichsee, Neujahr 1937

Fragen

1. Welchen Grund gibt der Dekan dafür an, daß die Universität
   Manns Namen aus der Liste der Ehrendoktoren streicht?
2. Warum hatte Mann keinen Gebrauch von dem Doktortitel
   gemacht?
3. Warum wäre es eine Beschönigung, Manns Exil ein freiwilliges
   zu nennen?
4. Woran hatte Thomas Mann in jungen Jahren nicht gedacht?
5. Warum haben die Nazis Mann gehaßt, noch bevor sie zur Macht
   kamen?
6. Für wen hatte Mann in erster Linie seine Bücher geschrieben?
7. Warum ist es lächerlich, daß Mann seine deutsche Bürgerschaft
   verlieren sollte?

[27] **Seelen- und Gedankennot**   spiritual and intellectual anguish
[28] **den obersten Namen**   *i.e., God*
[29] **Stoßgebet**   ejaculation

8. Welches endgültige Ziel hat das Régime in Deutschland beständig im Auge?
9. Wie behandeln die gebildeten Staaten Deutschland?
10. Was prophezeit Mann für das Volk, das den Krieg sucht?
11. Was würde geschehen, wenn der Gedanke des Krieges hinfiele?
12. Wie beschreibt Mann den europäischen Frieden?
13. Was hat Mann vergessen?
14. Warum hat der Dekan wohl nicht alles gelesen?
15. Was ist der Sinn des Gebets, das Mann ans Ende seines Briefes setzt?

Albert Schweitzer
(1875-1965)

Albert Schweitzer was born in Alsace. He came to be known as a rare example of a man who has achieved eminence in several widely diversified fields: he was a theologian, a philosopher, a musician, a musicologist, a physician, a missionary, and a literary scholar. At the age of 30 he made the decision to devote his life to the service of humanity. In 1913 he established his medical mission at Lambaréné in French Equatorial Africa. He remained there for the rest of his life except for trips to Europe to raise funds for his mission and a trip to America in 1949, at which time he gave the address in Aspen, Colorado, at the bicentennial celebration of Goethe's birth. His support came from the proceeds of his organ recitals, lecture tours, and publications. His biography of Johann Sebastian Bach (1905) and his edition of Bach's organ music (1912-1914) made him an outstanding authority on that composer. His philosophy is developed in the monumental series, *Kulturphilosophie I: Verfall und Wiederaufbau der Kulture* (1923)—from which the following selection is taken—and *II: Kultur und Ethik* (1925).

Schweitzer was a deeply convinced Christian, though not in any orthodox sense. His theological works include *Das Christentum und die Weltreligionen* (1924), *Die Mystik des Apostels Paulus* (1930), and *Die psychiatrische Bedeutung Jesu* (1913). In 1952 he was awarded the Nobel prize for peace.

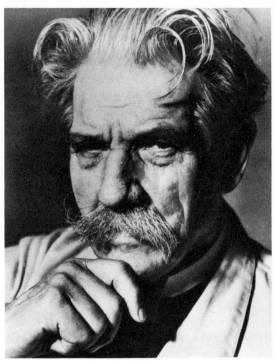

DIE SCHULD DER PHILOSOPHIE
AN DEM NIEDERGANG DER KULTUR

Wir stehen im Zeichen des Niedergangs der Kultur. Der Krieg hat diese Situation nicht geschaffen. Er selber ist nur eine Erscheinung davon. Was geistig gegeben war, hat sich in Tatsachen umgesetzt, die nun ihrerseits wieder in jeder Hinsicht verschlech-
5 ternd auf das Geistige zurückwirken. Die Wechselwirkung zwischen dem Materiellen und dem Geistigen hat einen unheilvollen Charakter angenommen. Unterhalb gewaltiger Katarakte treiben wir in einer Strömung mit unheimlichen Strudeln dahin. Nur mit der ungeheuersten Anstrengung werden wir, wenn überhaupt noch Hoffnung

vorhanden ist, das Fahrzeug unseres Geschickes aus dem gefährlichen Nebenarm, in den wir es abtreiben ließen, in den Hauptstrom zurückbringen.

Wir kamen von der Kultur ab, weil kein Nachdenken über Kultur unter uns vorhanden war. An der Jahrhundertwende erschienen, [5] unter den mannigfachsten Titeln, eine Reihe von Werken über unsere Kultur. Als gehorchten sie einer geheimen Parole, gingen sie nicht darauf ein, den Stand unseres Geisteslebens festzustellen, sondern interessierten sich ausschließlich dafür, wie es geschichtlich geworden sei. Auf einer Reliefkarte der Kultur zeichnete man uns [10] beobachtete und erfundene Wege ein, die in Berg und Tal des geschichtlichen Geländes aus der Renaissance [1] zum zwanzigsten Jahrhundert führten. Der historische Sinn der Verfasser feierte Triumphe. Die von ihnen belehrte Menge empfand Befriedigung, ihre Kultur als das organische Produkt so vieler, durch Jahrhunderte [15] hindurch wirkender geistiger und sozialer Kräfte begriffen zu haben. Niemand aber nahm das Inventar unseres Geisteslebens auf. Niemand prüfte es auf Adel der Gesinnung und auf Energie zum wahren Fortschritt.

So überschritten wir die Schwelle des Jahrhunderts mit uner- [20] schütterten Einbildungen über uns selbst. Was in jener Zeit über unsere Kultur geschrieben wurde, bestärkte uns in dem unbefangenen Glauben an ihren Wert. Wer Bedenken äußerte, wurde erstaunt angesehen. Manche, die auf dem Wege zum Irrewerden waren, hielten inne und lenkten wieder auf die große Straße zurück, [25] weil sie vor dem abseits führenden Pfade Angst hatten. Andere wandelten ihn, aber schweigend. Die Einsicht, die an ihnen arbeitete, weihte sie der Vereinsamung.

Nun ist für alle offenbar, daß die Selbstvernichtung der Kultur im Gange ist. Auch was von ihr noch steht, ist nicht mehr sicher. [30] Es hält noch aufrecht, weil es nicht dem zerstörenden Drucke ausgesetzt war, dem das andere zum Opfer fiel. Aber es ist ebenfalls auf Geröll gebaut. Der nächste Bergrutsch kann es mitnehmen. Welches aber war der Vorgang bei dem Kraftloswerden der Kulturenergien? [35]

---

[1] **Renaissance**   *Period of the great revival of art, letters, and learning in Europe from the 14th to the 16th century; it also marked the transition from the medieval to the modern world.*

Die Aufklärungszeit [2] und der Rationalismus hatten ethische
Vernunftideale über die Entwicklung des Einzelnen zum wahren
Menschentum, über seine Stellung in der Gesellschaft, über deren
materielle und geistige Aufgaben, über das Verhalten der Völker
5 zueinander und ihr Aufgehen in einer durch die höchsten, geistigen
Ziele geeinten Menschheit [3] aufgestellt. Diese ethischen Vernunftideale hatten angefangen, sich in der Philosophie und in der öffentlichen Meinung mit der Wirklichkeit auseinanderzusetzen und die
Verhältnisse umzugestalten. Im Laufe von drei oder vier Generatio-
10 nen waren Fortschritte sowohl an Kulturgesinnung wie an Kultur-
zuständen in einem Maße verwirklicht worden, daß die Zeit der
Kultur definitiv angebrochen und in unaufhaltbarem Weitergehen
begriffen schien.

Aber um die Mitte des neunzehnten Jahrhunderts fing diese
15 Auseinandersetzung ethischer Vernunftideale mit der Wirklichkeit
an abzunehmen. Im Laufe der folgenden Jahrzehnte kam sie mehr
und mehr zum Stillstand. Kampflos und lautlos vollzog sich die
Abdankung der Kultur. Ihre Gedanken blieben hinter der Zeit
zurück, als wären sie zu erschöpft, mit ihr Schritt zu halten.
20 Wie ging dies zu?

Das Entscheidende war das Versagen der Philosophie. Im achtzehnten und im beginnenden neunzehnten Jahrhundert war die
Philosophie die Anführerin der öffentlichen Meinung gewesen. Sie
hatte sich mit den Fragen, die sich den Menschen und der Zeit
25 stellten, beschäftigt und ein Nachdenken darüber im Sinne der
Kultur lebendig erhalten. In der Philosophie gab es damals ein
elementares Philosophieren über Mensch, Gesellschaft, Volk,
Menschheit und Kultur, das in natürlicher Weise eine lebendige, die
öffentliche Meinung beherrschende und Kulturenthusiasmus unter-
30 haltende Popularphilosophie hervorbrachte. Aber die optimistisch-
ethische Totalweltanschauung, in der die Aufklärung und der
Rationalismus diese starke Popularphilosophie begründeten, konnte
auf die Dauer der Kritik des konsequenten Denkens nicht genügen.
Ihr naiver Dogmatismus erregte mehr und mehr Anstoß. [4]

---

[2] **Aufklärungszeit** *The age of Enlightenment, an 18th century philosophical movement characterized by rationalism.*
[3] **ihr Aufgehen . . . geeinten Menschheit** their resolution into a form
of humanity unified by the highest spiritual goals
[4] **erregte mehr und mehr Anstoß** increasingly gave offense

Unter den wankenden Bau versuchte Kant [5] ein neues Fundament zu legen, indem er es unternahm, die Weltanschauung des Rationalismus, ohne an ihrem geistigen Wesen etwas zu ändern, den Anforderungen einer tieferen Theorie des Erkennens gemäß umzugestalten. Schiller, Goethe, und andere Geistesheroen der Zeit zeigten in guter und böser Kritik, daß der Rationalismus mehr Popularphilosophie als Philosophie sei. Aber sie waren nicht in der Lage, an Stelle dessen, was sie zerstörten, etwas Neues aufzurichten, das mit gleicher Kraft Kulturideen in der öffentlichen Meinung unterhielte.

Fichte,[6] Hegel,[7] und andere Philosophen, die sich wie Kant, bei aller Kritik des Rationalismus zu seinen ethischen Vernunftidealen bekannten, versuchten eine entsprechende optimistisch-ethische Totalweltanschauung auf spekulativem Wege, d.h. durch logische und erkenntnistheoretische Erwägungen über das Sein und seine Entfaltung zur Welt zu begründen. Drei oder vier Jahrzehnte lang gelang es ihnen, für sich und die andern die kraftspendende Illusion aufrecht zu erhalten und die Wirklichkeit im Sinne ihrer Weltanschauung zu vergewaltigen. Zuletzt aber empörten sich die unterdes erstarkten Naturwissenschaften und schlugen mit plebejischer Begeisterung für die Wahrheit der Wirklichkeit die von der Phantasie geschaffenen Prachtbauten in Trümmer.

Obdachlos und arm irren seither die ethischen Vernunftideen, auf denen die Kultur beruht, in der Welt umher. Eine sie begründende Totalweltanschauung ist nicht mehr aufgestellt worden. Überhaupt entstand keine Totalweltanschauung mehr, die innere Geschlossenheit und Festigkeit aufwies. Das Zeitalter des philo-

---

[5] **Kant** *Immanuel Kant (1724-1804), major German philosopher. He maintained that only phenomena—objects of experience—can be known; noumena* (**das Ding an sich**) *cannot be known, although we must believe that they exist. The core of his ethical system is the "categorical imperative": "Act as if the maxim from which you act were to become through your will a universal law."*

[6] **Fichte** *Johann Gottlieb Fichte (1762-1814), German philosopher. He rejected Kant's noumena, and made the active indivisible ego the source of the structure of experience. He is perhaps best remembered for his fiery* **Reden an die deutsche Nation,** *in which he preached the greatness of Germany.*

[7] **Hegel** *Georg Wilhelm Friedrich Hegel (1770-1831), German idealist philosopher, whose system is characterized by the Hegelian dialectic: thesis, antithesis, synthesis.*

sophischen Dogmatismus war endgültig vorüber. Als Wahrheit
galt nur die die Wirklichkeit beschreibende Wissenschaft. Total-
weltanschauungen traten nicht mehr als feste Sonnen, sondern nur
noch als Kometennebel von Hypothesen auf.

5   Mit dem Dogmatismus des Wissens über die Welt war zugleich
der Dogmatismus der geistigen Ideen getroffen. Der unbefangene
Rationalismus, der kritische Rationalismus Kants und der spekula-
tive Rationalismus der großen Philosophen des beginnenden neunzehnten Jahrhunderts hatten die Wirklichkeit in doppeltem Sinne
10 vergewaltigt. Sie hatten im Denken gewonnene Anschauungen höher als die Tatsachen der Naturwissenschaft gestellt und zugleich
ethische Vernunftideale proklamierte, die die tatsächlichen Verhältnisse in den Gesinnungen und Zuständen der Menschheit durch
andere ersetzen wollten. Als die erste Vergewaltigung sich als
15 sinnlos erwies, wurde auch fraglich, ob der andern die bisher zuge-
standene Berechtigung zukäme. An Stelle des ethischen Doktrinarismus, für den die Gegenwart nur Material zur Gestaltung einer
theoretisch entworfenen besseren Zukunft war, trat das liebevolle
geschichtliche Verständnis der gegebenen Zustände, dem schon
20 Hegels Philosophie vorgearbeitet hatte.

Bei dieser Mentalität war eine elementare Auseinandersetzung
der ethischen Vernunftideale mit der Wirklichkeit wie vordem nicht
möglich. Es fehlte die dazu nötige Unbefangenheit. Dementsprechend ging die die Energie der Kulturgesinnung zurück. So kam
25 die berechtigte Vergewaltigung der menschlichen Gesinnung und
Zustände, ohne welche das Reformwerk der Kultur nicht vor sich
gehen kann, zu Fall,[8] weil sie mit der unberechtigten Vergewaltigung der Weltwirklichkeit verbunden war. Dies ist das Tragische
des psychologischen Vorgangs, der sich von der Mitte des neunzehn-
30 ten Jahrhunderts an in unserem geistigen Leben abspielte.

Der Rationalismus war abgetan, . . . mit ihm aber auch die von
ihm hervorgebrachte optimistische und ethische Grundüberzeugung
von der Bestimmung der Welt, der Menschheit, der Gesellschaft und
des Menschen. Weil diese aber noch nachwirkte, gab man sich
35 keine Rechenschaft von der Katastrophe,[9] die eingeleitet war.

---

[8] **kam . . . zu Fall**   came to grief
[9] **gab man sich . . . Katastrophe**   no account of the impending catastrophe was rendered

Aus einem Arbeiter am Werden einer allgemeinen Kulturgesinnung war die Philosophie nach dem Zusammenbruch in der Mitte des neunzehnten Jahrhunderts ein Rentner geworden, der sich fern von der Welt mit dem, was er sich gerettet hatte, beschäftigte. Sie wurde zur Wissenschaft, die die Ergebnisse der Naturwissenschaften und der historischen Wissenschaften sichtete und als Material zu einer zukünftigen Weltanschauung zusammentrug und dementsprechend einen gelehrten Betrieb auf allen Gebieten unterhielt. Zugleich wurde sie immer mehr von der Beschäftigung mit ihrer eigenen Vergangenheit absorbiert. Fast wurde die Philosophie zur Geschichte der Philosophie. Der schöpferische Geist hatte sie verlassen. Mehr und mehr wurde sie eine Philosophie ohne Denken. Wohl dachte sie über die Resultate der Einzelwissenschaften nach, aber das elementare Denken kam ihr abhanden. Mitleidig blickte sie auf den überholten Rationalismus zurück. Stolz rühmte sie sich, „durch Kant hindurchgegangen zu sein", von Hegel „geschichtliches Verständnis empfangen zu haben" and „in enger Fühlung mit den Naturwissenschaften zu arbeiten". Dabei war sie aber ärmer als der ärmste Rationalismus, weil sie den öffentlichen Beruf der Philosophie, den jener so ausgiebig geübt hatte, nur noch in der Einbildung, aber nicht mehr in der Wirklichkeit erfüllte. Jener war bei aller Naivität wahre, wirkende Philosophie, sie aber bei aller Einsicht nur gelehrte Epigonenphilosophie.[10] Auf Schulen und Hochschulen spielte sie noch eine Rolle; aber der Welt hatte sie nichts mehr zu sagen.

Weltfremd war sie geworden, bei allem Wissen. Die Lebensprobleme, die die Menschen und die Zeit beschäftigten, spielten in ihrem Betriebe keine Rolle. Ihr Weg lief abseits von dem des allgemeinen geistigen Lebens. Wie sie von diesem keine Anregungen empfing, so gab sie ihm auch keine. Weil sie sich mit den elementaren Problemen nicht beschäftigte, unterhielt sie keine Elementarphilosophie, die zur Popularphilosophie werden konnte.

Aus ihrem Unvermögen entsprang ihre Abneigung gegen jedes allgemeinverständliche Philosophieren, die für ihr Wesen so charakteristisch ist. Popularphilosophie war für sie nur eine für den Gebrauch der Menge hergestellte, vereinfachte und dementspre-

---

[10] **gelehrte Epigonenphilosophie**   *The philosophy of learned followers rather than the one of creative pioneers.*

chend verschlechterte Übersicht über die von ihr gesichteten und
auf eine kommende Weltanschauung zugeschnittenen Ergebnisse
der Einzelwissenschaften. Daß es eine Popularphilosophie gibt, die
daraus entsteht, daß die Philosophie auf die elementaren, innerli-
5 chen Fragen, die die Einzelnen und die Menge denken oder denken
sollen, eingeht, sie in umfassenderem und vollendeterem Denken
vertieft und sie so der Allgemeinheit zurückgibt, und daß der Wert
jeder Philosophie zuletzt danach zu bemessen ist, ob sie sich in eine
lebendige Popularphilosophie umzusetzen vermag oder nicht, kam
10 ihr nicht zum Bewußtsein.

Alles Tiefe ist zugleich ein Einfaches und läßt sich als solches
wiedergeben, wenn nur die Beziehung auf die ganze Wirklichkeit
gewahrt ist. Es ist dann ein Abstraktes, das von selbst vielgestal-
tiges Leben gewinnt, sobald es mit den Tatsachen in Berührung
15 kommt.

Was an suchendem Denken in der Menge vorhanden war,
mußte also verkümmern, weil es bei unserer Philosophie keine Aufnahme und keine Förderung fand. Eine Leere tat sich vor ihm auf,
über die es nicht hinauskam.

20 Gold, in der Vergangenheit gemünzt, hatte die Philosophie in
Haufen liegen. Hypothesen einer zukünftigen theoretischen Weltanschauung füllten als ungemünzte Barren ihre Gewölbe. Aber
Speise, um den geistigen Hunger der Gegenwart zu stillen, besaß
sie nicht. Von ihrem Reichtum betört, hatte sie versäumt, Boden
25 mit nährender Frucht anzuflanzen. Darum ignorierte sie den Hunger, der in der Zeit war, und überließ sie ihrem Schicksal.

Daß das Denken es nicht fertig brachte, eine Weltanschauung
von optimistisch-ethischem Charakter aufzustellen und die Ideale,
die die Kultur ausmachen, in einer solchen zu begründen, war nicht
30 Schuld der Philosophie, sondern eine Tatsache, die sich in der Entwicklung des Denkens einstellte. Aber schuldig an unserer Welt
wurde die Philosophie dadurch, daß sie sich die Tatsache nicht ein-
gestand und in der Illusion verblieb, als ob sie wirklich einen Fortschritt der Kultur unterhielte. Ihrer letzten Bestimmung nach ist
35 die Philosophie Anführerin und Wächterin der allgemeinen Vernunft. Ihre Pflicht wäre es gewesen, unserer Welt einzugestehen,
daß die ethischen Vernunftideale nicht mehr wie früher in einer
Totalweltanschauung Halt fänden, sondern bis auf weiteres auf

sich selbst gestellt seien und sich allein durch ihre innere Kraft in
der Welt behaupten müßten. Sie hätte uns zeigen müssen, daß wir
um die Ideale, auf denen unsere Kultur beruht, zu kämpfen haben.
Sie hätte versuchen müssen, diese Ideale an sich, in ihrem inneren
Werte und in ihrer inneren Wahrheit, zu begründen und sie so,   5
auch ohne den Zustrom aus einer entsprechenden Totalweltanschauung, lebensfähig zu erhalten. Mit aller Energie hätte die
Aufmerksamkeit der Gebildeten und der Ungebildeten auf das
Problem der Kulturideal gelenkt werden müssen.

Aber die Philosophie philosophierte über alles, nur nicht über   10
Kultur. Sie arbeitete unentwegt an der Aufstellung einer theoretischen Totalweltanschauung weiter, als ob sie damit alles wiederher-
stellen könnte, und überlegte nicht, daß diese Weltanschauung,
selbst wenn sie fertig würde, weil nur aus Geschichte und Naturwissenschaft erbaut und dementsprechend unoptimistisch und un-   15
ethisch, immer „kraftlose Weltanschauung" bleiben würde und nie
die zur Begründung und Aufrechterhaltung von Kulturidealen notwendigen Energien hervorbringen könnte. So wenig philosophierte
die Philosophie über Kultur, daß sie nicht einmal merkte, wie sie
selber, und die Zeit mit ihr, immer mehr kulturlos wurde. In der   20
Stunde der Gefahr schlief der Wächter, der uns wach erhalten sollte.
So kam es, daß wir nicht um unsere Kultur rangen.

Fragen

1. Was ist notwendig, unser Schicksal vom Nebenstrom in den
   Hauptstrom der Geschichte zurückzulenken?
2. Wie sind wir von der Kultur abgekommen?
3. Mit welchem Wahn sind wir ins 20. Jahrhundert eingegangen?
4. Was hat die Aufklärung an dem Fortschritt der Menschheit
   geleistet?
5. Wann fing die Kultur an, von ihrer Verantwortung abzusehen?
6. Was war das entscheidende Moment dieses Vorgangs?
7. In welcher Hinsicht erregte die neue populäre Totalweltanschauung Anstoß?

8. Wie reagierten die Naturwissenschaften auf diese Totalweltanschauung?
9. Was galt, nach der Niederlage dieser Totalweltanschauung, als die einzige Wahrheit?
10. Inwiefern hatten die Philosophen des frühen 19. Jahrhunderts die Wirklichkeit vergewaltigt?
11. Wie hatte sich die Philosophie nach der Mitte des 19. Jahrhunderts verändert?
12. Wie kam es, daß die Philosophie den geistigen Hunger der Gegenwart ignorierte?
13. Wie wurde die Philosophie schuldig?
14. Was hätte die Philosophie der Welt zeigen müssen?
15. Worüber hat die Philosophie nicht philosophiert?

Hermann Hesse

(1877-1962)

Hermann Hesse, „der letzte Ritter der Romantik", was born in Württemberg, the son of missionary parents. He was originally destined for the ministry, but, not being attracted to this calling, he attempted instead to prepare himself for various other occupations, all without success. From 1904 on he was able to make his living as a free-lance writer. In 1912 he went to Switzerland to live, and he became a naturalized citizen of that country in 1923. His writings have been acclaimed not only by German speaking people but also by many who have read them in translation.

His work falls into four categories: novels (*Demian*, 1919; *Siddhartha*, 1925; *Steppenwolf*, 1927; *Das Glasperlenspiel*, 1943); *Novellen* (too numerous to cite); essays (*Betrachtungen*, 1928; *Krieg und Frieden*, 1946); lyric poetry (*Gedichte*, 1947).

Hesse is completely detached in his philosophy and writing from every sort of nationalism or traditional commitment, emphasizing over and over again the principles of simple humanity, ignoring the slogans and catchwords of ephemeral enthusiasms, so many of which he survived. His conviction, in his own words, was that "the words of the poet can be, in difficult moments of life, not only entertainment and diversion, but the bread and wine of the soul, strengthening, redemption, help: in living and in dying."

He received the Nobel prize for literature in 1946.

Photo Frederic Lewis; The Bettman Archive; Eschen—
Roy Bernard Co.

AN EINEN JUNGEN MANN
IN DEUTSCHLAND

Er hatte einen ungewöhnlichen Brief geschrieben, der sichtlich
von einem bedeutenden [1] Menschen kommt. Er ist noch ganz jung,
ich denke etwa neunzehn, und hat seit Jahren nichts im Kopf als
den Willen, seinem Vaterland zu dienen und wieder empor zu
5 helfen, und zwar als Soldat, als Offizier. Er scheint Sohn eines
Gutsbesitzers zu sein, war stets der bewunderte Führer in seiner

[1] **bedeutenden**　important; *only in the sense of being a person of char-*
acter and determination.

Klasse, las mit Leidenschaft Clausewitz[2] etc. Nun gestand er mir,
daß er bei diesen Bestrebungen Gemüt und Kultur vernachlässigt
habe, verhärtet sei, auch von andern wohl gefürchtet, aber nie
geliebt werde. Er fühle in meinen Büchern, die er anfangs ganz
ablehnte, eine Welt, oder wie er meint eine „Lehre" ausgedrückt,   5
die ihn in seinen bisherigen Tendenzen wankend mache. Er bittet
mich um nähere Auskunft und Belehrung.

8. April 1932

Sie haben in Büchern von mir die Ahnung einer Denkart gefunden, für deren Lehrer Sie mich halten. Es ist aber die Denkart   10
aller Geistigen, und sie ist allerdings der Denkart der Politiker, der
Generäle und „Führer" genau entgegengesetzt. Sie steht wunderbar genau (so weit dies überhaupt möglich ist) ausgedrückt in den
Evangelien,[3] in den Sprüchen der chinesischen Weisen, vor allem
des Konfuzius[4] und des Lao Tse[5] und den Fabeln des Dschuang   15
Dsi,[6] in einigen indischen Lehrgedichten wie der Bhagavad-Gita.[7]
Heimlich geht diese Denkart durch die Literatur aller Völker.

Sie werden aber vergeblich einen Führer zu dieser Denkart
suchen, da keiner von uns den Ehrgeiz oder auch nur die Möglichkeit hat, „Führer" zu sein. Wir halten vom Führen nicht viel, vom   20
Dienen alles. Wir pflegen vor allen anderen Tugenden die Ehrfurcht, aber wir bringen diese Ehrfurcht nicht Personen dar.[8]
Ich begreife wohl den Gegensatz zwischen der Welt, die Sie in

[2] **Clausewitz**   *Karl von Clausewitz (1780-1831), Prussian general and
military strategist, author of important works on the art of war.*

[3] **Evangelien**   *The four Gospels, accounts of the life of Christ by Matthew,
Mark, Luke, and John.*

[4] **Konfuzius**   *Confucius (Kung-Fu-tse, 551-478 B.C.), Chinese philosopher
whose benevolent philosophy made him the prototype and model of all
Chinese sages.*

[5] **Lao Tse**   *(Sixth century B.C.) Chinese philosopher and founder of
Taoism, a mystical religion; the "Way of Virtue," comprising the simplicity
of spontaneity and action unmotivated by selfishness.*

[6] **Dschuang Dsi**   *(Tschuangsi) Chinese philosopher of the Fourth century
B.C.*

[7] **Bhagavad-Gita**   *("Song of the Sublime Ones"); Hindu religious and
philosophical poem of the 2nd century B.C., part of the* **Mahabharata**
epic.

[8] **wir pflegen . . . dar**   *In contrast to the military, who make a fetish
of respect for persons.*

meinen Schriften angedeutet finden, und der so viel klareren, ein-
facheren und scheinbar männlicheren Welt, aus der Sie kommen,
der Welt, wo über Gut und Böse genaue Vorschriften existieren, wo
alles eindeutig ist und alles auch noch den Glanz des Heldischen
5 hat. Clausewitz und Scharnhorst [9] führen Sie nicht vor Konflikte, sie
zeigen Ihnen eine klar vorgezeichnete Pflicht, und zeigen Ihnen als
Belohnung für deren Erfüllung sichtbare Werte: gewonnene
Schlachten, getötete Feinde, Generalsabzeichen, Denkmäler in der
Zukunft.

10 Unsre anonyme Brüderschaft kennt zwar auch das Heldentum
und stellt es sehr hoch, sie schätzt aber nur den, der für seinen
Glauben stirbt, nicht den, der andre für seinen Glauben sterben
macht. Das, was Jesus das Reich Gottes, was die Chinesen Lao
nennen, ist nicht ein Vaterland, dem auf Kosten andrer Vaterländer
15 gedient werden soll: es ist die Ahnung vom Ganzen der Welt,
samt [10] allen ihren Widersprüchen, ist die Ahnung von der geheimen
Einheit alles Lebens. Diese Ahnung oder Idee wird in vielen
Bildern ausgedrückt und verehrt, sie hat viele Namen, einer von
ihnen ist der Name: Gott.

20 Die Ideale, denen Sie bisher gedient haben und zu denen Sie
vielleicht zurückkehren werden, sind edle und hohe, und sie haben
den großen Vorzug, erfüllbar zu sein. Der Soldat, der auf Befehl
die Deckung verläßt und ins Feuer geht—der General, der mit
Hingabe der letzten Kraft eine Schlacht gewinnt, sie haben ihr
25 Ideal wirklich erfüllt.

In der Welt der Demiane und Steppenwölfe [11] gibt es keine
erfüllbaren Ideale. Dort ist jedes Ideal nicht ein Befehl, sondern
nur ein Versuch, der Heiligkeit des Lebens zu dienen: in Formen,
die wir von Anfang an als unvollkommen und ewiger Erneuerung
30 bedürftig erkennen.

Der Weg Demians ist nicht so klar und licht wie der, den Sie
bisher gegangen sind. Er verlangt nicht nur Hingabe, er verlangt
auch Wachsein, Mißtrauen, Selbstprüfung, er schützt nicht vor

[9] **Scharnhorst** *Gerhard Johann David von Scharnhorst (1755-1813),
Prussian general responsible for the creation of the new Prussian army just
before the overthrow of Napoleon.*

[10] **samt** together with, *old word not in common use*

[11] **Demiane . . . Steppenwölfe** *Demian (1919) and **Steppenwolf** (1927)
are the titles of two novels by Herman Hesse.*

Zweifeln, er sucht sie sogar auf. Dies ist kein Weg für Menschen,
denen mit klaren, eindeutigen, stabilen Idealen und Befehlen noch
zu helfen ist. Er ist ein Weg für Verzweifelte, für solche nämlich,
die an der Formulierbarkeit des Heiligen, an der Eindeutigkeit der
Ideale und Pflichten schon verzweifelt sind, denen die Not des   5
Lebens und Gewissens das Herz verbrennt.[12]

Vielleicht ist Ihr Zustand eine Vorstufe dieser Verzweiflung.
Dann steht Ihnen noch viel Leid bevor, viel Verzichtenmüssen[13]
auf Dinge, die Ihr Stolz waren, aber auch viel Leben, viel Entwicklung, viele Entdeckungen.   10

Nehmen Sie, falls es so sein sollte, aus dem „Demian" und
meinen anderen Schriften die Begriffe mit, die Ihnen darin wichtig
geworden sind. Bald werden Sie mich nicht mehr brauchen und
neue Quellen entdecken. Goethe[14] ist ein guter Lehrer, und Novalis,[15] oder der Franzose André Gide[16]—es gibt unzählige.   15
Aber vielleicht gelingt es Ihnen, trotz der jetzigen Anfechtung
Ihrem alten Weg treu zu bleiben, der Einfachheit eines strengen und
heldischen, aber nicht problematischen Lebens. Ich habe vor dem,
der sich diesem Ideal opfert, große Achtung, obwohl ich sein Ideal
nicht teile. Jeder, der seinen Weg geht, ist ein Held. Jeder, der   20
das wirklich tut und lebt, wozu er fähig ist, ist ein Held—und
selbst wenn er dabei das Dumme oder Rückständige[17] tut, ist er
viel mehr als tausend andere, die von ihren schönen Idealen bloß
reden, ohne sich ihnen zu opfern.

Dies gehört zu den Verwicklungen beim Betrachten der Welt: 25
daß die schönen Gedanken, Ideale und Meinungen gar nicht immer
auch in Händen der Edelsten und Besten sind. Es kann ein Mensch
für veraltete, überholte Götter aufs edelste kämpfen und sterben, er

---

12 denen . . . verbrennt   whose hearts are anguished by the torment
of life and conscience

13 Verzichtenmüssen   obligation of renunciation, forced renunciation

14 Goethe   *Johann Wolfgang von Goethe (1749-1832), great figure of
German literature, author of* **Faust, Wilhelm Meister, Iphigenie,** *and
many other works.*

15 Novalis   *Pen name for Friedrich von Hardenberg (1772-1801), gifted
writer of the early German Romantic school; mystical, idealistic, and
deeply Christian.*

16 Gide   *André Gide (1869-1951), French novelist and important literary
figure.*

17 das Rückständige   *here,* antiquated *or* obsolescent ideas

macht dann vielleicht den Eindruck eines Don Quichote,[18] aber
Don Quichote ist ja durch und durch Held, ist durch und durch
adlig. Umgekehrt kann ein Mensch sehr klug, belesen, redegeschickt sein, und schöne Bücher schreiben oder Reden halten, mit
5 den bestechendsten Gedanken und Ideen, und kann doch bloß ein
Schwätzer sein, der bei der ersten ernsten Forderung nach Opfer
und Verwirklichung davonläuft.

Darum gibt es auf der Welt viele Rollen, und es ist sehr wohl
möglich, ja einzig schön und richtig, daß hochstehende Gegner
10 einander viel höher achten und mehr lieben als ihre eigenen Partei-
genossen. Gewiß hat mancher tapfere deutsche General den stillen,
auf Frieden zielenden Denker Kant [19] im Herzen geliebt und verehrt, ohne doch sein Amt, seine Pflicht darum zu verlassen. Mancher steht auf einem Posten wo er nicht weiß, ob er noch dem
15 Sinnvollen und Wertvollen dient, weil diese Begriffe alle schwanken,
zumal heute, aber er bleibt auf dem Posten und kämpft weiter, sei
es auch nur um ein Beispiel des Dienens und der Treue zu geben.

Ich habe dies während des Krieges, wo ich ein absoluter Kriegsgegner war, dutzende Male erlebt. Ich lernte Leute kennen, Jour-
20 nalisten etc., welche ganz und gar im Politischen meine Ansichten
und Wünsche teilten, also eigentlich meine Genossen waren, und
denen ich kaum die Hand geben konnte, so zuwider waren sie mir,
so eng und eigennützig schienen sie mir. Dagegen fand ich andere,
treue begeisterte Patrioten und Offiziere, Leute voll tollster Vorstel-
25 lungen über Deutschlands Unschuld und Deutschlands Recht zu
endlosen Annexionen etc., und es waren dennoch Menschen, denen
ich die Hand geben, die ich ernst nehmen und achten konnte, denn
sie waren im Wesen edel, ich konnte ihnen ihre Ideale glauben, sie
waren keine Schwätzer.

30 Dies eine, glaube ich, werden Sie in den jetzigen Zweifeln
für immer lernen können: daß Person und Programm nicht dasselbe
sind, und daß man an Gegnern, ja an erklärten Feinden mehr
Freude haben und mehr Gutes lernen kann als an Gesinnungsgenossen, die es nur mit dem Verstande, nur mit dem Worte sind.

[18] **Don Quichote** *Don Quixote, hero of Cervantes' celebrated novel; the
pure fool who is the victim of an illusion.*
[19] **Kant** *Immanuel Kant (1724-1804); this epoch-making philosopher wrote
a short treatise toward the end of his life entitled "Vom ewigen Frieden."*

120 **An einen jungen Mann in Deutschland**

Mehr kann ich nicht sagen. Ich weiß nicht, wozu Sie bestimmt
sind. Sie machen hohe Ansprüche an sich. Sie fordern viel von
sich, das verspricht viel. Aber Sie tun alles, was Sie tun, vorerst noch
im Dienste eines dogmatischen Ideals. Sie tun es nicht um Gottes,
sondern um des Vaterlandes willen, und als Rekrut von Clausewitz, 5
Fichte,[20] Moltke,[21] etc. Vielleicht kommen Sie einst dahin, das
Schwere ganz um seiner selbst willen zu leisten, nicht weil es edel
und patriotisch ist, sondern einfach weil Sie nicht anders können.
Dann sind Sie nahe am Ziel, zu dem alle wirklich Strebenden
unterwegs sind. 10

Fragen

1. Welchen Beruf will der junge Mann aufnehmen, der an Hesse
   geschrieben hat?
2. Wo kann man mit der Denkart der Geistigen bekannt werden?
3. Warum wird der junge Mann keinen Führer zu dieser Denkart
   finden können?
4. Warum gibt es keine Konflikte in der Welt, woraus der junge
   Mann kommt?
5. Welches Vaterland kennt die „anonyme Brüderschaft", zu der
   Hesse gehört?
6. Welchen großen Vorzug haben die Ideale, denen der junge
   Mann gedient hat?
7. Welche Lehrer empfiehlt Hesse dem jungen Sucher?
8. Warum hat Hesse Respekt vor einem, an dessen Ideale er nicht
   glaubt?
9. Welche Einstellung hatte Hesse dem Kriege gegenüber?
10. Wann wird sich der junge Mann nahe am Ziel befinden?

[20] **Fichte** *Johann Gottlieb Fichte (1762-1814), idealist philosopher who
preached the greatness of Germany in his* **Reden an die deutsche Nation**
(1807-1808).
[21] **Moltke** *Helmuth von Moltke (1800-1891), Prussian military strategist.*

Martin Buber

(1878-1965)

Buber was born in Vienna, the grandson of the great Talmudic scholar Solomon Buber. His youth was spent in Lvov (Lemberg) in Poland, but he received his university training in Germany. He joined the Zionist movement in 1898 and in 1901 became editor of its periodical *Die Welt*. After 1903 his activity was mostly literary: he wrote a new translation of the Bible, founded a periodical (*Der Jude*) and through his writings exercised a deep influence on Zionist ideology, especially among young people. From 1924 until 1933 he was professor of Jewish religion and ethics at the University of Frankfurt-am-Main. In 1938 he became professor of the sociology of religion at the Hebrew University in Jerusalem. He was known also as an interpreter of Hasidism. His concept of religious faith, influenced in part by the thoughts of Søren Kierkegaard, as a dialogue between God and man (*Ich und Du*), has found recognition among Christian as well as Jewish theologians. He died in Israel in 1965.

Photo Frederic Lewis

EINSICHTEN

Alle Menschen haben Zugang zu Gott, aber jeder einen andern. Gerade in der Verschiedenheit der Menschen, in der Verschiedenheit ihrer Eigenschaften und ihrer Neigungen liegt die große Chance des Menschengeschlechts. Gottes Allumfassung stellt sich in der unendlichen Vielheit der Wege dar, die zu ihm führen, und von denen jeder einem Menschen offen ist.[5]

❊   ❊   ❊

Geist in seiner menschlichen Kundgebung ist Antwort des Menschen an sein Du. Der Mensch redet in vielen Zungen, Zun-

gen der Sprache, der Kunst, der Handlung, aber der Geist ist
einer, Antwort an das aus dem Geheimnis erscheinende, aus dem
Geheimnis ansprechende Du. Geist ist Wort. Und wie die sprach-
liche Rede wohl erst im Gehirn des Menschen sich worten, dann in
5 seiner Kehle sich lauten mag, beides aber sind nur Brechungen des
wahren Vorgangs, in Wahrheit nämlich steckt die Sprache nicht im
Menschen, sondern der Mensch steht in der Sprache und redet aus
ihr,—so alles Wort, so aller Geist. Geist ist nicht im Ich, sondern
zwischen Ich und Du. Er ist nicht wie das Blut, das in dir kreist,
10 sondern wie die Luft, in der du atmest. Der Mensch lebt im Geist,
wenn er seinem Du zu antworten vermag. Er vermag es, wenn er
in die Beziehung mit seinem ganzen Wesen eintritt. Vermöge
seiner Beziehungskraft allein vermag der Mensch im Geist zu leben.

* * *

Jeder Mensch hat eine unendliche Sphäre der Verantwortung,
15 der Verantwortung vor dem Unendlichen. Er bewegt sich, er redet,
er blickt, und jede seiner Bewegungen, jedes seiner Worte, jeder
seiner Blicke schlägt Wellen ins Geschehen der Welt, er vermag
nicht zu erkennen, wie starke und wie weithin reichende.[1] Jeder
Mensch bestimmt mit all seinem Sein und Tun das Schicksal der
20 Welt in einem ihm und allen unkenntlichen Maße, denn die Ursächlichkeit, die wir wahrnehmen können, ist ja nur ein winziger Ausschnitt aus dem unausdenklich vielfältigen unsichtbaren Wirken
aller auf alle. So ist jede Menschenhandlung ein Gefäß der unendlichen Verantwortung. Aber es gibt Menschen, an die die unendliche
25 Verantwortung in einer besonderen, besonders aktiven Form allstündlich herantritt. Ich meine nicht die Herrscher und Staatsmänner, die das äußere Geschick großer Gemeinwesen [2] zu bestimmen
haben; umfänglich ist der Kreis ihrer Wirkung, aber um wirken zu
können, wenden sie sich von dem einzelnen, ungeheuer bedrohten
30 Leben, das sie mit tausendfältiger Frage anblickt, dem Allgemeinen
zu, das sie blicklos dünkt.[3] Ich meine jene, die dem tausendfältig

---

[1] **jede seiner Bewegungen . . . wie weithin reichende**   each of his
movements, each of his words, each of his glances exerts an influence upon
the happenings of the universe, although he is unable to gauge its strength
or scope
[2] **Gemeinwesen**   community at large, peoples
[3] **das sie blicklos dünkt**   which they deem unquestioning

fragenden Blick des einzelnen Lebens standhalten; die dem zitternden Mund der bedürftigen Kreatur, der Mal um Mal [4] von Ihnen
Entscheidung heischt, getreulich Antwort geben. Das ist der
Mensch, der die Tiefe der Verantwortung allstündlich mit dem
Senkblei seines Wortes mißt. Er spricht—und weiß, daß seine Rede 5
Schicksal ist. Er hat nicht über Länder und Völker zu entscheiden,
sondern immer wieder nur über den kleinen und großen Gang
seines einzelnen, so endlichen und doch so unbegrenzten Lebens.
Die Menschen kommen zu ihm, und jeder begehrt seinen Ausspruch,
seine Hilfe. Und mögen es auch leibliche und halbleibliche Nöte 10
sein, die ihm sie zuführen, in seiner Welteinsicht besteht nichts
Leibliches, das nicht verklärt, besteht kein Stoff, der nicht zu Geist
erhoben werden kann. Und dies ist es, was er an allen tut: *er
erhebt ihre Not, ehe er sie stillt*. Um ihn, um den wahrhaften Helfer
ist es der Welt zu tun; ihm harrt sie entgegen, harrt sie immer wieder 15
entgegen.

❊   ❊   ❊

Dem „geistigen" Menschen dieser Zeit erscheint es wichtig, daß
es geistige Güter und Werte gibt; er gesteht auch etwa zu oder
erklärt gar selber, daß ihre Wirklichkeit und ihre Verwirklichung
durch uns gebunden sei. In die innerste Wahrheit hinein befragt 20
aber, in die hinein man Menschen gemeiniglich nicht befragt, müßte
er zugeben, daß ihm dieses sein Gefühl von der Verbindlichkeit des
Geistes selber nur eine—geistige Angelegenheit ist. Die Unverbindlichkeit des Geistes ist die Signatur unserer Zeit; man proklamiert die
Rechte des Geistes, man formuliert seine Gesetze, aber in das Leben 25
gehen sie nicht ein, nur in Bücher und Diskussionen; sie schweben in
der Luft über unsern Häuptern, sie treten nicht mitten unter uns auf
die Erde; alles ist des Geistes, nur der gelebte Alltag nicht. Gleichviel
ob ein falscher Idealismus waltet, der das Leben von einer Azurglocke überwölben läßt,[5] in deren unverbindlich erhebendem An 30
blick man sich von der spröden Erde erholt, oder ein falscher
Realismus, der den Geist nur als Funktion des Lebens versteht und
seine Unbedingtheit an lauter Bedingtheiten, psychologische, sozio-

---

4 **Mal um Mal**   over and over again, time and again
5 **der das Leben . . . überwölben läßt**   which depicts life in illusory
   terms *or* rosy colors

logische und dergleichen auflöst—immer wird ein falsches Verhältnis zwischen den beiden an die Stelle der Verbindung, Vermählung gesetzt. Diese Trennung der Aufeinandergewiesenen [6] ist freilich von Menschen dieser Zeit in ihren zersetzenden Wirkungen erkannt
5 worden—eine Zersetzung, die immer tiefere Schichten ergreifen muß, bis der völlig entmächtigte Geist zum willigen und selbstgefälligen Knecht der jeweiligen Weltmächte erniedert wird. Die Menschen, von denen ich rede, haben sich darüber Gedanken gemacht, wie dem Zerfall abzuhelfen sei, und sie haben an die Religion als an die
10 Gewalt appelliert, die allein noch befähigt sei, einen neuen Bund von Geist Welt heraufzuführen. Aber was man heute Religion nennt wird das nie vermögen. „Religion" ist selber heute eine Sache des abgelösten Geistes, eine seiner Abteilungen, eine gewiß bevorzugte Abteilung des Überbaus des Lebens, eine besonders
15 stimmungsvolle Kammer in den oberen Räumen, das lebenumfassende Ganze ist sie nicht und kann es von diesem ihrem Status aus auch nicht werden; sie kann den Menschen zur Einheit nicht führen, denn sie ist selber in die Entzweiung gefallen, selber hat sie sich dieser Zwiefältigkeit der Existenz angepaßt. Sie selber müßte zur
20 Wirklichkeit umkehren, ehe sie auf den heutigen Menschen zu wirken vermöchte. Wirklichkeit war die Religion immer nur, wenn sie ohne Scheu war, wenn sie die ganze Konkretheit auf sich nahm, nichts als andern Rechtes abstrich, den Geist ins Leben setzte und den Alltag weihte.

❊ ❊ ❊

25 Die Krankheit unseres Zeitalters gleicht der keines, sie gehört mit denen aller zusammen. Die Geschichte der Kulturen ist nicht ein Stadion der Äonen, in dem ein Läufer nach dem andern munter und ahnungslos den gleichen Todeskreis zu durchmessen hätte. Durch ihre Auf- und Niedergänge führt ein namenloser Weg.
30 Kein Weg des Fortschritts und der Entwicklung; ein Hinabstieg durch die Spiralen der geistigen Unterwelt, wohl auch ein Aufstieg zum innersten, feinsten, verschlungensten Wirbel zu nennen, wo es kein Weiter mehr und erst recht kein Zurück gibt, nur noch die

[6] **diese Trennung der Aufeinandergewiesenen** the separation of the interdependent elements

unerhörte Umkehr: den Durchbruch. Werden wir den Weg bis ans Ende gehen müssen, bis in die Probe der letzten Finsternis? „Wo aber Gefahr ist, wächst das Rettende auch." [7]

*   *   *

Fragen

1. Wie zeigt sich die allumfassende Natur Gottes?
2. Was ist Geist?
3. Wie vermag ein Mensch im Geist zu leben?
4. Welche Verantwortung hat der Mensch?
5. Was für ein Mensch ist für die Welt besonders notwendig?
6. Was ist Religion heute?
7. Was muß die Religion tun, ehe sie wirksam wird?
8. Welcher Weg führt durch die Geschichte der Kulturen?

[7] **„Wo aber Gefahr ist, wächst das Rettende auch"**   *From the poem* **Patmos** *by Friedrich Hölderlin (1770-1843).*

Albert Einstein

(1879-1955)

Einstein was born in Ulm, and educated in Germany, Italy, and Switzerland. His early maturity was spent in Zurich in various governmental and academic posts; his doctorate in physics was conferred by the University of Zurich in 1905. During this period he was a Swiss citizen. He resumed his German citizenship in 1913, when he became director of the Kaiser-Wilhelm Institut der Physik in Berlin. He retained this post for twenty years, until the advent of Hitler. From 1933 until 1945 he was research professor at the Institute for Advanced Studies at Princeton, New Jersey. He became an American citizen in 1940. Probably the most important physicist of his time, he was awarded the Nobel prize for physics in 1921.

He is best known for his theory of relativity, which brought about a complete revision of the existing concepts of fundamental and universal physical laws, and paved the way for the atomic age. In 1905, Einstein set forth the *special theory of relativity* on the electrodynamics of moving bodies and on the equivalence of mass and mechanical energy. In 1911 he postulated the equivalence of mass and inertia, and in 1916 he formulated a *general theory of relativity* which included gravitation as a determiner of the curvature of a space-time continuum and represented gravitation as a field rather than a force. In 1949 he described the phenomenon of electromagnetism and of gravitation in a simple "unified field" theory; in 1953 he devised a simple mathematical formula which embraced the laws of gravitation, electromagnetism, and relativity.

He was among the physicists who wrote a letter to President

Roosevelt in 1939 urging study of the possibility of using atomic energy in explosives. Despite, or perhaps because of this interest, he was an ardent advocate of world peace, and wrote much on this subject, as well as on others not connected with physics.

The following passage is a somewhat abridged version of a lecture delivered by Einstein before the Royal Astronomical Society in London, in 1921.

ÜBER RELATIVITÄTSTHEORIE

Eine besondere Freude ist es mir heute, in der Hauptstadt jenes Landes sprechen zu dürfen, von dem aus die wichtigsten grundlegenden Ideen der theoretischen Physik in die Welt gegangen sind. Ich denke an die Theorie der Massenbewegung und
5 Gravitation, die Newton [1] uns geschenkt hat, und an den Begriff des elektromagnetischen Feldes, durch welchen Faraday [2] und

[1] **Newton**　*Sir Isaac Newton (1642-1727), British scientist who formulated laws of gravity.*
[2] **Faraday**　*Michael Faraday (1791-1867), British scientist, discoverer of electromagnetic induction.*

Maxwell [3] der Physik eine neue Grundlage gegeben haben. Man kann wohl sagen, daß die Relativitätstheorie zum großartigen Gedankengebäude Maxwells und Lorentz,[4] eine Art Abschluß geliefert hat, indem sie versucht, die Feldphysik auf alle Erscheinungen, die Gravitation eingeschlossen, auszudehnen.   5

Indem ich mich dem eigentlichen Gegenstand der Relativitätstheorie zuwende, liegt es mir daran, hervorzuheben, daß diese Theorie nicht spekulativen Ursprungs ist, sondern daß sie durchaus nur der Bestrebung ihre Entdeckung verdankt, die physikalische Theorie den beobachteten Tatsachen so gut als nur möglich anzu-   10 passen. Es handelt sich keineswegs um einen revolutionären Akt, sondern um eine natürliche Fortentwicklung einer durch Jahrhunderte verfolgbaren Linie. Das Aufgeben gewisser bisher als fundamental behandelter Begriffe über Raum, Zeit und Bewegung darf nicht als freiwillig aufgefaßt werden, sondern nur als bedingt   15 durch beobachtete Tatsachen.

Das durch die Entwicklung der Elektrodynamik und Optik erhärtete Gesetz der Konstanz der Lichtgeschwindigkeit im leeren Raum in Verbindung mit der durch Michelsons [5] berühmten Versuch besonders scharf dargetanen Gleichberechtigung aller Inertialsys-   20 teme (spezielles Relativitätsprinzip) führten zunächst dazu, daß der Zeitbegriff relativiert werden mußte, indem jedem Inertialsystem seine besondere Zeit gegeben werden mußte. Bei der Entwicklung dieser Idee zeigte es sich, daß früher der Zusammenhang zwischen den unmittelbaren Erlebnissen einerseits, Koordinaten und Zeit   25 andererseits, nicht mit genügender Schärfe überlegt worden war.

Es ist überhaupt einer der wesentlichsten Züge der Relativitätstheorie, daß sie bemüht ist, die Beziehungen der allgemeinen Begriffe zu den erlebbaren Tatsachen schärfer herauszuarbeiten. Dabei gilt stets als Grundsatz, daß die Berechtigung eines physikali-   30

[3] **Maxwell**   *James Clerk-Maxwell (1831-1879), British physicist.*
[4] **Lorentz**   *Hendrik Anton Lorentz (1853-1928), Dutch physicist and mathematician.*
[5] **Michelson**   *In 1881 two American physicists, A. A. Michelson and E. W. Morley, performed a historic experiment designed to measure the "drag" exerted on the passage of light by a hypothetical, stationary medium known as "luminiferous ether" in order to fix the absolute speed at which the earth moved through space. By its negative result, the experiment eliminated the concept of motionless, measurable ether and paved the way for the development of the theory of relativity.*

schen Begriffes ausschließlich in seiner klaren und eindeutigen Beziehung zu den erlebbaren Tatsachen beruht. Gemäß der speziellen Relativitätstheorie haben räumliche Koordinaten und Zeit noch insofern absoluten Charakter, als sie unmittelbar durch starre Uhren
5 und Körper meßbar sind. Sie sind aber insofern relativ, als sie vom Bewegungszustand des gewählten Inertialsystems abhängen. Das durch Vereinigung von Raum und Zeit gebildete vierdimensionale Kontinuum behält nach der speziellen Relativitätstheorie jenen absoluten Charakter, welchen nach der früheren Theorie sowohl
10 der Raum, als auch die Zeit—jeder besonders—besaß. Aus der Interpretation von Koordinaten und Zeit als Meßergebnis folgt dann der Einfluß der Bewegung (relativ zum Koordinatensystem) auf die Gestalt der Körper und auf den Gang der Uhren sowie die Äquivalenz der Energie und der trägen Masse.
15   Die allgemeine Relativitätstheorie verdankt ihre Entstehung in erster Linie der Erfahrungstatsache von der numerischen Gleichheit der trägen und der schweren Masse der Körper, für welche fundamentale Tatsache die klassische Mechanik keine Interpretation geliefert hat. Man gelangt zu einer solchen Interpretation
20 durch die Ausdehnung des Relativitätsprinzips auf relativ zueinander beschleunigte Koordinatensysteme. Die Einführung von relativ zu Inertialsystemen beschleunigten Koordinatensystemen bedingt das Auftreten von Gravitationsfeldern relativ zu letzteren. Damit hängt es zusammen, daß die auf die Gleichheit der Trägheit und
25 Schwere gegründete allgemeine Relativitätstheorie eine Theorie des Gravitationsfeldes liefert.
    Die Einführung relativ zueinander beschleunigter Koordinatensysteme als gleichberechtigte Koordinatensysteme, wie sie durch die Identität von Trägheit und Schwere bedingt erscheinen, führt
30 in Verbindung mit den Ergebnissen der speziellen Relativitätstheorie zur Folgerung, daß die Gesetze der Lagerung fester Körper beim Vorhandensein von Gravitationsfeldern nicht den Regeln der euklidischen Geometrie [6] entsprechen. Ein analoges Ergebnis folgt bezüglich des Ganges von Uhren. Hieraus ergibt sich die Notwen-
35 digkeit einer abermaligen Verallgemeinerung der Theorie von Raum und Zeit, weil nun die unmittelbare Interpretation der Raum- und

---

[6] *Euclidean geometry as formulated by Euclid (c. 300 B.C.), Greek geometer at Alexandria.*

Zeitkoordinaten durch mit Maßstäben und Uhren gewinnbare Meßergebnisse dahinfällt. Jene Verallgemeinerung der Metrik, die auf rein mathematischem Gebiet durch die Forschungen von Gauß[7] und Riemann[8] bereits vorlag, beruht im wesentlichen darauf, daß die Metrik der speziellen Relativitätstheorie für kleine Gebiete 5 auch im allgemeinen Fall noch Gültigkeit beanspruchen kann.

Der hier geschilderte Entwicklungsgang nimmt den raumzeitlichen Koordinaten jede selbständige Realität. Das Metrisch-Reale ist jetzt erst durch die Verbindung der Raum-Zeit-Koordinaten mit denjenigen mathematischen Größen gegeben, die das Gravitations- 10 feld beschreiben.

Es gibt eine zweite Wurzel für den Gedankengang der allgemeinen Relativitätstheorie. Wie schon Ernst Mach[9] nachdrücklich hervorhob, ist in der Newtonschen Theorie der folgende Punkt unbefriedigend: Betrachtet man die Bewegung nicht vom Kau- 15 salen, sondern vom rein beschreibenden Standpunkt aus, so gibt es Bewegung nur als Relativbewegung von Dingen gegeneinander. Die in den Newtonschen Bewegungsgleichungen auftretende Beschleunigung ist aber vom Begriff der Relativbewegung aus nicht faßbar. Sie zwang Newton, einen physikalischen Raum zu fingieren, 20 in bezug auf welchen eine Beschleunigung existieren sollte. Dieser ad hoc[10] eingeführte Begriff des absoluten Raumes ist zwar logisch korrekt, erscheint aber unbefriedigend. Ernst Mach suchte daher nach einer Abänderung der mechanischen Gleichungen derart, daß die Trägheit der Körper auf eine Relativbewegung derselben nicht 25 gegen den absoluten Raum, sondern gegen die Gesamtheit der übrigen ponderablen Körper zurückgeführt wird. Machs Versuch mußte beim damaligen Stand der Kenntnisse scheitern.

Die Stellung des Problems erscheint aber durchaus vernünftig. Dieser Gedankengang drängt sich der allgemeinen Relativitäts- 30 theorie gegenüber mit erheblich verstärkter Intensität auf, da nach ihr die physikalischen Eigenschaften des Raumes durch die ponde-

---

[7] **Gauß**   Karl F. Gauß (1777-1855), eminent German mathematician.

[8] **Riemann**   Georg Riemann (1826-1866), distinguished German mathematician.

[9] **Mach**   Ernst Mach (1838-1916), German physicist and mathematician; his experimental work in the field of ballistics brought the concept of the "Mach-number" into universal use.

[10] **ad hoc**   (Latin) for this special purpose

rable Materie beeinflußt sind. Der Vortragende ist der Überzeugung, daß die allgemeine Relativitätstheorie dieses Problem nur auf dem Wege befriedigend lösen kann, daß sie die Welt als räumlich geschlossen betrachtet. Die mathematischen Ergebnisse der Theorie
5 zwingen zu dieser Auffassung, wenn man annimmt, daß die mittlere Dichte der ponderablen Materie in der Welt einen wenn auch noch so kleinen endlichen Wert besitzt.

Fragen

1. Warum hat es Einstein besondere Freude gemacht, gerade in London eine Rede halten zu dürfen?
2. Worauf hat Einstein die Relativitätstheorie begründet?
3. Warum mußte der Zeitbegriff relativiert werden?
4. Was hatte man früher ungenügend beobachtet?
5. Welcher Grundsatz der Forschung auf dem Gebiet der Physik ist stets gültig?
6. Inwiefern hat die Zeit absoluten Charakter?
7. Welcher Erfahrung verdankt die allgemeine Relativitätstheorie ihre Entstehung?
8. Worauf basiert sich die von Gauß' und Riemanns Forschungen herstammende Verallgemeinerung der Metrik?
9. Welcher Punkt von Newtons Bewegungstheorie ist unbefriedigend?
10. Wie muß man die Welt betrachten?

Theodor Haecker
(1879-1945)

Theodor Haecker was born in Württemberg and died near Augsburg. The dominant philosophical influences on him were Kierkegaard and Newman; after a profound study of the latter's works he was converted to Catholicism soon after World War I. His major work lies in the field of literary and philosophical criticism, but he has also written a large number of excellent translations from Danish, English, and Latin. Some of his important original titles are: *Sören Kierkegaard und die Philosophie der Innerlichkeit, Christentum und Kultur, Der Christ und die Geschichte,* and *Schönheit: Ein Versuch.*

His diary of the years 1939-1945 (*Tag- und Nachtbücher,* published two years after his death) is a deeply moving record of the private thoughts of a dedicated Christian intellectual faced with the reality of the Nazi nightmare.

WAS IST KLASSISCHE KUNST?

Alle klassische Kunst ist, äußerlich betrachtet, ein unerhörter
Glücksfall,[1] nämlich die innigste Begegnung einer großen dichterischen Potenz mit einem großen Gegenstand, so daß beide einander
gewachsen sind;[2] die Regel nämlich ist, daß sie einander nicht
5 begegnen. Es ist ganz klar und außerhalb jeder Diskussion, daß
ein Maler, der ein Bund Spargel gut malt, ein höheres Kunstwerk
schafft, als einer, der eine Madonna schlecht malt, aber man sollte

---

[1] **Glücksfall**   fortuity
[2] **so daß beide einander gewachsen sind**   so that they are both worthy
of each other

dann doch auch zugeben, weil es ebenso klar und außerhalb jeder
Diskussion ist, daß eine Madonna ein höherer Gegenstand ist als
ein Bund Spargel, und nicht nur dieses, man sollte auch das Dritte
zugeben, daß, wer ein Bund Spargel gut malt, darum noch nicht
eine Madonna gut malen kann, nicht weil ihm die spezifisch maleri-   5
schen Voraussetzungen [3] fehlen, die hat er ja, sondern höhere, die
ihm nicht nur als Maler, sondern als Menschen reich oder groß oder
tief machen, so daß, wer auch eine Madonna gut malen kann, mehr
ist als jener, nicht spezifisch als Maler (aber doch auch!) sondern als
Mensch. Das sind wahrlich simple Dinge, und nur Ressentiment   10
oder Lust am Geschwätz kann sie verdrehen. Klassische Kunst ist
der Glücksfall der Begegnung größter künstlerischer Potenz mit
dem größten Gegenstand dieses einen gegebenen Augenblicks, und
zwar mit dem größten realen Gegenstand—das ist der erste Satz
aller klassischen Kunst. Niemals erdichtet der Schöpfer eines klassi-   15
schen Kunstwerks seinen Gegenstand selber, sondern er ist Schöpfer
und Dichter in jenem Reiche der Möglichkeiten, die ein ihm real
gegebener realer Gegenstand seiner schöpferischen Freiheit offen
läßt. Darum hat die klassische Kunst keinen Gegensatz in sich oder
außer ihr, der von gleichem Range wäre wie sie selber. Sie hat sie   20
alle in sich und entläßt sie erst, wenn sie stirbt. Es ist nicht so,
daß die Kunst schwinge und sich spanne zwischen zwei Polen, die
Klassik and Romantik heißen, eine heute wahrlich überholte [4] rela-
tivistische Konstruktion. Wenn auch immerhin die Romantik ein
relativer Antipode bleiben mag. Sie nämlich verwechselt die Re-   25
alität des Werdens mit der des Seins und beider Gesetze, sie stellt
jene diesen gleich, und irrt. Sie will zurückgehen nicht bloß auf
ewig Seiendes, worauf immer zurückgegangen werden soll, sondern
auf „Gewordenes", das nur gedauert hat, zuweilen weiß Gott wie
lange, auf „Gewesenes", das auf Grund des ontologischen Satzes   30
vom Widerspruch [5] nicht zu wiederholen ist, während das „Seiende"
allerdings ewige Wiederholung ist, aber trotzdem: wo bleiben dann
die naturalistische oder realistische oder idealistische oder symboli-
stische oder sachliche oder surrealistische oder weiß Gott noch welch

---

[3] **malerischen Voraussetzungen**　artistic propensities
[4] **überholte**　outmoded, antiquated
[5] **des ontologischen Satzes vom Widerspruch**　*According to the* Principle
of Contradiction, *a thing cannot possess two mutually contradictory or
exclusive properties at the same time.*

andere Kunst? Das alles sind nur Zerfallsprodukte einer einzigen
klassischen Kunst. Das einzige absolute Kriterium dieser ist, noch
einmal, daß sie die Frucht ist der innigen Vereinigung einer größten
künstlerischen Potenz mit dem größten Gegenstand des gegebenen
5 Augenblicks, nicht unter Ausschluß natürlich der kleinen Gegenstände, die können in unendlicher, Herz und Sinne erfreuender Fülle
mit dabei sein—ausgeschlossen sein darf nur nicht und unter keinen
Umständen der höchste Gegenstand, der jeweils den Menschen
dieser Zeit, und sei es auch nur eine Elite unter ihnen, *real* gegeben
10 ist.

Alle klassische Kunst, die wir kennen, erfüllt diese kategorische
Forderung auf den ersten Blick: Homer [6] ebenso wie die griechischen Tragiker, Vergil [7] ebenso wie Dante,[8] Shakespeare [9] ebenso
wie die großen Spanier, ob sie Humoristen sind oder Tragiker,
15 ebenso wie Racine;[10] nicht vollkommen und bis zum letzten entsprechen dieser Forderung die deutschen Klassiker, sie erreichen
oft fast und greifen doch nicht völlig das höchste Reale, das dem
abendländischen Menschen seit zweitausend Jahren gegeben ist.
Goethe hat es als Schluß noch an den zweiten Teil des „Faust"
20 gekittet, aber die Bruch- und Kittstelle ist sichtbar, das Ganze ist
nicht ganz wie bei unsern großen Musikern, die die deutsche Ehre,
mit teilzunehmen an dem höchsten Gegenstande des Abendlandes,
ganz gerettet haben. Das Höchste ist hier auch so viel wie das
Ganze, darum kann man auch so sagen: Alle klassische Kunst der
25 dichterischen Gestaltung besteht in der Beschränkung und im
Auslassen. Im Verhältnis zu dem, was gegeben wird, ist das Aus-
gelassene unendlich. Und ungefähr alles kann ausgelassen werden,
nur eines nicht: das Ganze, die Totalität; dies ist der Sinn des oft
so schmählich mißverstandenen, so philiströs und feige erläuterten
30 aristotelischen Satzes, daß der Dichter die Natur nachahmen·solle.

---

6 **Homer**   *Greek epic poet (ca. 10th century B.C.), alleged author of the*
*Iliad and the **Odyssey**.*
7 **Vergil**   *Publius Vergilius Maro (70-19 B.C.), Roman poet, author of*
*the **Aeneid**.*
8 **Dante**   *Dante Alighieri (1265-1321), renowned Italian poet, author of*
*the **Divine Comedy**.*
9 **Shakespeare**   *William Shakespeare (1564-1616), British poet and*
dramatist.
10 **Racine**   *Jean Racine (1639-1699), French classical dramatist of the*
great age of French drama.

Gemeint aber ist die natura naturans,[11] nicht die natura naturata.[12] Die natura naturans läßt eines nicht aus: das Ganze! In einem Steine noch ist die Ganzheit der unbelebten Materie, in einem Blatt noch die Ganzheit der Pflanze, in einem Wurm noch die Ganzheit des Tieres, in einem einzigen Menschen noch die Ganzheit der [5] Schöpfung überhaupt, Stein und Pflanze und Tier und Geist; hinwiederum ist auch in einem Stein, in einem Blatte, in einem Wurm, in einem Menschen der ganze Schöpfer als Schöpfer und nicht bloß der halbe. In diesem doppelten Sinne soll ein Künstler die Natur nachahmen und hat Vergil sie nachgeahmt. In einem [10] einzigen Verse der Aeneis ist das ganze Rom, in einem einzigen Verse ist der ganze Vergil. Alles Geschaffene weist über sich hinaus. Darum ist es ein Merkmal großer Dichtung, daß sie an Sein und Wahrheit so viel umfaßt, als nur in sie geht, ja über sie hinausgeht. Die Fülle ist ein Merkmal, aber das Merkmal der [15] größten ist nicht bloß sie, die Fülle, sondern das Überfließen, das kein Begreifen mehr greifen kann.

Fragen

1. Unter welchen Umständen wird ein klassisches Kunstwerk hervorgebracht?
2. Warum ist es besser, ein Bund Spargel gut zu malen, als eine Madonna schlecht zu malen?
3. Warum ist es falsch, die Begriffe „klassisch" und „romantisch" als Gegensätze zu betrachten?
4. Welchen Fehler macht die Romantik?
5. Woher stammen solche Kunstbewegungen wie der Naturalismus, der Realismus, und der Symbolismus?
6. Was ist das absolute Kriterium der klassischen Kunst?
7. Welche deutschen Künstler haben wirklich klassische Kunst hervorgebracht?
8. In welchem Sinne soll der Künstler die Natur nachahmen?
9. Was ist ein Merkmal großer Dichtung?

[11] **natura naturans**   nature causing nature, unadorned nature, *or* nature acting through itself
[12] **natura naturata**   nature caused, nature having been acted upon

Paul Klee
(1879-1940)

Paul Klee, an extremely original and inventive painter, was the son of a music teacher. His early training in art was in Italy and in Munich, the artistic capital of Germany. Soon after World War I he joined the faculty of the celebrated Bauhaus in Dessau, and became, in 1930, the director of the Düsseldorf Academy of Fine Arts. In 1933 he went back to his native Switzerland, where he died in 1940.

Klee is beyond question one of the most original, inventive, and influential of modern painters. His nonrepresentational paintings are distinguished by rich, vivid color and by quite unconventional but brilliant design. The traditional concepts were discarded in favor of arrangements often associated with those used by untutored persons or young children, in whose attempts at art Klee always had a profound interest. Critics have seen a strong affinity to the surrealist school of painting in Klee's work, because of his reliance on fancy and on free association.

Klee's paintings are represented in the Museum of Modern Art in New York City and in the Phillips Memorial Gallery in Washington, as well as in dozens of other museums throughout the world.

The selection below was first published in 1928 during the author's association with the Bauhaus, a school primarily of architecture, but which also utilized all the resources of art, science, and technology.

EXAKTE VERSUCHE
IM BEREICHE DER KUNST

Wir konstruieren und konstruieren, und doch ist Intuition immer noch eine gute Sache. Man kann ohne sie Beträchtliches, aber nicht alles. Man kann lange tun, mancherlei und vielerlei tun, Wesentliches tun, aber nicht alles. Wo die Intuition mit exakter Forschung sich verbindet, beschleunigt sie den Fortschritt der [5] exakten Forschung zum Vorsprung. Durch Intuition beflügelte Exaktheit ist zeitweise überlegen. Weil aber exakte Forschung exakte Forschung ist, kommt sie, vom Tempo abgesehen, auch ohne Intuition vom Fleck. Sie kann prinzipiell ohne sie. Sie kann logisch

bleiben, kann sich konstruieren. Sie kann auf kühne Weise vom
einen ins andere brücken. Sie kann im Drunter und Drüber[1]
geordnete Haltung bewahren.

5 Auch der Kunst ist zu exakter Forschung Raum genug gegeben,
und die Tore dahin stehen seit einiger Zeit offen. Was für die
Musik schon bis zum Ablauf des achtzehnten Jahrhunderts getan
ist, bleibt auf dem bildnerischen Gebiet wenigstens Beginn. Mathematik und Physik liefern dazu die Handhabe in Form von Regeln
für die Innehaltung und für die Abweichung. Heilsam ist hier der
10 Zwang, sich zunächst mit den Funktionen zu befassen und zunächst
nicht mit der fertigen Form. Algebraische, geometrische Aufgaben,
mechanische Aufgaben sind Schulungsmomente in der Richtung
zum Wesentlichen, zum Funktionellen gegenüber dem Impressiven.
Man lernt hinter die Fassade sehen, ein Ding an der Wurzel fassen.
15 Man lernt erkennen, was darunter strömt, lernt die Vorgeschichte
des Sichtbaren. Lernt in die Tiefe graben, lernt bloßlegen. Lernt
begründen, lernt analysieren.

Man lernt Formalistisches gering achten und lernt vermeiden,
Fertiges zu übernehmen. Man lernt die besondere Art des Fort-
20 schreitens nach der Richtung kritischen Zurückdringens, nach der
Richtung zum Früheren, auf dem Späteres wächst. Man lernt früh
aufstehen, um mit dem Ablauf der Geschichte vertraut zu werden.
Man lernt Verbindliches auf dem Wege von Ursächlichem zu
Wirklichem. Lernt Verdauliches. Lernt Bewegung durch logischen
25 Zusammenhang organisieren. Lernt Logik. Lernt Organismus.
Lockerung des Spannungsverhältnisses ist Folge. Nichts Überspann-
tes, Spannung im Inneren, dahinter, darunter. Heiß nur zuinnerst.
Innerlichkeit.

Das alles ist sehr gut, und doch hat es eine Not: die Intuition
30 ist trotzdem ganz nicht zu ersetzen. Man belegt,[2] begründet,
stützt, man konstruiert, man organisiert: gute Dinge; aber man
gelangt nicht zur Totalisation.

Man war fleißig; aber Genie ist nicht Fleiß, wie ein weit-
gefehltes Schlagwort meint. Genie ist nicht einmal teilweise Fleiß,
35 weil etwa geniale Männer außerdem noch fleißig waren. Genie ist
Genie, ist Begnadung, ist ohne Anfang und Ende. Ist Zeugung.

---

[1] **im Drunter und Drüber**   in chaos
[2] **belegt**   *here,* proves, demonstrates

Genie schult man nicht, weil es nicht Norm ist, weil es Sonderfall ist. Mit dem Unerwarteten ist schwer zu rechnen. Und doch ist es als Führer in Person immer weit vorne dran. Es sprengt voran in gleicher Richtung oder in anderer Richtung. Vielleicht ist es heute schon in einer Gegend, an die man wenig denkt. Denn Genie ⁵ ist zum Dogma oft Ketzer. Hat kein Prinzip außer sich selber.

Die Schule schweige über den Begriff Genie mit bewußtem Seitenblick, mit taktvollem Respect. Sie wahre ihn als Geheimnis im verschlossenem Raum. Sie wahre ein Geheimnis, das, aus seiner Latenz heraustretend, vielleicht unlogisch und töricht fragen würde. ¹⁰

Fragen

1. Warum ist es gut, Intuition zu besitzen?
2. Welche Wirkung hat die Intuition auf die exakte Forschung, wenn sie sich mit dieser verbindet?
3. Welche Vorteile ergeben sich aus der Anwendung der exakten Forschung auf die Kunst?
4. Wann hat die Musik sich mit der exakten Forschung auseinandergesetzt?
5. Warum sind mathematische Übungen für den Künstler sehr zu empfehlen?
6. Warum soll man früh aufstehen?
7. Warum kann man das Genie nicht schulen?
8. Welches Verhältnis hat das Genie zum Dogma?

Oswald Spengler
(1880-1936)

Oswald Spengler is perhaps the most widely known historian of his time. He was born in Blankenburg in Thuringia in 1880 and died in Munich in 1936. His major work was *Der Untergang des Abendlandes*, which appeared in two volumes in 1918 and 1922. In this celebrated treatise Spengler alarmingly predicted the inexorable destruction of Western civilization. He maintained that every culture has a unique "soul" of its own and undergoes a life cycle from youth through maturity and old age to death. By means of a comparative analysis of nine past civilizations, Spengler hoped to prove two major propositions: (1) all cultures follow the same pattern of development and decay in about the same length of time, and (2) each civilization reflects within its achievements and endeavors a characteristic "psyche" of its own. He noted that the Western European and American civilization, being involved in this life-death cycle, is now in a period of decline and will ultimately be supplanted by the Far Eastern civilization. Spengler steadfastly refused to support the Nazi theories of racial superiority, although his detractors continue to accuse him of a latent chauvinism.

The essay that follows is part of a more comprehensive work entitled *Über Preußentum und Sozialismus* (1933), which reveals an intense and precise political awareness in Spengler's speculative thinking.

ÜBER DEN BEGRIFF DES PREUSSENTUMS

Ich möchte über den Begriff Preußentum nicht mißverstanden werden. Obwohl der Name auf die Landschaft hinweist, in der es eine mächtige Form gefunden und eine große Entwicklung begonnen hat, so gilt doch dies: Preußentum ist ein Lebensgefühl, ein Instinkt, ein Nichtanderskönnen; es ist ein Inbegriff von seelischen, geistigen und deshalb zuletzt doch auch leiblichen Eigenschaften, die längst Merkmale einer Rasse geworden sind, und zwar der besten und bezeichnendsten Exemplare dieser Rasse. Es ist längst nicht jeder Engländer von Geburt ein „Engländer", im Sinne einer Rasse, nicht jeder Preuße ein „Preuße". In diesem Worte liegt alles, was wir Deutsche nicht an vagen Ideen, Wünschen, Einfällen, sondern an schicksalhaftem Wollen, Müssen, Können besitzen. Es gibt echt preußische Naturen überall in Deutschland—ich denke da an Friedrich List,[1] an Hegel,[2] an manchen großen Ingenieur,

5 Organisator, Erfinder, Gelehrten, vor allem auch an einen Typus des deutschen Arbeiters—aber echt preußische Wirklichkeiten sind bis jetzt nur die Schöpfungen Friedrich Wilhelms I.[3] und Friedrichs des Großen:[4] der preußische Staat und das preußische Volk. Die organisierte Besiedlung der slawischen Ostmark[5] erfolgte

10 durch Deutsche aller Stämme. Beherrscht aber wurde sie durch Niedersachsen,[6] und so ist der Kern des preußischen Volkes am nächsten dem englischen verwandt. Es sind dieselben Sachsen, Friesen, Angeln,[7] die in freien Wikingerscharen, oft unter normannischem und dänischem Namen, die keltischen Briten unterwarfen.

15 Was längs der Themse[8] und in jener Sandwüste um Havel und Spree,[9] die an Öde, Großheit und Schwere des Schicksals nur in Latium,[10] der römischen Campagna,[11] ihresgleichen findet, in jener frühen Zeit aufwuchs, läßt die Urahnen seines Wollens heute noch in den starren Gestalten Widukinds,[12] des Markgrafen Gero[13] und

20 Heinrichs des Löwen[14] erkennen.

Aber es waren zwei sittliche Imperative gegensätzlichster Art, die sich aus dem Wikingergeist und dem Ordensgeist der Deutsch-

[1] **List** *Friedrich List (1789-1846), German economist of liberal views.*

[2] **Hegel** *George Wilhelm Friedrich Hegel (1770-1831), German philosopher.*

[3] **Friedrich Wilhelms I** *"The Great Elector" (1620-1688), who established the state of Prussia.*

[4] **Friedrichs des Grossen** *Frederick the Great (1712-1786), King of Prussia; he made Prussia a European power.*

[5] **slawischen Ostmark** *Prussia's eastern border territory.*

[6] **Niedersachsen** *Inhabitants of Lower Saxony, a province of Prussia.*

[7] **Sachsen, Friesen, Angeln** *Germanic tribes.*

[8] **Themse** *River Thames in England.*

[9] **Havel und Spree** *The city of Berlin lies on the confluence of the rivers Spree and Havel.*

[10] **Latium** *Ancient province of Italy, southeast of Rome.*

[11] **Campagna** *A plain surrounding the city of Rome.*

[12] **Widukinds** *Wittekind (died ca. 807), Saxon warrior who fought against Charlemagne.*

[13] **Markgrafen Gero** *Margrave of Brandenburg (died 965), who conquered the territory of the Wends, a Slavic tribe.*

[14] **Heinrichs des Löwen** *King of Saxony (died 1195), who opened trade routes to eastern territories.*

ritter [15] langsam entwickelten. Die einen trugen die germanische
Idee in sich, die andern fühlten sie über sich: persönliche Unabhängigkeit und überpersönliche Gemeinschaft. Heute nennt man
sie Individualismus und Sozialismus. Es sind Tugenden ersten
Ranges, die hinter diesen Worten stehen: Selbstverantwortung,   5
Selbstbestimmung, Entschlossenheit, Initiative dort, Treue, Dis-
ziplin, selbstlose Entsagung, Selbstzucht hier. Frei sein—und
dienen: es gibt nichts Schwereres als dieses beide, und Völker,
deren Geist, deren Sein auf solche Fähigkeiten gestellt ist, die
wirklich frei sein oder dienen können, dürfen sich wohl an ein   10
großes Schicksal wagen. Dienen—das ist altpreußischer Stil, dem
altspanischen verwandt, der auch ein Volk im ritterlichen Kampfe
gegen die Heiden geschmiedet hatte. Kein „Ich", sondern ein „Wir",
ein Gemeingefühl, in dem jeder mit seinem gesamten Dasein
aufgeht. Auf den einzelnen kommt es nicht an,[16] er hat sich dem   15
Ganzen zu opfern. Hier steht nicht jeder für sich, sondern alle für
alle mit jener inneren Freiheit in einem großen Sinne, der *libertas
oboedientiae*,[17] der Freiheit im Gehorsam, welche die besten Exemplare preußischer Zucht immer ausgezeichnet hat. Die preußische
Armée, das preußische Beamtentum, die Arbeiterschaft Bebels [18]—   20
das sind Produkte jenes züchtenden Gedankens. Der andre aber hat
noch spät einmal alles, was Wikingerblut im Leibe hatte, in die
amerikanischen Prärien hinausgetrieben, Engländer, Deutsche,
Skandinavier, eine späte Fortsetzung jener Grönlandfahrten zur
Eddazeit,[19] welche um 900 schon die kanadische Küste berührt   25
hatten, eine ungeheure Wanderung von Germanen mit der vollen
Sehnsucht nach Ferne und grenzenloser Weite, abenteuernde
Scharen, aus denen noch ein Volk sächsischen Schlages enstand, aber

---

[15] **Deutschritter**   *The order of Teutonic Knights was active in the eastward
expansion of medieval Prussia into what later became East Prussia and
the Baltic States of Lithuania, Estonia, and Latvia.*

[16] **kommt es nicht an**   does not count, does not matter

[17] **libertas oboedientiae**   *(Latin)* freedom of obedience

[18] **Bebels**   *Ferdinand Bebel (1840-1913), German socialist, reformer, and
writer.*

[19] **jener Grönlandfahrten zur Eddazeit**   *The Vikings had explored Greenland at the time of the writing of the **Edda** (a collection of Icelandic epics,
ca. 11th century).*

getrennt vom Mutterboden der faustischen [20] Kultur und deshalb
ohne die „inneren Basalte" [21] nach dem Ausdruck Goethes, mit
Zügen der alten Tüchtigkeit und des alten edlen Blutes, aber ohne
Wurzeln und deshalb ohne Zukunft.
5   So entstehen der englische und der preußische Typus. Es ist
der Unterschied zwischen einem Volk, dessen Seele sich aus dem
Bewußtsein eines Inseldaseins herausgebildet hat, und einem andern,
das eine Mark hütete, die ohne natürliche Grenzen auf allen Seiten
dem Feinde preisgegeben war. In England ersetzte die Insel den
10 organisierten Staat. Ein Land ohne Staat war nur unter dieser
Bedingung möglich; sie ist die Voraussetzung der modernen englischen Seele, die im 17. Jahrhundert zum Selbstbewußtsein erwachte,
als der Engländer auf der britischen Insel unbestritten Herr wurde.
In diesem Sinne ist die Landschaft schöpferisch: das englische
15 Volk bildete sich selbst, das preußische wurde im 18. Jahrhundert
durch die Hohenzollern [22] herangebildet, die, aus dem Süden
stammend, selbst den Geist der märkischen Landschaft empfangen
hatten, selbst Diener der Ordensidee des Staates geworden waren.

Maximum und Minimum des überpersönlichen sozialistischen
20 Staatsgedanken, Staat und Nichtstaat, das sind England und Preußen
als politische Wirklichkeiten. Denn der englische „Staat" liberalen
Stiles ist der, welcher gar nicht bemerkt wird, der das Einzeldasein
überhaupt nicht in Anspruch nimmt,[23] ihm keinen Gehalt verleiht,
ihm nur als Mittel dient. Keine Schulpflicht, keine Wehrpflicht,
25 keine Versicherungspflicht, so ging England durch das Jahrhundert
zwischen Waterloo [24] und dem Weltkrieg, um jedes dieser negativen
Rechte zu verlieren. Diese Staatsfeindschaft fand ihren Ausdruck
in dem Worte „society", das „state" im idealen Sinne verdrängt.

---

[20] **faustischen**   *Referring to Faust, tragic hero of Goethe's monumental
poetic drama.*
[21] **„inneren Basalte"**   *In a poem about America, Goethe praises the new
country because it has neither ruined castles nor basalts. These are
volcanic rocks which Goethe, a foe of both political and geological
revolutions, did not like.*
[22] **Hohenzollern**   *A noble family of South Germany who ruled Prussia
after 1415; their descendants were the German Emperors Wilhelm I,
Friedrich III, and Wilhelm II (1871-1918).*
[23] **in Anspruch nimmt**   makes demands upon
[24] **Waterloo**   *Belgian village, scene of Napoleon's final defeat, June 18,
1815.*

Als „société" geht es in die französische Aufklärung ein; Montes-
quieu [25] fand: „Des sociétés de vingt à trente millions d'hommes—ce
sont des monstres dans la nature." [26] Das war ein französisch-
anarchischer Gedanke in englischer Fassung. Es ist bekannt, wie
Rousseau seinen Haß gegen befehlende Ordnungen hinter dies [5]
Wort vertsteckte, und Marx [27] mit seiner ebenso englisch orientierten
Begriffswelt tat es ihm nach. Die deutsche Aufklärung [28] sagte
„Gesellschaft" im Sinne von „human society", was vor Goethe,
Schiller, Herder [29] nicht geschah. Lessing sprach noch vom Men-
schengeschlecht. Es wurde dann ein Lieblingswort des deutschen [10]
Liberalismus, mit dem man den Großes fordernden „Staat" aus
seinem Denken streichen konnte.

      Aber England setzte an Stelle des Staates den Begriff des freien
Privatmannes, der, staatsfremd und ordnungsfeindlich, den rücks-
sichtslosen Kampf ums Dasein verlangt, weil er nur in ihm seine [15]
besten, seine alten Wikingerinstinkte zur Geltung bringen kann.
Wenn Buckle,[30] Malthus,[31] Darwin [32] später im Kampf ums Dasein
die Grundform der „society" sahen, so hatten sie für ihr Land und
Volk vollkommen recht. Aber England hatte diese Form in ihrer
Vollendung, deren Keime man in dem isländischen Sagas [33] findet, [20]
nicht vorgefunden, sondern geschaffen. Schon die Schar Wilhelms
des Eroberers,[34] der 1066 England nahm, war eine society von

[25] **Montesquieu**   *Charles Louis de Secondat, Baron de Montesquieu (1689-
1755), French philosopher and historian; His most famous work is De
l'esprit des lois, 1748 (On the Spirit of the Law), which had some influence
on the American Constitution.*
[26] **„Des sociétés . . . nature."**   *"Societies composed of 20-30 millions of
people are monsters in nature."*
[27] **Marx**   *Karl Marx (1813-1883), German founder of modern socialism
and communism.*
[28] **Aufklärung**   *Enlightenment; An 18th century intellectual movement
emphasizing rationalism.*
[29] **Herder**   *Johann Gottfried von Herder (1744-1803), German philosopher
and poet.*
[30] **Buckle**   *Henry Thomas Buckle (1821-1862), British historian.*
[31] **Malthus**   *Thomas Robert Malthus (1766-1834), British political economist.*
[32] **Darwin**   *Charles Darwin (1809-1882), British scientist who formulated
the doctrine of the origin of species.*
[33] **isländischen Sagas**   *Icelandic epics, (see footnote 19 above).*
[34] **Wilhelms des Eroberers**   *William the Conqueror, Duke of Normandy
(1027-1087).*

ritterlichen Abenteuerern; die englischen Handelskompanien waren
es, die ganze Länder eroberten und ausbeuteten, zuletzt noch seit
1890 das innere Südafrika; endlich wurde es die ganze Nation, die
allen Wirklichkeiten, dem Eigentum, der Arbeit, den fremden
5 Völkern, den schwächeren Exemplaren und Klassen des eignen
Volkes gegenüber den altnordischen Räuber- oder Händlerinstinkt
entfaltete, der zuletzt auch die englische Politik zu einer meister-
haften, äußerst wirksamen Waffe im Kampf um den Planeten
gestaltete. Der Privatmann ist der ergänzende Begriff zu „society";
10 er bezeichnet eine Summe von ethischen, sehr positiven Eigenschaften, die man, wie alles ethisch Wertvollste, nicht lernt, sondern
im Blute trägt und in Ketten von Geschlechtern langsam zur Vollkommenheit ausbildet.

Als Ergebnis dieser Ethik hat der Engländer, abgeschlossen
15 auf seiner Insel, eine Einheit der äußeren und inneren Haltung
erlangt wie kein andres modernes Volk Westeuropas: es entstand
die vornehme Gesellschaft, ladies and gentlemen, verbunden durch
ein starkes Gemeingefühl, ein durchaus gleichartiges Denken,
Fühlen, Sichverhalten. Seit 1750 ist diese prachtvolle gesellschaft-
20 liche Haltung für die moderne Zivilisation tonangebend geworden,
zuerst in Frankreich. Man denke an den Empirestil,[35] der in
London als Hintergrund dieser Lebensart die gesamte Umgebung
einem vornehm gepflegten, vom Rokoko[36] her praktisch gezügelten
und gemessenen Geschmack unterwarf, vor allem an die Meister der
25 zivilisierten Porträts, Gainsborough[37] und Reynolds.[38] Es war ein
Gemeingefühl des Erfolges, des Glücks, nicht der Aufgabe wie
das preußische. Es waren Olympier des Geschäfts, heimgekehrte
Wikinger beim Mahle, nicht Ritter im Felde: Reichtum war
neben altem Adel die Bedingung der Zugehörigkeit und der Stellung
30 innerhalb dieser Gesellschaft, Kennzeichen, Ziel, Ideal und Tugend.
Nur England besitzt heute, was man gesellschaftliche Kultur nennen
konnte—eine andere, philosophischere hat es allerdings nicht—,

---

[35] **Empirestil**   *A style or fashion in vogue during the first French Empire
(1804-1815).*
[36] **Rokoko**   *A style of architecture derived from Baroque forms and characterized by excessive ornateness.*
[37] **Gainsborough**   *Thomas Gainsborough (1727-1788), British portrait
painter.*
[38] **Reynolds**   *Sir Joshua Reynolds (1723-1792), British portrait painter.*

eine tiefe Oberflächlichkeit; das Volk der Denker und Dichter hat
so oft nur eine oberflächliche Tiefe.

Eine deutsche, eine preußische Gesellschaft dieser Art gibt es
nicht und kann es nicht geben. Eine Gesellschaft von „Ichs" ohne
das Pathos eines starken, Gleichförmigkeit schaffenden Lebensge- 5
fühls ist immer etwas lächerlich. Der deutsche Individualist und
Liberale hat für den Klub den Verein und für die Abendgesellschaft
das Festessen erfunden. Dort entwickelt er das Gemeinfühl der
Gebildeten.

Statt dessen hat der preußische Stil das ebenso starke und 10
tiefe Standesbewußtsein gezüchtet, ein Gemeingefühl nicht des
Ruhens, sondern der Arbeit, die Klasse als Berufsgemeinschaft, und
zwar des Berufs mit dem Bewußtsein, für alle, für das Ganze, für
den Staat wirksam zu sein: den Offizier, den Beamten, nicht zuletzt
die Schöpfung Bebels, den klassenbewußten Arbeiter. Wir haben 15
eine Symbolik in Worten dafür: oben heißt es Kamerad, in der
Mitte Kollege, unten in genau demselben Sinn Genosse. Es liegt
eine hohe Ethik darin, nicht des Erfolges, sondern der Aufgabe.
Die Zugehörigkeit gibt nicht der Reichtum, sondern der Rang.
Der Hauptmann steht über dem Leutnant, mag der auch Prinz 20
oder Millionär sein. Das französische bourgeois [39] der Revolution
sollte die Gleichheit unterstreichen, was weder dem englischen
noch dem deutschen Sinn für Distanzen entspricht. Wir Germanen
unterscheiden uns nur durch die Herkunft dieser Distanzen, das
Distanzgefühl selbst ist uns gemeinsam. Das Schimpfwort bourgeois 25
im Munde des deutschen Arbeiters bezeichnet den, der seiner
Meinung nach keine echte Berufsarbeit, der einen sozialen Rang
ohne Arbeit hat—es ist das englische Ideal aus der Perspektive
des deutschen gesehen. Dem englischen Snobismus entspricht die
deutsche Titelsucht. 30

Dies Gemeingefühl von Jahrhunderten hat in beiden Fällen
eine großartige Einheit der Haltung von Körper und Geist, eine
Rasse hier von Erfolgreichen und dort von Arbeitenden herausgebildet. Als äußerer und doch nicht nebensächlicher Ausdruck ist
die englische Herrentracht entstanden—Zivilkleidung im eigent- 35
lichsten Sinne, die Uniform des Privatmannes—die ohne Einwand

---

[39] **bourgeois**   (French) member of the middle class

den Bereich der westeuropäischen Zivilisation beherrscht, in der
England der Welt seine Uniform, den Ausdruck der Freihandelslehre,[40] der Ethik des Habens, des „cant" angelegt hat. Das Gegenstück ist die preußische Uniform, Ausdruck nicht des privaten
5 Daseins, sondern des öffentlichen Dienstes, nicht des Erfolges der
Lebenstätigkeit, sondern der Tätigkeit selbt. „Ich bin der erste
Diener meines Staates" sagte der preußische König,[41] dessen Vater
das Tragen der Uniform unter Fürsten üblich gemacht hat. Hat
man wohl verstanden, was alles in der Bezeichnung „des Königs
10 Rock" liegt? Die englische Gesellschaftskleidung ist ein Zwang,
strenger noch als der preußische Uniformszwang. Wer zur Gesellschaft gehört, wird dieser Tracht seines Standes gegenüber
nie „in Zivil", das heißt unter Verletzung von Sitte und Mode unvorschriftsmäßig gekleidet gehen. Aus der englischen Tracht des
15 gentleman aber, in der sich nur ein Engländer vollkommen zu
bewegen weiß, wird der „Bratenrock" des deutschen Provinzlers
und Biedermannes,[42] unter dem das Herz für Freiheit und Menschenwürde unentwegt schlägt: der Bratenrock als Symbol der Ideale von
1848.[43]
20 Der Franzose endlich, dem faustische [44] Triebe peinlich sind,
erfand neben der Tracht des Erfolges und der des Berufs die
Damenmode. An die Stelle von „business" und Dienst tritt
„l'amour".
Die deutsche Reformation hat keine innerlichen Folgen gehabt.
25 Das Luthertum war ein Ende, kein Anfang. Das gotische Deutschtum lag im Sterben und reckt sich hier zum letztenmal in einer
großen Tat von ganz persönlichem Gehalt auf. Luther [45] ist nur

[40] **Freihandelslehre** *Doctrine of laissez-faire, advocating a minimum of
governmental control and interference in private business and industry
(free enterprise).*
[41] **preußische König** *Frederick the Great (1712-1786).*
[42] **der „Bratenrock"** . . . **und Biedermannes** *the frock-coat of the
German provincial and duffer*
[43] **Ideale von 1848** *The abortive revolution of 1848, initiated by sincere
but ineffectual social reformers, culminated in a recrudescence of political
reaction in the German states.*
[44] **faustische** *Alluding to Goethe's tragic hero from his philosophic poem
of the same name; here used to denote noble and spiritual aspirations rather
than materialistic wishes.*
[45] **Luther** *Martin Luther (1483-1546), German leader of the Reformation;
distinguished theologian and translator of the Bible.*

aus der Renaissancestimmung [46] zu erklären, welche damals die
sichtbare Kirche durchdrang: daß ihr öffentlicher Geist der des
mediceischen Hofes,[47] daß Päpste und Kardinäle Condottieri,[48]
ihre Verwaltung eine systematische Plünderung der Gläubigen,
daß der Glaube selbst ein Formproblem, das Verhältnis von Sünde [5]
und Buße eine Frage des Geschmacks wie etwa die nach dem
Verhältnis von Säule und Architrav [49] geworden war, dagegen
empörte sich die mächtige gotische Innerlichkeit des Nordens. Die
Kirche ohne dieses Papsttum, gotischer Glaube ohne die geistreiche
Betonung der bloßen Form—es war nur eine treuherzig bauern- [10]
mäßige Revolte, die das innerste Wesen kirchlicher Gebundenheit
gar nicht in Frage stellte; sie trug den Geist der Verneinung an der
Stirn, deren fruchtbare Leidenschaft nicht lange dauern konnte.
Schöpferisch und bejahend wurde erst der blühende Geist des
Barock,[50] in dem auch der Katholizismus einen Höhepunkt von [15]
Lebenskraft und Lebenslust erreichte, als der spanische Mensch
die Gegenreformation und den streitbaren Jesuitismus schuf.[51]
Im 17. Jahrhundert setzen dann die neuen Völker des Nordens
zur Bildung einer eigenen Religiosität aus den unerschöpflichen
Möglichkeiten des Christentums an. Gemeinsam ist ihnen die [20]
strenge Tatgesinnung, sehr im Gegensatz zu der müßigen Kultur
von Florenz und der unfruchtbaren selbstquälerischen Dialektik
Pascals [52] und der französischen Jansenisten.[53] Es entstanden der

---

[46] **Renaissancestimmung**   Renaissance mood; *relating to the cultural
movement of the 14th, 15th, and 16th centuries which strove for a revival
of art, letters, and learning in Europe.*

[47] **des mediceischen Hofes**   the palace of the Medici; *Powerful and
wealthy Florentine family of the 15th and 16th centuries.*

[48] **Condottieri**   *Professional military man who commanded mercenary
troops in the service of Italian princes during the 15th century.*

[49] **Architrav**   *The lowest horizontal entablature resting directly upon a
column.*

[50] **Barock**   *Sixteenth century movement in the arts characterized by ex-
travagant ornamental and pictorial effects.*

[51] **als der spanische Mensch . . . schuf**   *The founding of the Society of
Jesus by Ignatius Loyola in 1534; the order became the most effective
instrument of the Counter-Reformation.*

[52] **Pascals**   *Blaise Pascal (1623-1662), French philosopher and scientist.*

[53] **Jansenisten**   *Disciples of Cornelis Jansen (1585-1638), Dutch theologian;
among his doctrines were the notions that human nature and the will
are inherently corrupt, and that Christ died for the predestined and not
for all mankind.*

revolutionäre Independentismus in England und unter seinem
Eindruck in Schwaben und Preußen jener Pietismus,[54] dessen stille
Wirkung gerade in dem aufsteigenden preußischen Menschen gewaltig war. Nach außen dienend, gehorsam, entsagend, in der Seele
5 von den Einschränkungen des Weltlebens frei, von jener zarten,
tiefen Fülle des Gefühls und echten Herzenseinfalt, wie wir sie an
der Königin Luise, Wilhelm I.,[55] Bismarck,[56] Moltke, Hindenburg,[57]
dem Typus des altpreußischen Offiziers überhaupt kennen, so besaß
der einzelne eine fast dogmenlose, vor andern schamhaft verhüllte
10 Frömmigkeit, die sich nach außen im pflichtgemäßen Tun, im Bekennen bewähren mußte.

Der englische Independent aber ist nach außen frei, normannen-
haft frei. Er prägte sich eine reine Laienreligion mit der Bibel
als Grundlage, zu deren souveräner Deutung sich jeder einzelne
15 das Recht nahm. Was er tat, war also stets das sittlich Richtige.
Ein Zweifel daran liegt dem Engländer vollkommen fern. Der
Erfolg war der Ausdruck göttlicher Gnade. Die Verantwortung
für die Moralität der Handlungen stand Gott zu, während der
Pietist sie sich selbst anrechnete. Dergleichen Überzeugungen zu
20 ändern steht in keines Menschen Macht. Was man wollen muß,
findet man überall bestätigt.

Führt dieses Wollenmüssen [58] zum Untergang, so ist das
unabänderliches Schicksal.

Es ist bewunderungswürdig, mit welcher Sicherheit der
25 englische Instinkt aus der französisch-förmlichen, ganz doktrinären
und kahlen Lehre Calvins [59] sein eignes religiöses Bewußtsein
formte. Das Volk als Gemeinschaft der Heiligen, das englische

---

[54] **Pietismus** *Seventeenth century religious movement in Germany concerned with a recrudescence of piety in the Lutheran churches.*
[55] **Königin Luise, Wilhelm I.** *Queen Luise of Prussia (1776-1810), famous
for her beauty, beloved for her patriotism and courage particularly during
the Napoleonic Wars; mother of William I (1797-1888), German Emperor
and King of Prussia.*
[56] **Bismarck** *Otto von Bismarck (1815-1898), first chancellor of the modern
German Empire (1871-1890).*
[57] **Hindenburg** *Paul von Hindenburg (1847-1934), distinguished German
general and second president of Germany.*
[58] **Wollenmüssen** compulsion
[59] **Calvins** *John Calvin, Swiss theologian and religious leader (1509-1564),
whose doctrine of predestination became the basic tenet of much of
Protestantism.*

insbesondere als das auserwählte Volk, jede Tat schon dadurch
gerechtfertigt, daß man sie überhaupt tun konnte, jede Schuld,
jede Brutalität, selbst das Verbrechen auf dem Wege zum Erfolg
ein von Gott verhängtes und von ihm zu verantwortendes Schicksal—so nahm sich die Prädestinationslehre im Geiste Cromwells [60] 5
und seiner Soldaten aus. Mit dieser unbedingten Selbstsicherheit
und Gewissenlosigkeit des Handelns ist das englische Volk
emporgestiegen.

Dem gegenüber haftet dem Pietismus, der sich eher in einer
deutschsprechenden Bevölkerung ausbreitete, als Ausdruck einer 10
deutschen Rasse war,[61] etwas Unpraktisches und Provinziales an.
In kleinen Zirkeln herrschte ein inniger Geist der Gemeinsamkeit;
das ganze Leben war ein Dienst; dieses karge Stückchen Erdendasein inmitten von Jammer und Mühe hat seinen Sinn nur im
Banne einer größeren Aufgabe. Aber diese Aufgabe mußte gestellt 15
werden, und hier liegt das Gewaltige im kaum bewußten Wirken
der großen Hohenzollern, den Erben der ostmärkischen Ritteridee; [62]
unter allen Flecken eines hartstirnigen adligen und städtischen
Egoismus und hinter allen königlichen Schwächen leuchtet der
Gedanke des Altpreußentums auf, der einzige große Gedanke, der 20
seitdem auf deutschem Boden gewachsen ist und der in den besten
Deutschen, auch wenn sie ihm von Herzen feind waren, doch
irgendeine Gegend der Seele erobert hat. Während der schwäbische
Pietismus sich in Bürgerlichkeit und Sentimentalität verlor oder
seine besten Köpfe—wie Hegel—an den Norden abgab, wuchs 25
hier ein neuer Mensch als starkgeistiger Träger dieser Religiosität
empor. Eine tiefe Verachtung des bloßen Reichseins, des Luxus, der
Bequemlichkeit, des Genusses des „Glücks" durchzieht das Preußentum dieser Jahrundere, ein Kern des Militär- und Beamten-
geistes. All diese Dinge sind dem Imperativ der ritterlichen Pflicht 30

---

[60] **Cromwells**   *Oliver Cromwell (1599-1658), British Puritan general, Lord
Protector of England (1653-1658).*

[61] **der sich eher . . . war**   which could be said to have spread among
a German-speaking population rather than to be the expression of a German
race

[62] **Ritteridee**   *The house of Hohenzollern is depicted as the modern
counterpart of the Order of Teutonic Knights who were instrumental in
the eastward expansion of medieval Prussia against her Slavic neighbors
during the 12th century.*

gegenüber ohne Würde. Dem Engländer aber sind sie Geschenke Gottes: „comfort" ist ein ehrfürchtig hingenommener Beweis der himmlischen Gnade. Tiefere Gegensätze sind kaum denkbar. Arbeit gilt dem frommen Independenten als Folge des Sündenfalls, dem
5 Preußen als Gebot Gottes. Geschäft und Beruf als die zwei Auffassungen der Arbeit stehen sich hier unvereinbar gegenüber. Man denke sich tief in Sinn und Klang dieser Worte hinein: Beruf, von Gott berufen sein—die Arbeit selbst ist das sittlich Wertvolle. Dem Engländer und Amerikaner ist es der Zweck der Arbeit: der Erfolg,
10 das Geld, der Reichtum. Die Arbeit ist nur der Weg, den man so bequem und sicher als möglich wählen darf. Es ist klar, daß ein Kampf um den Erfolg unvermeidlich ist, aber das puritanische Gewissen rechtfertigt jedes Mittel. Wer im Wege steht, wird beseitigt, einzelne, ganze Klassen und Völker. Gott hat es so gewollt. Man
15 begreift, wie solche Ideen, wenn sie Leben, Blut geworden sind, ein Volk zu den höchsten Leistungen emporsteigern können. Um die angeborne menschliche Trägheit zu überwinden, sagt die preußische, die sozialistische Ethik: es handelt sich im Leben nicht um das Glück. Tu deine Pflicht, indem du arbeitest. Die englische,
20 kapitalistische Ethik sagt: werde reich, dann brauchst du nicht mehr zu arbeiten. Ohne Zweifel liegt in dem letzten Spruch etwas Verführerisches. Er reizt, er wendet sich an sehr volkstümliche Instinkte. Er ist von den Arbeitermassen unternehmungslustiger Völker recht gern verstanden worden. Noch im 19. Jahrhundert
25 hat er den Typus des Yankee mit seinem unwiderstehlichen praktischen Optismus hervorgebracht. Der andre schreckt ab. Er ist für die wenigen, die ihn dem Gemeinwesen einimpfen und durch dies der Menge aufzwingen mögen. Der eine ist für ein Land ohne Staat, für Egoisten und Wikingernaturen mit dem Bedürfnis
30 ständiger persönlicher Kampfbereitschaft, wie sie sich auch im englischen Sport ausspricht; er enthält das Prinzip der äußern Selbstbestimmung, das Recht, auf Kosten aller anderen glücklich zu werden, sobald man die Kraft dazu hat, den wirtschaftlichen Darwinismus.[63] Der andere ist gleichwohl die Idee des Sozialismus
35 in seiner tiefsten Bedeutung: Wille zur Macht, Kampf um das Glück nicht des einzelnen, sondern des Ganzen. Friedrich Wil-

[63] **wirtschaftlichen Darwinismus** The application of Darwinian principles of the "survival of the fittest" to the economic process.

helm I. und nicht Marx ist in diesem Sinne der erste bewußte Sozialist gewesen. Von ihm geht als von einer vorbildlichen Persönlichkeit diese Weltbewegung aus. Kant hat sie mit seinem kategorischen Imperativ [64] in eine Formel gebracht.

Daher also sind am Ausgang der Kultur Westeuropas zwei [5] große philosophische Schulen entstanden, die englische des Egoismus und Sensualismus um 1700, die preußische des Idealismus um 1800. Sie sprechen aus, was diese Völker sind, als ethische, als religiöse, politische, wirtschaftliche Einheiten.

An sich ist eine Philosophie nichts, ein Haufen Worte, eine [10] Reihe von Büchern. Sie ist auch weder wahr noch falsch—an sich. Sie ist die Sprache des Lebens in einem großen Kopfe. Für den Engländer ist Hobbes [65] wahr, wenn er das „selfish system" des Egoismus und die optimistische Whigphilosophie [66] des gemeinen Nutzens—„das größte Glück der größten Zahl"—aufstellt, [15] und andrerseits der vornehme Shaftesbury [67] mit seiner Zeichnung des gentleman, des Tory, der sich geschmackvoll auslebenden souveränen Persönlichkeit. Aber ebenso wahr ist für uns Kant mit seiner Verachtung des „Glücks" und Nutzens und seinem kategorischen Imperativ der Pflicht und Hegel mit seinem mächtigen [20] Wirklichkeitssinn, der die harten Schicksale der Staaten und nicht das Wohlergehen "der menschlichen Gesellschaft" in die Mitte seines historischen Denkens stellt.

Fragen

1. Worauf bezieht sich in erster Linie der Name *Preußen?*
2. Welche sind die echt preußischen Schöpfungen?

[64] **kategorischen Imperativ**   *Kant's rule of ethics that "one must do only what he can will that all others should do under similar circumstances."*
[65] **Hobbes**   *Thomas Hobbes (1588-1679), eminent British philosopher.*
[66] **Whigphilosophie**   *The liberal political and social views associated with the Whigs, British political party.*
[67] **Shaftesbury**   *Anthony, Earl of Shaftesbury (1621-1683), British statesman and Tory; advocate of conservative principles and opponent of social reform.*

3. Wer ist dafür verantwortlich?
4. Welches Volk ist dem preußischen am nächsten verwandt?
5. Wo findet man ein Schicksal, welches dem Schicksal der sandigen Landschaft Preußens ähnlich ist?
6. Welche Tugenden stehen hinter dem Wort Individualismus?
7. Welche Tugenden stehen hinter dem Wort Sozialismus?
8. Wie könnte man den Gegensatz zwischen dem Sozialismus und dem Individualismus am knappsten ausdrücken?
9. Welcher Stil ist dem altpreußischen verwandt?
10. Nennen Sie einige Produkte der preußischen Idee: Freiheit im Gehorsam!
11. Warum hat das amerikanische Volk keine Zukunft?
12. Was ist der große Unterschied zwischen der englischen und der preußischen Seele?
13. Unter welcher Bedingung ist ein Land ohne Staat möglich?
14. Welche negativen Rechte hat England nach dem ersten Weltkrieg verloren?
15. Was hat England an Stelle des Staates gesetzt?
16. Was ist der ergänzende Begriff zum Privatmanne?
17. Wie hat der Engländer alle anderen Europäer übertroffen?
18. Wann hat die britische Haltung begonnen, tonangebend zu sein?
19. Was für eine Kultur besitzt England?
20. Was gibt die Zugehörigkeit im preußischen System?
21. Was meint der deutsche Arbeiter, wenn er „bourgeois" sagt?
22. Was ist das preußische Gegenstück zur englischen Zivilkleidung?
23. Welche Art Kleidung hält der Franzose für die wichtigste?
24. Wie beschreibt Spengler die deutsche Reformation?
25. Wo in der Geschichte finden wir Beispiele der Gefühlstiefe und des Herzenseinfalts?
26. Wie faßt der englische Independent seine Erfolge auf?
27. Wie hat der englische Instinkt sein religiöses Bewußtsein geformt?
28. Wie hätten Cromwells Soldaten ihre Brutalität entschuldigt?
29. Wie stellte sich der Preuße zum Reichtum?

30. Welcher Unterschied im Begriff der Arbeit bestand zwischen dem Preußen und dem englischen Independent?
31. Was ist, für den Amerikaner, der Zweck der Arbeit?
32. Wer ist der erste bewußte Sozialist gewesen?
33. Welche Philosophen gelten als Sprecher für England und für Preußen?

Karl Jaspers

(1883-   )

Karl Jaspers is a distinguished German philosopher, usually classified as an existentialist, though he himself prefers not to be associated with any school of philosophy. He received his M. D. degree from the University of Heidelberg, where he was subsequently professor of philosophy. His medical specialty was psychiatry. His outspoken criticism of the Nazis led to his dismissal from Heidelberg in 1933. Reinstated after the Second World War, he has given frank expressions to his opinions on such questions as German war guilt and the atom bomb. Since 1949 he has been professor of philosophy at the University of Basel.

Jaspers regards scientific inquiry as an essential preliminary to philosophy, but holds that the latter moves in an area inaccessible to science. He believes philosophical truth to be intensely personal, manifesting itself in a constant revelation of the self, to be apprehended by faith and communicated to others. The truth is received by those whose whole essence is transformed by faith. Jaspers rejects Christian claims to absolute and exclusive truth as incompatible with human freedom and responsibility. The loftiest manifestation of existence in his thinking is love, and faith is the means of overcoming evil.

Among Jaspers' major writings are the following: *Psychologie der Weltanschauungen* (1919), *Die geistige Situation der Zeit* (1931), *Die Schuldfrage: ein Beitrag zur deutschen Frage* (1946), and *Der philosophische Glaube* (1948).

VOM STUDIUM DER PHILOSOPHIE

Aus der Philosophie sind die Wissenschaften entsprungen. Auch wo diese durch praktische Aufgaben, in Werkstätten, in der Wirtschaft, mit den Fragen der Künstler oder der Staatsmänner in Gang gebracht wurden, haben Gedanken der philosophischen Überlieferung eine entscheidende Bedeutung gehabt. Und in der ⁵ Philosophie finden die Wissenschaften am Ende immer wieder ihren Sinn, wenn sie nicht in der Zerstreutheit an bloß äußere Aufgaben verfallen, nicht in der Endlosigkeit des bloß richtigen ihren Sinn verlieren sollen. Daher scheint es die selbstverständliche und unerläßliche Aufgabe des Universitätsunterrichts, alle Stu- ¹⁰

dierenden in der Philosophie ein Heimatrecht gewinnen zu lassen.[1]
Dem widerspricht der tatsächliche Zustand. Philosophie gilt
zumeist als überflüssig, ist eine private Liebhaberei, ist geeignet
für dekorative Zwecke. Woher kommt dieser Rückgang der Geltung
5 der Philosophie?

Der Hauptgrund liegt wohl im Geist des Zeitalters, der seit
anderthalb Jahrhunderten sich an die praktischen Aufgaben der
wissenschaftlichen Spezialerkenntnisse, der Technik, der Wirtschaft
und der Macht preisgegeben hat, während daneben in mannig-
10 fachen Gestalten eine Philosophie sich noch tradierte, die das
Gewicht dieser Aufgaben oft verkannte oder ignorierte. Seit
Jahrzehnten ist dagegen die Forderung nach „Synthese" laut geworden, ist eine Erneuerung der Philosophie ersehnt, verkündet,
behauptet worden. Man kann nicht sagen, daß ein durchschlagender
15 Erfolg da wäre.

An den Universitäten ist der Verfall der Philosophie durch
die Isolierung bedingt, in der die Philosophie zwar traditions-
gemäß gepflegt wird, aber gleichsam in einer Inzucht aus der
Wirklichkeit des Zeitalters herausgenommen ist. Fast alle Lehrer
20 der Philosophie haben ihr Leben gemäß dem Typus geführt: Nach
dem Erwerb der Hochschulreife [2] Studium der Philosophie, philo-
sophischer Doktor, Habilitation [3] für Philosophie und Berufung
auf einen Lehrstuhl.[4] Das ist gewiß ein möglicher Weg, aber als
einziger Weg läßt er die Philosophie gleichsam vertrocknen. Die
25 Philosophen, statt aus dem Leben, aus der Wirklichkeit und aus
Wissenschaften zur Blüte des Philosophierens zu gelangen, die
genährt wird von dem Boden, aus dem sie gewachsen ist, geben
sich oft nur ab mit den vergangenen Philosophien und mit schönen
Büchern über alle möglichen Dinge wie mit einem Herbarium
30 ausgezeichneter Pflanzen, mit denen sie nun operieren, ohne in
ihnen aus dem eigenen Blute etwas zu neuem Leben zu erwecken.
Man lernt Philosophie, man lernt virtuose intellektuelle Bewe-

---

[1] **alle Studierenden . . . gewinnen zu lassen**   students should regard
the study of philosophy as something due them as a birthright.
[2] **Nach dem Erwerb der Hochschulreife**   after having been admitted to
graduate studies
[3] **Habilitation**   *admission of a university teacher into the faculty*
[4] **Berufung auf einen Lehrstuhl**   appointment to a university teaching
post

gungen, aber man philosophiert nicht in heiligem Ernste, dem es
um die Wahrheit geht,[5] aus der und mit der wir leben wollen.
Verhängnisvoll auch scheint es, daß Philosophie in den
Wissenschaften selber immer mehr erloschen ist zugunsten spe-
zialistischer Technik des Forschens. Das wird nicht gutgemacht [5]
durch gelegentliche philosophische Redewendungen, die ohne
Beziehung zu dem tatsächlichen Forschungs- und Lehrbetrieb für
besondere Augenblicke, für Einleitungen und Schlußworte noch
geeignet scheinen.

Dieses Bild von Philosophie und Wissenschaft heute ist schwarz [10]
gemalt und übertrieben, denn es gibt viele Ausnahmen. Aber im
ganzen liegt wohl Wahrheit darin. Wenn es so ist, dann fragt
man: Was läßt sich tun, um die Jugend mit der Substanz des
eigentlichen Philosophierens mehr, als es heute geschieht, in
Fühlung zu bringen? [6]   [15]

Ein großes und wahres gegenwärtiges Philosophieren, mit
dem wir identisch werden könnten, das uns den Sinn erhellte und
das Leben durchstrahlte, und das uns in Gemeinschaft der Wahrheit brächte, kann man nicht planen. Wann und wo der Geist
weht im Gang der Geschichte, das steht in keines Menschen Hand. [20]

Aber man kann etwas tun, daß er die Bedingungen vorfinde,
wenn er, und sei es in schwachen Funken, in jungen Menschen
aufglimmt. Unter diesen Bedingungen ist immer noch die Kenntnis
der Philosophiegeschichte die Hauptsache. Aber nicht das Wissen
von Lehrstücken, die in Büchern über Geschichte der Philosophie [25]
zu lernen sind, sondern die Berührung mit den Gehalten in den
Texten selbst. Daß die Texte der großen Philosophen (der fremd-
sprachigen in Übersetzungen) nicht in wohlfeilen Ausgaben mit
den notwendigen sachlichen und historischen Kommentaren zugänglich, daß viele überhaupt nicht zu erhalten sind, das ist ein [30]
böser Mangel für die Aneignung der philosophischen Überlieferung
seitens der Jugend.

An den Schulen sollte wie an den Universitäten immer Philosophieunterricht stattfinden. Aber weder Schüler noch Studenten
dürfen zu dessen Nutzung unter Zwang gestellt werden.[7] Die [35]

---

[5] **dem es um die Wahrheit geht**   which is concerned with the truth
[6] **in Fühlung zu bringen**   to establish contact
[7] **unter Zwang gestellt werden**   to be required

Persönlichkeit des philosophischen Lehrers und das Interesse der Jugend müssen sich finden in einem freien Raum. Wo gezwungen wird, ist die Philosophie zu Ende. Einem philosophischen Zeitalter würde in allen Wissenschaften die Gegenwärtigkeit des Philo- ⁵ sophierens selbstverständlich sein. Denn Philosophie hat eine ihrer konkreten Erscheinungen in den Wissenschaften, beseelt sie, gibt ihnen Sinn und Schwung, ohne ausdrücklich als Philosophie zum Thema werden zu müssen. In unserem Zeitalter ist nun weder auf die Philosophie in den Wissenschaften noch auf geradezu vorge- ¹⁰ tragene Philosophie als solche Verlaß. Alles liegt an den Menschen, die sie vertreten. Diesen aber muß im Rahmen der Lehrfächer die Möglichkeit des Wirkens bewahrt werden auf die Gefahr hin, daß mancher versagt.

An den Universitäten sind daher philosophische Lehrstühle,[8] ¹⁵ Seminare und Bibliotheken nicht zu entbehren. Um Chancen[9] für das Ursprüngliche und Neue zu erhalten, sollen mehrere Philo- sophen an den gleichen Universitäten wirken, damit der Student nicht auf die Worte eines Lehrers eingeübt wird, sondern ver- gleichen, ergänzen, korrigieren lernt. Fichtes Forderung, nur ein ²⁰ einziger Philosoph solle an einer Universität lehren, entspringt dem Denken, das sich im Besitz der Wahrheit glaubt, statt auf dem Wege gemeinsamen Suchens zu bleiben, das Diskussion, In- fragestellung, Mannigfaltigkeit verlangt. Bei Berufungen sollte man Ausschau halten nicht nur unter den Privatdozenten,[10] die aus- ²⁵ drücklich Philosophie lehren, sondern fragen, ob geistig bedeutende Persönlichkeiten aus den Wissenschaften erwachsen sind, die in der Reife ihres Lebens zur philosophischen Lehre bereit sind.

Das Studium der Philosophie muß für die Studenten frei bleiben. Von niemandem darf es verlangt werden. Jeder Beruf ³⁰ zwar bedarf der Philosophie, aber diese Notwendigkeit wird nicht gefördert, sondern gestört, wenn man Studenten Pflichtvorlesun- gen[11] auferlegt oder sie in Verbindung mit gewissen Fächern statutengemäß eine Prüfung in Philosophie ablegen läßt. Philosophie,

---

[8] **Lehrstühle**   professorships
[9] **Chancen**   *here,* opportunities
[10] **Privatdozenten**   *Unsalaried lecturers at German university whose only pay is student fees; post was abolished in 1934.*
[11] **Pflichtvorlesungen**   required courses

die nicht von sich aus anzieht, und Studenten, die blind für alles
Philosophieren sind, beide sind nicht viel wert.

Auch an den höheren Schulen [12] hat die Philosophie einen
natürlichen Platz. Man sollte den oberen Klassen Philosophie
bieten, wie es vielerorts, aber nicht überall geschieht. Wie das 5
geschehen könne, ist keine einfach zu beantwortende Sache. Man
kann sagen, im griechischen Unterricht kommen Texte Platons [13]
vor, im lateinischen Cicero, [14] im deutschen Lessing, Schiller. Die
Kinder nehmen durch solche Lektüre Philosophie auf, auch wenn
der Lehrer kein Wort dazu sagen würde. Das ist richtig, aber 10
wirksamer und wesentlicher muß das Bewußtsein des Philosophierens werden, wenn solche Texte planmäßig unter philosophischen Gesichtspunkten ausgewählt und interpretiert werden.
Einfache philosophische Grundgedanken wirken, als ob durch sie,
wenn man sie zum erstenmal hört, gleichsam der Star gestochen 15
würde. [15] Es wird plötzlich licht. Ein großes Versäumnis scheint
es zu sein, dies den Kindern vorzuenthalten. Keineswegs kann der
Sinn des philosophischen Schulunterrichts den Sinn einer Propädeutik für das spätere Universitätsstudium der Philosophie
haben. Dem Kinde sollen, wo das Philosophieren dunkel und 20
spontan in ihm fühlbar wird, Gedanken dargeboten werden, durch
sie es einen Weg findet. Die Welt des Geistes öffnet sich ihm.
Unendliches wird im ersten Lichte kund. Auch im Kind ist das
Ursprüngliche des Philosophierens da, ist das Wesentliche gegenwärtig. Nicht Vorbereitung auf ein Späteres, das noch ver- 25
schlossen bleibt, sondern selbständige erste Erfüllung muß dieser
Schulunterricht bringen. Um solchen Unterricht auf das jeweils
bestmögliche Niveau zu bringen, muß die Philosophie für die
Prüfung zur Ausübung des Lehramts als vollwertiges Nebenfach
zählen. Nur dann gewinnen Liebhaber der Philosophie die Zeit, 30
sich in ihren Studentenjahren gründlich mit ihr abzugeben.

[12] **höheren Schulen**   Here, the **Gymnasium** in contrast to the **Hochschule,**
the university.

[13] **Platon**   Plato (427-347 B.C.), Greek philosopher, "the seminal philosopher of mankind."

[14] **Cicero**   Marcus Tullius Cicero (106-43 B.C.); Roman statesman, orator,
and philosopher.

[15] **als ob durch sie . . . gestochen würde**   as if through them one's eyes
were being opened

Die Schwierigkeit liegt bei dieser Freigabe der Philosophie als eines Wahlfaches [16] für die Lehrerprüfung darin, daß es die eine anerkannte Philosophie nicht gibt. Bei der Übertragung des Philosophieunterrichts an höheren Schulen wird die Persönlichkeit
5 des Lehrers und sein philosophisches Grundverhalten eine Rolle spielen. Ein atheistischer oder ein logistischer oder positivistischer Unterricht der Philosophie auf der höheren Schule wäre wohl zu widerraten. Das Kind soll noch nicht in alle äußersten Möglichkeiten eingeführt werden. Die Grenzlinie der philosophischen
10 Themen, die geeignet sind für die Schule, ist eine Sache hoher Verantwortung. Absichtliches Verschweigen wäre so ungemäß wie absichtliches Heranbringen an jede mögliche Position. Das Genie im Kinde, das mit wachsendem Alter so oft verloren geht, führt zu hellsichtigen Fragen, auf die der Philosophielehrer Rede und
15 Antwort stehen muß.[17] Aber er braucht nicht die Grenzen von vornherein in sein Programm aufzunehmen. Überhaupt könnte dieser Schulunterricht nicht eigentlich systematisch und gar nicht abschließend sein. Er wird am besten sich an bedeutende Texte halten, die in den Händen der Schüler sind. Die Interpretation
20 ergibt die Einübung im Philosophieren.

Der Geist der Meditation, die Fähigkeit durchdringender Selbstprüfung, die unbefangene Denkungsart, die Offenheit für alle gehaltvollen Möglichkeiten,—all das kann nicht direkt gelehrt werden, aber im Verstehen großen Philosophierens erweckt und
25 erzogen werden. Das geschieht auf unberechenbare Weise. Menschen muß dafür der Raum gegeben werden. Daß sie ihn erfüllen, liegt je am Einzelnen. Diese herausgegriffenen Bemerkungen zu einem außerordentlichen Problem unseres Zeitalters müssen in ihrer Kürze unangemessen bleiben.
30 Die hier auftretenden Fragen werden durch keine Einrichtung gelöst, sondern jeweils durch das innere Leben des einzelnen Studenten oder Lehrers. Das Wesen der abendländischen Universität fordert, daß jeder an ihr seinen geistigen Weg auf eigene Verantwortung suchen und finden soll. Dabei orientiert er sich

---

[16] **Wahlfaches**   elective course
[17] **auf . . . muß**   to which the philosopher must not hesitate to give an answer

wohl am Rat der Lehrer, an den dargebotenen Lehrmöglichkeiten,
aber er wählt, was ihm als Wahrheit fruchtbar wird.

Die Universität steht um so höher, je mehr Studenten sich
nicht allein am Gängelbande der Studienordnungen führen lassen,[18]
sondern ihrem Genius folgen, der ihnen Weisung gibt auf ihrem   5
Wege. Damit er spreche, bedarf es des Ernstes und der Reinheit
des Leben überhaupt.

Wir aber, Studenten und Lehrer, schmähen und vergöttern
einander nicht, sondern werfen uns die Bälle zu, uns ermunternd
und ermutigend. Wir Alten lehren aus Erfahrung und Können, die   10
Jungen müssen aus sich selbst Einsicht gewinnen, sich selbst
vertrauen dürfen. Die Alten aber lernen noch und bauen fort bis
zum Ende, von dem Kant sagte, man müsse abtreten, wenn man
gerade so weit sei, um mit dem Philosophieren recht anfangen zu
können. Die Jungen aber werden, indem sie dasselbe Schicksal   15
ergreifen, es unter anderen Voraussetzungen mit neuen Chancen
tun.

Fragen

1. Woraus sind die Wissenschaften entsprungen?
2. Was sollte die Aufgabe des Universitätsunterrichts sein?
3. Was ist der tatsächliche Zustand der Philosophie?
4. Womit hat sich der Geist des Zeitalters vorwiegend beschäftigt?
5. Wie hat sich in dieser Zeit die Philosophie verhalten?
6. Was ist die normale Laufbahn eines Philosophielehrers?
7. Warum ist diese Laufbahn für das eigentliche Philosophieren
   kein Vorteil?
8. Welche Rolle spielt die Philosophie in den wissenschaftlichen
   Forschungen?
9. Womit soll der junge Philosophieschüler in Berührung kommen?
10. Welcher Mangel erschwert das Studium der Philosophie?

[18] **am Gängelbande . . . lassen**   let themselves be led around the apron
strings of prescribed curricula.

11. Warum darf die Philosophie nicht unter Zwang unterrichtet werden?
12. Warum sollen mehrere Professoren der Philosophie an einer Universität wirken?
13. Wo soll man die Lehrkräfte suchen?
14. Wie lernen Schüler auf den höheren Schulen am besten die Philosophie?
15. Wie kann einem Kinde die Philosophie beigebracht werden?
16. Warum sollte man nicht, im Unterricht der Philosophie für Kinder, absolute Freiheit haben?
17. Was sollte durch den Unterricht in der Philosophie erweckt werden?
18. Was ist nötig dafür, daß der Genius der Studenten sie führe?
19. War für ein Verhältnis sollte zwischen Studenten und Lehrern herrschen?

Theodor Heuss

(1884-1963)

Reared in the liberal tradition of the eminent theologian Friedrich Naumann, Theodor Heuss first distinguished himself as a historian and a political theorist before entering the service of his country as a legislator and ultimately as president. In his work as an editor of various influential German newspapers, Heuss developed an active interest in labor unions, whose cause was always close to his heart. He served for nine years as a member of the Reichstag before being ousted in 1933 for the publication of his strongly anti-Nazi book *Hitlers Weg*, which received the distinction, along with so many other great books, of being burned publicly by the Nazis. In 1936 he again drew attention and reprisals upon himself by his public appeals for justice for the Jews.

After the collapse of the Nazis in 1945, Dr. Heuss became professor of constitutional law at the Polytechnic Institute of Stuttgart and took a leading part in the drafting of the constitution of the German Federal Republic. In 1949 Theodor Heuss was elected the first president of the Bundesrepublik; in 1954 he was reelected for a second five-year term.

Among the major publications of this eminent statesman are the following: *Reich und Bundesstaaten* (1914), *Die neue Demokratie* (1920), *Führer aus deutscher Not* (1932), *Schattenbeschwörungen* (historical essays, 1946), and *Würdigungen* (collected miscellanea, 1955).

The speech here reprinted was delivered in November, 1952, at the memorial exercises in honor of the victims of Bergen-Belsen concentration camp.

Photo Inter Nationes; German Information Center

EIN MAHNMAL

Als ich gefragt wurde, ob ich heute, hier, aus diesem Anlaß ein Wort zu sagen bereit sei, habe ich ohne lange Überlegung mit Ja geantwortet. Denn ein Nein der Ablehnung, der Ausrede, wäre mir als eine Feigheit erschienen, und wir Deutschen wollen, sollen und müssen, will mir scheinen, tapfer zu sein lernen gegenüber der Wahrheit, zumal auf einem Boden, der von Exzessen menschlicher Feigheit gedüngt und verwüstet wurde.

Denn die bare Gewalttätigkeit, die sich mit Karabiner, Pistole und Rute verziert, ist in einem letzten Winkel [1] immer feige, wenn

[1] **in einem letzten Winkel** in the last analysis

169

sie, gut gesättigt, drohend und mitleidlos, zwischen schutzloser
Armut, Krankheit und Hunger herumstolziert.

Wer hier als Deutscher spricht, muß sich die innere Freiheit
zutrauen, die volle Grausamkeit der Verbrechen, die hier von
Deutschen begangen wurden, zu erkennen. Wer sie beschönigen [5]
oder bagatellisieren wollte oder gar mit der Berufung auf den ir-
regegangenen Gebrauch der sogenannten „Staatsraison" begründen
wollte,[2] der würde nur frech sein.

Aber nun will ich etwas sagen, das manchen von Ihnen hier
erstaunen wird, das Sie mir aber, wie ich denke, glauben werden, [10]
und das mancher, der es am Rundfunk hört, nicht glauben wird:
Ich habe das Wort Belsen[3] zum erstenmal im Frühjahr 1945 aus
der BBC[4] gehört, und ich weiß, daß es vielen in diesem Lande
ähnlich gegangen ist. Wir wußten—oder doch ich wußte—Dachau,
Buchenwald bei Weimar, Oranienburg,[5] Ortsnamen bisher heiterer [15]
Erinnerungen, über die jetzt eine schmutzige braune Farbe ge-
schmiert war. Dort waren Freunde, dort waren Verwandte gewesen,
hatten davon erzählt. Dann lernte man frühe das Wort Theresien-
stadt,[6] das am Anfang sozusagen zur Besichtigung durch Neutrale
präpariert war, und Ravensbrück.[7] An einem bösen Tage hörte [20]
ich den Namen Mauthausen,[8] wo sie meinen alten Freund Otto
Hirsch „liquidiert" hatten, den edlen und bedeutenden Leiter der
Reichsvertretung deutscher Juden. Ich hörte das Wort aus dem
Munde seiner Gattin, die ich zu stützen und zu beraten suchte.
Belsen fehlte in diesem meinen Katalog des Schreckens und der [25]
Scham, auch Auschwitz.[9]

Diese Bemerkung soll keine Krücke sein für diejenigen, die
gern erzählen: Wir haben von alledem nichts gewußt. Wir haben

---

[2] **mit der Berufung . . . begründen wollte**   to seek to excuse by in-
voking the arbitrary use of the so-called sovereignty of the state
[3] **Belsen**   *Bergen-Belsen, one of the most notorious of Nazi concentration
camps.*
[4] **BBC**   *British Broadcasting Corporation.*
[5] **Dachau, Buchenwald . . . Oranienburg**   *Nazi concentration camps.*
[6] **Theresienstadt**   *"Model" concentration camp in Czechoslovakia for
"privileged" prisoners; established by the Nazis for propaganda purposes.*
[7] **Ravensbrück**   *Concentration camp for women prisoners.*
[8] **Mauthausen**   *Concentration camp in Austria.*
[9] **Auschwitz**   *(Polish: Oswieczin) the most infamous of all camps, used
almost solely for the liquidation of political prisoners.*

von den Dingen gewußt. Wir wußten auch aus den Schreiben
evangelischer und katholischer Bischöfe, die ihren geheimnisreichen
Weg zu den Menschen fanden, von der systematischen Ermordung
der Insassen deutscher Heilsanstalten.[10] Dieser Staat, der mensch-
5 liches Gefühl eine lächerliche und kostenverursachende Sentimentalität hieß, wollte auch hier *tabula rasa,* „reinen Tisch" machen,
und der reine Tisch trug Blutflecken, Aschenreste—was kümmerte
das?[11] Unsere Phantasie, die aus der bürgerlichen und christlichen
Tradition sich nährte, umfaßte nicht die Quantität dieser kalten
10 und leidvollen Vernichtung.

Dieses Belsen und dieses Mal[12] sind stellvertretend für ein
Geschichtsschicksal. Es gilt den Söhnen und Töchtern fremder
Nationen, es gilt den deutschen und ausländischen Juden, es gilt
auch dem deutschen Volk und nicht bloß den Deutschen, die auch
15 in diesem Boden verscharrt wurden.

Ich weiß, manche meinen: War dieses Mal notwendig? Wäre
es nicht besser gewesen, wenn Ackerfurchen hier liefen, und die
Gnade der sich ewig verjüngenden Fruchtbarkeit der Erde verzeihe
das Geschehene? Nach Jahrhunderten mag sich eine vage Legende
20 vom unheimlichen Geschehen an diesen Ort heften. Gut, darüber
mag man meditieren; und Argumente fehlen nicht, Argumente
der Sorge, daß dieser Obelisk ein Stachel sein könne, der Wunden,
die der Zeiten Lauf heilen solle, das Ziel der Genesung zu erreichen
nicht gestatte.

25 Wir wollen davon in allem Freimut sprechen. Die Völker, die
hier die Glieder ihres Volkes in Massengräbern wissen, gedenken
ihrer, zumal die durch Hitler zu einem volkhaften Eigenbewußtsein
schier gezwungenen Juden.[13] Sie werden nie, sie können nie
vergessen, was ihnen angetan wurde; Deutsche dürfen nie ver-
30 gessen, was von Menschen ihrer Volkszugehörigkeit in diesen
schamreichen Jahren geschah.

Nun höre ich den Einwand: und die anderen? Weißt du

---

[10] **Heilsanstalten** *Refers to the Nazi program of euthanasia for the
mentally and physically unfit.*

[11] **was kümmerte das?** *here,* what did it matter?

[12] **Mal** commemorative marker, monument

[13] **zumal die durch Hitler . . . Juden** especially the Jews, who had
been practically forced by Hitler to become aware of their own ethnic
identity

nichts von den Internierungslagern 1945/46 [14] und ihren Rohheiten, ihrem Unrecht? Weißt du nichts von den Opfern in fremdem Gewahrsam, von dem Leid der formalistisch-grausamen Justiz, der heute noch deutsche Menschen unterworfen sind? Weißt du nichts von dem Fortbestehen der Lagermißhandlung, des Lager- [5] sterbens in der Sowjetzone, Waldheim, Torgau, Bautzen? [15] Nur die Embleme haben sich dort gewandelt.

Ich weiß davon und habe nie gezögert, davon zu sprechen. Aber Unrecht und Brutalität der anderen zu nennen, um sich darauf zu berufen, das ist das Verfahren der moralisch Anspruchslosen, [16] [10] die es in allen Völkern gibt, bei den Amerikanern so gut wie bei den Deutschen oder den Franzosen und so fort. Es ist kein Volk besser als das andere, es gibt in jedem solche und solche. Amerika ist nicht „God's own country" und der harmlose Emanuel Geibel [17] hat einigen subalternen Unfug verursacht mit dem Wort, daß am [15] deutschen Wesen noch einmal die Welt genesen werde.

Und waren die Juden das „auserwählte Volk", wenn sie nicht gerade auch zu Leid und Qual auserwählt wären? Mir scheint, der Tugendtarif mit dem die Völker sich selber ausstaffieren, [18] ist eine verderbliche und banale Angelegenheit. Er gefährdet das [20] klare, anständige Vaterlandsgefühl, das jeden, der bewußt in seiner Geschichte steht, tragen wird, das dem, der die großen Dinge sieht, Stolz und Sicherheit geben mag, ihn darum aber nicht in die Dumpfheit einer pharisäerhaften Selbstgewißheit verführen darf. [19] Gewalttätigkeit und Unrecht sind keine Dinge, die man für eine [25] wechselseitige Kompensation gebrauchen soll und darf. Denn sie tragen die böse Gefahr in sich, im seelischen Bewußtsein zu kumulieren; ihr Gewicht wird zur schlimmsten Last im Einzel-

---

[14] *Refers to alleged excesses committed against Germans in Allied prisoner-of-war camps.*

[15] **Waldheim, Torgau, Bautzen**   *Slave labor camps established by the Russians for German prisoners-of-war.*

[16] **der moralisch Anspruchslosen**   those devoid of moral awareness

[17] **Geibel**   *Emanuel Geibel (1815-1884), German lyric poet and dramatist who rather unwisely suggested that the essence of the German character would ennoble the rest of mankind.*

[18] **der Tugendtarif . . . ausstaffieren**   the degree of virtue which some peoples arrogate to themselves

[19] **ihn darum aber . . . verführen darf**   should not mislead him into the emptiness of sanctimonious self-assurance

schicksal, ärger noch, im Volks- und Völkerschicksal. Alle Völker
haben ihre Rachebarden, oder, wenn sie ermüdet sind, ihre Zweckpublizisten [20] in Reserve. Es liegen hier die Angehörigen mancher Völker. Die In-
5 schriften sind vielsprachig, sie sind ein Dokument der tragischen
Verzerrung des europäischen Schicksals. Es liegen hier auch viele
deutsche Opfer des Terrors, und wie viele am Rande anderer
Lager? Aber es hat einen tiefen Sinn, daß Nachum Goldmann [21]
hier für alle sprach. Denn hier, in diesem Belsen, sollten gerade die
10 Juden, die noch irgendwo greifbar waren, vollends verhungern
oder Opfer der Seuchen werden. Goldmann hat von dem schmerz-
vollen Weg des jüdischen Volkes und seiner den Geschichtskatastro-
phen trotzenden Kraft gesprochen. Sicher ist das, was zwischen
1933 und 1945 geschah, das Furchtbarste, was die Juden der
15 Geschichte gewordenen Diaspora [22] erfuhren. Dabei war etwas
Neues geschehen. Goldmann sprach davon. Judenverfolgungen
kennt die Vergangenheit in mancher Art. Sie waren ehedem teils
Kinder des religiösen Fanatismus, teils sozialökonomische Kon-
kurrenzgefühle. Von religiösem Fanatismus konnte nach 1933
20 nicht die Rede sein. Denn den Verächtern der Heiligen Schriften
des Alten und Neuen Bundes, den Feinden aller religiöser Bin-
dungen, war jedes metaphysische Problem denkbar fremd. Und
das Sozialökonomische reicht nicht aus, wenn es nicht bloß an Raubmord denkt.

25 Aber das war es nicht allein. Im Grunde drehte es sich um
etwas anderes. Der Durchbruch des biologischen Naturalismus der
Halbbildung führte zur Pedanterie des Mordens als schier auto-
matischem Vorgang, ohne das bescheidene Bedürfnis nach einem
bescheidenen quasi-moralischen Maß. Dies gerade ist das tiefste
30 Verderbnis dieser Zeit. Und dies ist unsere Scham, daß sich solches
im Raum der Volksgeschichte vollzog, aus der Lessing und Kant,
Goethe und Schiller in das Weltbewußtsein traten. Diese Scham
nimmt uns niemand, niemand ab.

[20] **Zweckpublizisten**   propagandists
[21] **Goldmann**   *Nachum Goldmann (1894-   ) President of World Jewish
Congress since 1951.*
[22] **Diaspora**   *The scattering of the Jews among Gentiles after the Babylonian
captivity.*

Mein Freund Albert Schweitzer hat seine kultur-ethische Lehre [23] unter die Formel gestellt: „Ehrfurcht vor dem Leben." Sie ist wohl richtig, so grausam paradox die Erinnerung an dieses Wort an einem Orte klingen mag, wo es zehntausendfach verhöhnt wurde. Aber bedarf sie nicht einer Ergänzung: „Ehrfurcht vor dem [5] Tode"? Ich will eine kleine Geschichte erzählen, die manchen Juden und manchen Nichtjuden mißfallen mag. Von beiden Seiten werden sie sagen: Das gehört doch nicht hierher! Im ersten Weltkrieg sind 12000 junge Menschen jüdischen Glaubens für die Sache ihres deutschen Vaterlandes gefallen. Im Ehrenmal meiner Heimat- [10] stadt waren auch sie in ehernen Lettern mit den Namen aller anderen Gefallenen eingetragen, Kamerad neben Kamerad, „als wär's ein Stück von mir." [24] Der nationalsozialistische Kreisleiter ließ die Namen der jüdischen Toten herauskratzen und den Raum der Lücken mit irgendwelchen Schlachtennamen ausfüllen. Ich [15] spreche davon nicht, weil Jugendfreunde von mir dabei ausgewischt wurden. Das war mein schlimmstes Erkennen und Erschrecken, daß die Ehrfurcht vor dem Tode, dem einfachen Kriegstode, untergegangen war, während man schon an neue Kriege dachte.

Das Sterben im Kriege, am Kriege hat dann die furchtbarsten [20] Formen gewählt. Auch hier an diesem Ort Belsen hat der Krieg dann mit Hunger und Seuchen als kostenlosen Gehilfen zur Seite gewütet. Ein zynischer Bursche, ein wüster Gesell mochte sagen: In der Hauptsache waren es ja bloß Juden, Polen, Russen, Franzosen, Belgier, Norweger, Griechen, und so fort. Bloß? Es waren Men- [25] schen wie du und ich, sie hatten ihre Eltern, ihre Kinder, ihre Männer, ihre Frauen! Die Bilder der Überlebenden sind die schreckhaftesten Dokumente.

Der Krieg war für dieses Stück Land hier im April 1945 vorbei. Aber es wurde als Folge von Hunger und Seuchen weiter gestorben. [30] Britische Ärzte haben dabei ihr Leben verloren. Aber ich bin in den letzten Tagen von hervorragender jüdischer Seite gebeten worden, gerade in dieser Stunde auch ein Wort von diesem Nachher zu sagen, von der Rettungsleistung an den zum Sterben bestimmten

---

[23] **kultur-ethische Lehre**   teaching based on the ethics of a civilized society
[24] „**als . . . mir"**   *Line from „Der Gute Kamerad" by Uhland (cf. p. 73 n. 13).*

Menschen, die durch deutsche Ärzte, durch deutsche Pfleger und
Schwestern im Frühjahr und Frühsommer 1945 vollbracht wurde.
Ich wußte von diesen Dingen nichts. Aber ich ließ mir erzählen,
wie damals vor solchem Elend Hilfswille bis zur Selbstaufopferung
5 wuchs, ärztliches Pflichtgefühl, Scham, vor solcher Aufgabe nicht
zu versagen, christliche, schwesterliche Hingabe an den Ge-
fährdeten, der eben immer der „Nächste" ist. Ich bin dankbar
dafür, daß mir dies gesagt und diese Bitte ausgesprochen wurde.
Denn es liegt in dieser Bewährung des unmittelbar Rechten und
10 Guten doch ein Trost.
    In den Worten des englischen Land Commissioner ist Rousseau
berufen worden. Rousseau beginnt eines seiner Bücher mit der
apodiktischen Erklärung: „Der Mensch ist gut." Ach, wir haben
gelernt, daß die Welt komplizierter ist als die Thesen moralisierender
15 Literaten. Aber wir wissen auch dies: der Mensch, die Menschheit ist eine abstrakte Annahme, eine statistische Feststellung, oft
nur eine unverbindliche Phrase; aber die Menschlichkeit ist ein
individuelles Sich-Verhalten, ein ganz einfaches Sich-Bewähren gegenüber dem anderen,[25] welcher Religion, welcher Rasse, welchen
20 Standes, welchen Berufes er auch sei. Das mag ein Trost sein.
    Da steht der Obelisk, da steht die Wand mit den vielsprachigen
Inschriften. Sie sind Stein, kalter Stein. Saxa loquuntur, Steine
können sprechen. Es kommt auf den einzelnen, es kommt auf dich
an, daß du ihre Sprache, daß du diese ihre besondere Sprache
25 verstehst, um deinetwillen, um unser aller willen!

Fragen

1. Warum hat Heuss nicht lange gezögert, bevor er die Einladung,
   bei dieser Feier zu sprechen, angenommen hat?
2. Was muß der Deutsche erkennen?

[25] **aber die Menschlichkeit . . . gegenüber dem anderen** but humani-
tarianism is simply a question of individual behavior and moral responsibility toward others

3. Warum werden die Zuhörer erstaunen?
4. Wo hat Heuss den Namen Belsen zuerst gehört?
5. Inwiefern wich Theresienstadt von den andern KZ-Lagern ab?
6. Warum war Mauthausen dem Heuss besonders verhaßt?
7. Wie hat man von der Ermordung der Insassen deutscher Hospitäler gehört?
8. Woraus nährte sich die deutsche Phantasie?
9. Was könnte die Wirkung des Obelisks sein?
10. Welchen Fehler hat Emanuel Geibel gemacht?
11. Was soll der Zweck von Belsen gewesen sein?
12. Warum konnte die Nazi Verfolgung der Juden nicht aus religiösem Fanatismus stammen?
13. Wie soll man Albert Schweitzers Formel ergänzen?
14. Wie hat man das Gedächtnis der im ersten Weltkrieg gefallenen Juden geschändet?
15. Was ist nach April 1945 in Belsen geschehen?
16. Was meint Heuss mit den Worten „Steine sprechen"?

Romano Guardini

(1885-   )

Romano Guardini is the only author represented in this collection who was not born in a German-speaking country. The son of a diplomat, he was born in Verona, Italy, but when his father was appointed Italian Consul at Munich in 1888, he came permanently to Germany. His childhood was spent in Mainz in the Rhineland; he received his higher education at the University of Tübingen. Although his original intention was to specialize in biology and physics, his interest turned soon to philosophy and then to theology. At the age of 27, despite initial family opposition, he was ordained a priest. Three years later he received his doctorate.

He first came into prominence as one of the leaders of the German Catholic youth movement (Quickborn) and of the movement toward liturgical renascence which originated in Germany and has since spread throughout the entire Catholic Church. His earliest published work was in the liturgical field (*Vom Geist der Liturgie*, 1918, which is still a classic) and in theology. In 1920 Guardini was called to the professorship of Christian philosophy at the University of Berlin, which he retained until 1939.

In addition to liturgical and theological studies he has written brilliant and significant interpretations of various literary and philosophical figures (Hölderlin, 1939; Rilke, 1941; and Socrates, 1944). He is today probably the most respected Catholic intellectual in Germany. One of his students said of Guardini: "He seems to control the bridges that lead from art, from literature, from philosophy—to religion." This essay, part of a book, *Das Ende der Neuzeit*, appeared in 1950.

DER MENSCH DER NEUZEIT

Wir Heutigen [1] haben Mühe, uns zu Bewußtsein zu bringen, was das kulturelle Schaffen für die frühe Neuzeit bedeutet hat. Es war der Ausbruch eines Daseinsfrühlings [2] von überschwenglicher Fülle und unbändiger Zukunftssicherheit. Mathematik und Naturwissenschaft entwickelten sich in schnellem Fortschreiten. Das Altertum wurde erschlossen und die Historie begann ihre unabsehliche Arbeit. Das Interesse am Menschen erwachte, beobachtete

[1] **Heutigen (heutigen tags)**   people of the present, people of our day
[2] **Ausbruch eines Daseinsfrühlings**   an eruption of the spring of our existence

die Mannigfaltigkeit seiner Erscheinungen und schuf, analysierend und verstehend, die Wissenschaften der Anthropologie und Psychologie. Die Staatskunde betrachtete die menschliche Gemeinschaft wie ein großes Lebewesen, untersuchte ihr Werden, die
5 Mannigfaltigkeit ihrer Formen und die Bedingungen ihres Bestehens. Die Philosophie löste sich von der Bindung an den geistlichen Stand und wurde zur direkten Befragung der Weltphänomene durch den Menschen. Die Kunst in all ihren Erscheinungen, als Architektur, Plastik, Malerei, Dichtkunst, Drama, nahm ebenfalls
10 den Charakter eines autonomen Werkbereichs an und brachte eine unübersehbare Fülle von Gestaltungen hervor. Die Nationalstaaten mit ihrem gewaltigen Kraftgefühl bildeten sich. Mit erregender Kühnheit wurde die Erde in Besitz genommen. Meere und Länder wurden entdeckt und das System der Kolonien organisiert. Endlich
15 alle die jeder früheren Zeit unfaßlichen Entdeckungen und Konstruktionen, die wir Technik nennen, und mit denen der Mensch die Natur beherrscht—unlöslich verbunden mit dem neuzeitlichen Wirtschaftswesen,[3] in welchem ein durch nichts eingeschränktes Erwerbsstreben das vielgegliederte System des Kapitalismus her-
20 vorbringt. Alles das war wie ein Ausbruch unbekannter Kräfte aus bisher verschlossenen Tiefen. Der Mensch erlebte die Welt, und, an der Welt, sich selbst in ganz neuer Weise. Eine unbändige Zuversicht erfüllte ihn, nun beginne[4] jenes Eigentliche, für das alles Frühere nur Vorbereitung oder Hindernis gewesen sei.
25 Der neuzeitliche Mensch ist überzeugt, jetzt endlich vor der Wirklichkeit zu stehen. Nun werden sich ihm die Quellen des Daseins öffnen. Die Energien der erschlossenen Natur werden mit denen seines eigenen Wesens zusammengehen, und das große Leben wird sich verwirklichen. Die verschiedenen Bereiche des
30 Erkennens,[5] Handelns und Schaffens werden sich je nach ihren Gesetzen aufbauen; Bereich wird sich an Bereich schließen; ein Ganzes von überwältigender Fülle und Einheit, eben „die Kultur", wird heraufwachsen, und in ihm wird sich der Mensch erfüllen.

Ausdruck dieser Gesinnung ist der neuzeitliche Glaube an
35 den Fortschritt, der mit Sicherheit aus der Logik von Menschen-

---

[3] **Wirtschaftswesen** economic structure
[4] **beginne** was beginning, *subjunctive of indirect discourse*
[5] **Erkennens** intuitive perception

wesen und Menschenwerk hervorgeht. Die Gesetze der Natur, die psychologische und logische Struktur des menschlichen Lebens, die Verhältnisse der Individuen zueinander ebenso wie die Verhaltensformen [6] der soziologischen Ganzheiten—alles das ist so, daß es mit innerer Notwendigkeit auf das Werden des Besseren [5] hindrängt.

Wir stehen nicht mehr in dieser Haltung. Im Gegenteil, uns wird immer klarer, daß die Neuzeit sich getäuscht hat.

Damit ist nicht gemeint, daß wir an ihrer Kultur Kritik übten; [7] das ist schon früher geschehen. Zugleich mit dem triumphie- [10] renden Aufschwung ihrer Entwicklung setzt in allen Formen, von der vertrauend-erzieherischen [8] bis zur pessimistisch- skeptischen, die Kritik an ihr ein.[9] Auf dem Gipfel der aus der Renaissance und Barock hervorgehenden europäischen Entwicklung sagt Rousseau, von einer sehr naheliegenden Grenze an sei Kultur überhaupt vom [15] Übel, und mahnt, zur Natur zurückzukehren, die allein echt und schuldlos sei. Solche Stellungnahmen gehen aber letztlich darauf,[10] die Gesamtentwicklung in Maß und Richtung zu halten; diese selbst wird nicht wirklich in Frage gestellt. Nur die christliche Kritik geht tiefer. Sie kennt von der Offenbarung her die Gefahr, daß [20] der Mensch sich an Welt und Werk verliere, weiß vom „einen Notwendigen" [11] und vermag so den zuerst enthusiastischen, dann zum Dogma gewordenen Fortschrittsoptimismus zu durchschauen. Sie erkennt die Unwahrheit des Autonomiegedankens und weiß, daß ein Kulturaufbau, der Gott wegtut, nicht gelingen kann, aus [25] dem einfachen Grunde, weil Gott ist. Doch kommen Bezweiflung und Kritik aus der Offenbarung, das heißt, von außerhalb der Kultur selbst her; so haben sie zwar recht, bleiben aber geschichtlich unwirksam.

Heute kommen Zweifel und Kritik aus der Kultur selbst. Wir [30] vertrauen ihr nicht mehr. Wir können sie nicht mehr, wie die Neuzeit es getan hat, als wesenhaften Lebensraum und verläßliche Lebensordnung annehmen. Sie ist uns durchaus nicht als „objek-

---

[6] **Verhaltensformen**   patterns of behavior
[7] **Kritik übten**   appraised critically
[8] **vertrauend-erzieherischen**   inspiring confidence educationally
[9] **setzt . . . die Kritik an ihr ein**   it (**die Kultur**) is examined critically
[10] **gehen . . . darauf**   aim at
[11] **vom „einen Notwendigen"**   i.e., salvation of one's soul

tiver Geist" Ausdruck der Daseinswahrheit. Im Gegenteil, wir
fühlen, mit ihr stimmt es nicht. Wir müssen uns vor ihr in acht
nehmen.[12] Und nicht nur, weil es in ihr Mißstände gäbe, oder
sie geschichtlich überholt wäre,[13] sondern weil ihr Grundwille und
5 ihr Maßbild falsch sind. Weil man dem Menschenwerk überhaupt
nicht in der Weise vertrauen kann, wie die Neuzeit es getan hat—
ihm ebensowenig wie der Natur.

Gewiß, eine solche Kritik muß sich ihrer Fehlerquellen bewußt
bleiben. Es könnte sein, daß aus ihr der Pessimismus eines Volkes
10 spräche, das seinen Zusammenbruch absolut setzt; oder die dunkle
Stimmung des Abendlandes, welches fühlt, es habe gealtert, und
die Führung sei an jüngere Völker übergegangen. Trotzdem
scheint die Feststellung richtig zu sein.

Die neuzeitliche Auffassung hat die Kultur für etwas „Natür-
15 liches" gehalten. Nicht im unmittelbaren Sinne, da sie ja doch
gerade auf der Fähigkeit des Geistes ruht, sich aus dem Naturzusammenhang zu lösen und ihm gegenüberzustellen. Im Sinne der
Neuzeit bilden aber Natur und Geist ein Ganzes; das Ganze
einfachhin, die Welt, in welcher alles nach letzten Gesetzen
20 verläuft, daher notwendig und richtig ist. Diese Überzeugung ist
es, welche den neuzeitlichen Kulturoptimismus begründet.

Der Gang der Geschichte hat aber diese Meinung als Irrtum
erwiesen. Der Menschengeist ist frei, Gutes wie Böses zu tun, zu
bauen wie zu zerstören. Und dieses Negative ist kein im Gesamt-
25 prozess notwendiges Gegensatz-Element,[14] sondern negativ im
sauberen Sinn des Wortes: es wird getan, obwohl es nicht getan
zu werden brauchte, obwohl anderes, Richtiges, getan werden
könnte. Ebendies ist aber geschehen, im Wesentlichsten und auf
der breitesten Linie. Die Dinge sind einen falschen Weg gegangen,
30 die Zustände zeigen es. Unsere Zeit fühlt das, und ist im tiefsten
beunruhigt. Darin liegt aber auch ihre große Chance: den Optimismus der Neuzeit durchbrechen und die Wahrheit sehen zu können.

Das wird an vielen Momenten des heutigen Zustandes sichtbar;
wir greifen einiges heraus.

---

[12] **vor ihr in acht nehmen**   to be on guard against it
[13] **gäbe . . . wäre**   *Subjunctives of uncertainty, contrasting with the
positive statement of the indicative* **sind**.
[14] **Und . . . Gegensatz-Element**   and this evil is not an essential element
of the dichotomy inherent in totality

Da ist vor allem die immer deutlicher sich abzeichnende Tatsache, daß die Kultur der Neuzeit—Wissenschaft, Philosophie, Erziehung, Gesellschaftslehre, Literatur—den Menschen falsch gesehen hat; nicht nur in Einzelheiten, sondern im Grundansatz [15] und daher im Ganzen.

Der Mensch ist nicht jener, den Positivismus und Materialismus zeichnen. Für diese „entwickelt" er sich aus dem tierischen Leben, welches seinerseits aus irgendwelchen Differenzierungen der Materie hervorgeht. Trotz noch so vieler Gemeinsamkeiten ist aber der Mensch etwas wesentlich Eigenes, denn er wird vom Geist bestimmt, der seinerseits von nichts Materiellem abgeleitet werden kann. Dadurch bekommt alles, was er ist, einen besonderen, von allem Lebendigen sonst sich unterscheidenden Charakter.[16]

Der Mensch ist auch nicht, wie der Idealismus ihn sieht. Dieser nimmt wohl den Geist an, setzt ihn aber dem absoluten Geiste gleich und wendet die Kategorie der Entwicklung auf letzteren an. Der Entwicklungsprozeß des absoluten Geistes ist der Gang der Welt, und der Mensch ist in diesen Gang hineingenommen. So kann es die Freiheit im redlichen Sinn des Wortes, die echte Entscheidung aus eigenem Anfang nicht geben. Daher kann es auch die Geschichte im redlichen Wortsinn nicht geben, und der Mensch verliert seinen wesenseigenen Daseinsraum. So ist er aber nicht. Er ist endliches Wesen, aber echte Person; unaufhebbar in seiner Eigenständigkeit,[17] unverdrängbar in seiner Würde, unvertretbar in seiner Verantwortung. Und die Geschichte geht nicht so, wie die Logik eines Weltwesens sie vorschreibt, sondern wie der Mensch sie in Freiheit bestimmt.

Der Mensch ist aber auch nicht, wie der Existentialismus [18] ihn sieht. Nach diesem hat er keine Voraussetzungen, weder Wesen noch Norm. Er ist absolut frei, und bestimmt sich selbst; nicht nur

---

[15] **im Grundansatz**   in his basic essence
[16] **von allem . . . Charakter**   a character which is differentiated from all other living matter
[17] **unaufhebbar in seiner Eigenständigkeit**   ineffaceable in his autonomy
[18] **Existentialismus**   *In its modern form, a doctrine which adheres to a middle-of-the-road orientation between idealism and materialism and emphasizes personal responsibility and decision in a seemingly purposeless world.*

in der Handlung, sondern auch im Sein. Hinausgeworfen ins Ort-
und Ordnungslose,[19] hat er nur sich, sonst nichts, und sein Leben
ist radikales Selbstschicksal. Auch das ist nicht wahr. Es gibt für
ihn Wesen, welches macht, daß der Mensch sagen kann: ich bin
5 jetzt und hier, und stehe in diesem bestimmten Zusammenhang der
Dinge. Es gibt umgebende Welt, All-Welt wie Umwelt, die
bedrohen, aber auch tragen. So könnte noch vieles angeführt werden.

Niemand, der seines Menschentums bewußt ist, wird sagen,
10 er finde sich im Bilde der neuzeitlichen Anthropologie wieder, ob
diese nun biologisch, oder psychologisch, oder soziologisch, oder
wie immer geartet sei.[20] Immer nur einzelnes von sich, Eigenschaften, Zusammenhänge, Strukturen—nie einfachhin sich selbst.
Man spricht vom Menschen, aber er wird nicht wirklich gesehen.
15 Die Bewegung geht auf ihn zu, aber er wird nicht erreicht. Man
hantiert mit ihm, aber er kommt nicht in den Griff. Man erfaßt
ihn statistisch, ordnet ihn in Organisationen ein, gebraucht ihn
zu Zwecken, aber es zeigt sich das seltsame, grotesk-furchtbare
Schauspiel, daß alles an einem Phantom geschieht. Noch wenn der
20 Mensch Gewalt erfährt, wenn er mißbraucht, entstellt, zerstört wird,
ist er nicht das, worauf die Intention der Gewalt sich richtet.

Den Menschen der neuzeitlichen Anschauung gibt es nicht.
Immerfort macht sie den Versuch, ihn in Kategorien einzuschließen,
in die er nicht gehört: mechanische, biologische, psychologische,
25 soziologische—alles Variationen des Grundwillens, aus ihm ein
Wesen zu machen, das „Natur" ist, und sei es Geistnatur. Nur eines
sieht sie nicht, was er doch zuerst und unbedingt ist: endliche
Person, die als solche existiert, auch wenn sie es nicht will, auch
wenn sie ihr eigenes Wesen leugnet. Angerufen von Gott, in Be-
30 gegnung mit den Dingen und mit den anderen Personen. Person,
welche die herrliche und furchtbare Freiheit hat, die Welt bewahren oder zerstören, ja sich selbst behaupten und erfüllen, oder
preisgeben und zugrunde richten zu können. Und letzteres nicht
als notwendiges Element in einem überpersönlichen Prozeß, sondern
35 als etwas wirklich Negatives, vermeidbar und zutiefst sinnlos.

Wäre die Kultur, als was die Neuzeit sie gesehen hat, dann

---

[19] **Ort- und Ordnungslose** *Total chaos, devoid of time and place.*
[20] **oder wie immer geartet sei** of whatever type or nature it might be

hätte sie den Menschen nie in einer solchen Weise verfehlen, ihn nie derart aus dem Blick und den Ordnungen verlieren können, wie sie es getan hat.

Fragen

1. Was untersuchte die Staatskunde am Beginn der Neuzeit?
2. Womit beherrscht der Mensch die Natur?
3. Welche Zuversicht erfüllte damals den Menschen?
4. Was ist die Kultur?
5. Woher stammt der Glaube an den Fortschritt?
6. Welche Einsicht über den Optimismus der frühen Neuzeit haben die Menschen von heute bekommen?
7. Was sagt Rousseau über die Kultur?
8. Von welchem „einen Notwendigen" weiß das Christentum?
9. Warum kann ein gottloser Kulturaufbau nicht gelingen?
10. Woher kommen heute der Zweifel und die Kritik?
11. Warum müssen wir uns vor der Kultur in acht nehmen?
12. Welches dunkle Gefühl hat jetzt das Abendland?
13. Was begründet den neuzeitlichen Kulturoptimismus?
14. Worin liegt die große Gelegenheit unserer Zeit?
15. Was für ein Mensch wird vom Positivismus gezeichnet?
16. Was kann es für den Menschen nicht geben, wenn man dem Idealismus glaubt?
17. Wie sieht der Existentialismus den Menschen?
18. Welches groteske Schauspiel zeigt sich heute?
19. Welchen allgemeinen Eindruck haben Sie von Guardinis Philosophie aus diesem Aufsatz bekommen?

Martin Niemöller

(1892-   )

Martin Niemöller first achieved fame as a daring submarine captain in World War I, then he again rose to worldwide celebrity for his courageous and outspoken opposition to Hitler during the early years of the Nazi regime. He was imprisoned for this opposition on July 1, 1937, exactly six months after the sermon reprinted below was delivered.

Martin Niemöller, born in Westphalia, was one of five children of a Lutheran clergyman. When he was eighteen he joined the Imperial Navy and was a junior officer when war was declared in 1914. By 1916 he had risen to the command of a U-boat, and in this role he achieved the record of sinking 55,000 tons of Allied shipping in 115 days. He tells us of these experiences in his autobiography, *Vom U-Boot zur Kanzel* (1934). In 1922, after ineffectual attempts at farming, he enrolled as a theological student and was ordained a minister in 1924. Intensely conservative, hostile to the Weimar government, and looking for the rebirth of Germany, he supported Adolf Hitler during the years preceding the Nazi seizure of power. Disillusionment and keen realization of how misplaced his trust had been quickly followed. Revolted by the Nazi horrors, in particular by the government's attitude toward the churches, he preached fearlessly and constantly against the regime in his church in Dahlem, a suburb of Berlin, until the inevitable retribution descended upon him. His long imprisonment was vehemently protested by men and women of good will all over the world. The King of England made a personal appeal to Hitler; but the outbreak of

World War II put an end to all hopes for his release. His last place of imprisonment was the infamous concentration camp at Dachau.

Since the end of the war Martin Niemöller has raised a strong voice for German unity and for world peace, based on Christian love. As an interpreter of German Protestantism he has evoked wide attention, especially in England and America. He is currently one of the six presidents of the worldwide Protestant organization, the World Council of Churches.

NEUJAHRSPREDIGT 1937

Das ist ein köstlich Ding, dem Herrn danken und lobsingen deinem Namen, du Höchster, des Morgens deine Gnade und des Nachts deine Wahrheit verkündigen, auf den zehn Saiten und Psalter, mit Spielen auf der Harfe. Denn, Herr, du lässest mich fröhlich singen von deinen
5 Werken, und ich rühme die Geschäfte deiner Hände, Herr, wie sind deine Werke so groß! Deine Gedanken sind so sehr tief. Ein Törichter glaubt das nicht, und ein Narr achtet solches nicht. Die Gottlosen grünen wie das Gras, und die Übeltäter blühen alle, bis sie vertilgt werden immer und ewiglich. Aber du Herr, bist der Höchste und bleibest ewiglich.

—Psalm 92, 2-9

Das neue Jahr ist angebrochen. Wir schreiben also jetzt: 1937, und wir gehen mit einer Fülle von Wünschen und Hoffnungen, vielleicht auch Befürchtungen und Erwartungen an das Werk, das vor uns liegt. Gewiß: Der eine tut es mit zögerndem, gleichsam gehemmtem Schritt, und der andere eilt ihm entgegen in freudiger Zuversicht, der eine unter dem Druck seiner Sorgen, der andere im Gefühl seiner Kraft.

Für uns, liebe Freunde, für uns als christliche Gemeinde mögen in diesem Augenblick die Sorgen wohl überwiegen; denn wir sehen es mit Augen und können es mit Händen greifen, daß sich die Wirklichkeit in der Welt nun einmal nicht dadurch ändert, daß wir Menschen ein neues Jahr ausrufen und einen neuen Anfang beschließen. Wir haben auch nicht die Spur von einem Recht, einer den andern auf bessere Zeiten zu vertrösten, als ob die schon da wären oder mindestens ihr Kommen nahe vor der Tür stünde; sondern wir als christliche Gemeinde schleppen ja—wenn anders wir die Brüderschaft ernst nehmen, in die wir hineingestellt sind—wir schleppen ja die ganze Last des vergangenen Jahres mit ihrem vollen Gewicht ins neue hinüber; und diese Last ist in den letzten Tagen nicht nur nicht leichter, sondern um ein Erhebliches schwerer und drückender geworden.

Wenn im letzten Jahr die Verkündigung des Evangeliums aus der Öffentlichkeit unseres Volkes verbannt worden ist, so ist in den letzten Tagen durch ein allgemeines Verbot sämtlicher „Evangelischer Wochen" ein gewaltiger Angriff auf die innerkirchliche Predigt eingeleitet worden.

Wenn im vergangenen Jahre die Entchristlichung der theologischen Fakultäten praktisch vollendet worden ist, so wurde in den vergangenen Wochen durch polizeiliche Schließung von theologischen Schulen und das Verbot der Ersatzvorlesungen der Bekennenden Kirche die Selbsthilfe der evangelischen Christenheit zur Ausbildung ihrer Prediger zunichte gemacht, und den jungen studierenden Brüdern für den Fall ihrer weiteren Teilnahme der Ausschluß von allen deutschen Universitäten und der Verlust aller Rechte auf Anstellung im Kirchendienst angedroht.

Und wenn im Jahre 1936 der Kampf gegen das klare Bekenntnis zu Jesu von Nazareth als dem einen Christus und Heiland in einer Weise geführt wurde, daß man den Menschen Sand in die Augen

streute [1] und auf den Wegen der Verhandlungen und Überredungs-
versuche zum Ziel zu kommen suchte, und nur in einzelnen Fällen,
wo das nicht half, zu Ausweisungen gegriffen wurde, so hören wir
an der Schwelle des Jahres 1937 von der Verhaftung des Pfarrers
5 Eißen in Fechingen, der sich weigerte, auf polizeiliches Verlangen
seine Gemeinde zu verlassen und seine Pfarrstelle aufzugeben, und
daß der Rechtsanwalt Bunke in Glogau als Vorsitzender des dortigen
Bruderrats [2] verhaftet und ins Konzentrationslager gebracht wurde. [3]
Aber das alles, liebe Freunde, müssen wir wissen, das alles
10 ist ja nur ein kleiner Ausschnitt, nur ein Teil der Last, die auf uns
liegt und die wir nicht abwerfen können! Wir sehen auch nicht,
wie das anders und besser werden könnte, sondern die Wirklichkeit
heißt nun eben—wenn anders wir die Augen auftun: „Die Gottlosen
grünen und die Übeltäter blühen alle". Es heißt nun einmal: „Aber
15 der Gerechte kommt um, und niemand ist, der es zu Herzen
nähme!" [4]
Wer diese Wirklichkeit nicht sehen und diese Last nicht mit-

---

[1] **den Menschen . . . streute**   to pull the wool over people's eyes
[2] **Bruderrats**   lay advisory board
[3] *The Evangelical Protestant and Roman Catholic churches suffered severe
persecution under the Nazi regime. In order to extend Nazi influence over
Protestant church affairs, a single Reich church was formed with Hitler's
personal candidate, Pastor Ludwig Müller, as its head. This caused a
split between the Nazi-sponsored* **Volkskirche** *and the devout opposition
group, the* **Bekenntniskirche** *(Confessional Church), under the leadership
of Dr. Martin Niemöller. Despite severe restrictive measures, the* **Bekenntniskirche** *and its 9,000 pastors continued to wage a courageous
campaign against what they considered an organized program to drive
Christianity out of Germany and to replace it with a neopagan cult based
on the ideology of Alfred Rosenberg, official Nazi cultural director. With
the arrest and imprisonment of Niemöller and hundreds of other Protestant
pastors early in 1937, the* **Bekenntniskirche** *lost much of its vitality and
will to resist. Niemöller in this sermon alludes to a number of repressive
measures against the* **Bekenntniskirche** *which occurred prior to his arrest:
(a) general prohibition against preaching of the Gospel, 1936; (b) suppression of the "Evangelische Wochen," a series of church rallies organized
by Confessional pastors, drawing audiences of 50,000 and more, 1936;
(c) secularization of theological faculties at the universities, 1936; (d) closing
of all seminars sponsored by the Confessional church; and (e) preventing
dissident Confessional seminarians from completing their studies at the
university and declaring them ineligible to receive government stipends,
1936.*
[4] *Niemöller's sermon is generously interspersed with appropriate Biblical
quotations.*

tragen will, der durchaus an dem Morgen des neuen Jahres die Botschaft hören möchte, daß alles Schlimme bloß halb so schlimm ist, alles Gute aber stark und zukunftsmäßig sei, weil wir es schon schaffen und zurechtbringen werden,—Freunde, der ist in unserer Mitte gewiß fehl am Platz;[5] denn wir haben weder den Auftrag noch die Möglichkeit, ihn in solchem Hoffen zu bestärken.

Die wir aber an dieser Wirklichkeit leiden und unter dieser Last seufzen, weil wir uns mitverantwortlich und mitverhaftet wissen, die wir es mitnehmen aus dem alten in das neue Jahr: „Wir sind die Bruderschaft der Not, wir leiden alle einen Tod, sind einer Kette Glieder"; wir sollen, liebe Gemeinde, in dieser unserer Bruderschaft nicht mit dieser sichtbaren Wirklichkeit und drückenden Not allein bleiben, und wir sollen uns nicht einbilden, wir wären allein und stünden als ein verlorenes Häuflein vor dem sicheren Untergang, und es gälte nur noch ein treues Ausharren um der Ehre willen.[6]

Sondern wir sind gerufen zu einem fröhlichen Werk: „Das ist ein köstlich Ding, dem Herrn danken!" Es ist die Versuchung des Teufels, daß er unsere Augen verzaubert und unseren Blick gefangennimmt mit der lastenden Not: „Wo ist nun dein Gott?"! Das ist die Anfechtung der Welt, die in uns steckt als Fleisch und Blut: „Wann wird Gott dir helfen? Sei doch kein Narr, hilf dir selbst!"

Aber das ist das Werk, das Gott an uns tut: „Das Volk, das im Finstern wandelt, siehet ein großes Licht!" Da werden die blinden Augen aufgetan, daß wir hindurchschauen durch das Dunkel der Not, der uns umfängt, und was wir sehen, das ist Trost und Freude und Kraft: „Herr, wie sind deine Werke so groß, deine Gedanken sind so sehr tief!"

Die blinden Augen sehen das Kind im Stall und den leidenden Mann am Kreuz; die blinden Augen sehen ein Häuflein Menschen, das unter Elend und Verfolgung seines Weges zieht;[7] die blinden Augen sehen das, was wir Wirklichkeit nennen und ihre Last und weiter nichts. Aber die Augen, die Gott aufgetan hat, die sehen in dem Kind im Stall den eingeborenen Sohn Gottes und in dem

---

[5] **der ist . . . am Platz**   he has certainly come to the wrong place, he is out of place here

[6] **es gälte . . . der Ehre willen**   as if it were only a question of waiting for the inevitable for the sake of our honor

[7] **seines Weges zieht**   go its way

leidenden Mann am Kreuz den Heiland aller Welt. Die Augen, die
Gott aufgetan hat, die sehen in dem armen Häuflein die Schar
derer, die Gott auserwählt und berufen und gerecht gemacht hat,
die arm sind und doch viele reich machen, die verfolgt werden und
5 kommen doch nicht um, die durch Trübsal wandern, aber allezeit
fröhlich sind. Die Augen, die Gott aufgetan hat, schauen auf Gottes
Werke und staunen vor ihrer Größe; die haben einen Blick in
Gottes Gedanken getan und jubeln ob [8] ihrer Tiefe.

Liebe Gemeinde, ja: wir haben wohl Grund zum Danken, denn
10 Gottes Wort ist uns gegeben und wird uns verkündigt als die frohe
Botschaft, die wir hören, um sehend zu werden, um mit den Augen
des Glaubens durch Not und Dunkel hindurchzudringen und hinter
dem allem den Einen zu finden, der in Vollmacht spricht—jawohl—:
„Siehe, ich mache alles neu!"
15 Vor der Welt müssen wir dabei freilich Toren und Narren,
Träumer und Schwärmer heißen; es wird uns schon zugemutet,[9]
daß wir dem Wort Gottes, das uns gesagt wird, glauben und trauen
sollen, auch gegen das Urteil der ganzen Welt; denn in der Welt
gilt nun einmal das Sichtbare allein, in der Welt bleibt die Botschaft
20 von dem Erlöser, der am Kreuz starb, eine törichte und anstößige
Sache, und wer ihr glaubt, wird den Spott und die Verachtung
tragen müssen.

Aber, liebe Gemeinde, was gilt's? [10] Wenn um uns her die
Gottlosen grünen und die Übeltäter blühen, was gilt's? Wenn sie
25 den Gekreuzigten verlästern und sein Bild aus den Schulen und
sein Gedächtnis aus den Kirchen ausrotten möchten, was gilt's?
Wenn sie den Glauben an die Gnade Gottes, die um des Gekreuzigten [11] willen uns Sündern zuteil wird, vor allem Volk verächtlich
machen, was gilt's? Sollen wir uns *davor* schrecken lassen?
30 Gottes Wort urteilt da anders. Gottes Wort nennt das Kreuz
des Gottessohnes göttliche Kraft und göttliche Weisheit. Gottes
Wort spricht eindeutig genug—auch von sehr hohen Persönlichkeiten—: „Ein Tor, der das nicht glaubt und ein Narr, der das
nicht achtet". Es lohnt nicht, nein, es lohnt wahrhaftig nicht, von

---

[8] **ob**   *preposition here,* because of
[9] **es wird uns schon zugemutet**   it is expected of us
[10] **was gilt's?**   what does it matter?
[11] **Gekreuzigten**   *Jesus Christ*

den Werken und Gedanken Gottes, die er uns im Glauben schauen
läßt, wegzublicken auf das Prahlen und Drohen der Toren und
Narren; es lohnt wahrhaftig nicht, den Kopf hängen zu lassen und
sich zu fürchten, weil die Gottlosen grünen und die Übeltäter
blühen, als ob ihre Herrschaft ewig wäre. Sie grünen ja nur—sagt ⁵
Gottes Wort—„wie das Gras" und blühen ja nur—sagt *Gottes* Wort
—„bis sie vertilgt werden immer und ewig."

Uns aber hat der eine ewige Gott seine Hand hingestreckt—
und diese Hand läßt nicht los; der ewige Gott hat uns sein Wort
gegeben—und dieses Wort trügt nicht: „Jesus Christus ist gestern ¹⁰
und heute und in alle Ewigkeit derselbe". Das ist das Wort, das
Gott zu uns redet, und das ist die Hand, die Gott uns hinstreckt und
mit der er uns trägt. Und so spricht er: „Greif zu! Du hast mir
Arbeit gemacht mit deinen Sünden und hast mir Mühe gemacht mit
deiner Missetat; ich tilge deine Übertretungen um meinetwillen ¹⁵
und gedenke deiner Sünden nicht!" Ja! „fürchte dich nicht, den ich
habe dich erlöst, ich habe dich bei deinem Namen gerufen. Du
bist mein!"

Wenn wir ihm glauben, liebe Gemeinde, wenn wir uns geborgen
wissen in seinen Händen, wie sollten wir uns da eigentlich fürch- ²⁰
ten, wie sotllen wir noch so tun, als wäre er nicht der Herr, dem
alle Gewalt zugehört im Himmel und auf Erden, wie sollten wir
nicht mit einstimmen: „Herr, du lässest mich fröhlich singen von
deinen Werken und ich rühme die Geschäfte deiner Hände!"?

Das ist die Not unseres Kleinglaubens und die Sünde unseres ²⁵
Unglaubens, daß wir unsere Augen blenden und unseren Blick gefangen nehmen lassen von der Not, die uns bedrängt, als wäre sie
die *eine* Wirklichkeit, unter die wir uns beugen müßten, und da
bleibt dann am Ende nichts als ein Seufzen und Murren über die
schwere Last, die wir mit uns herumschleppen von einem Tag zum ³⁰
andern, und wenn dann die Brücke kommt von einem Jahr zum
andern, dann schleppen wir unsere Last mit hinüber über die Brücke
mit Seufzen und Murren ins neue Jahr hinein, als Hypothek, die wir
auf das neue Jahr aufnehmen. Und dann hat der Teufel ein
leichtes Spiel mit uns. ³⁵

Liebe Gemeinde, wo wir aber auf die Werke Gottes schauen
und auf die Hände Christi, wo wir auf die Botschaft achten, daß

Gott allein wahrhaftig ist, und daß seine Gnade ewig währt über uns, da wird der Bann gebrochen durch den Jubel der Erlösten: „Ist *Gott* für uns, wer mag wider uns sein!?" Und der Teufel muß weichen, weil er nichts mehr zu sagen hat, und weil hier seine
5 Macht nichts mehr ausrichtet.

Darum heißt es wohl „Ein köstlich Ding, dem Herrn danken und seinem Namen lobsingen!" Denn wir bringen mit Loben und Danken bekennend zum Ausdruck, was Luther sagt: „Gott zum Freunde haben ist ja tröstlicher denn aller Welt Freundschaft
10 haben!" Und was Paul Gerhardt [12] singt: „Hab ich das Haupt zum Freunde und bin geliebt bei Gott, was *kann* mir tun der Feinde und Widersacher Rott?!"

Der Teufel wird nicht mit unserm Sorgen und Grämen vertrieben, und die Menschen werden nicht mit unserm Jammern und
15 Klagen überwunden, und wir selber werden nicht unter Seufzen und Murren unseres Heils gewiß. Aber indem wir dem Herrn danken und ihn loben, indem wir sein Tun preisen, das als Wahrheit hineinleuchtet in die Nacht unserer Blindheit, und das als Gnade mit uns geht durch den Tag unseres Wirkens, treten wir selber auf
20 den Weg des Heils, verkündigen wir die frohe Botschaft allem Volk, sprechen wir dem Versucher ein kräftiges und durchschlagendes: „Hebe dich weg von mir!"

Ja: wir sind gerufen zu einem fröhlichen Werk, liebe Gemeinde, indem wir ein neues Jahr beginnen. Wir wissen nicht, was es brin-
25 gen wird; aber eines wissen wir: der ewige Gott ist treu und gnädig, und das Werk seiner Hände wird er nicht lassen! Das ist Grund genug, zu danken und zu singen: „Gott loben, das ist unser Amt". Alles andere findet sich;[13] denn das Heil Gottes kommt uns entgegen, und dem Heil Gottes wandern wir zu.

30 „Das ist ein köstlich Ding, dem Herrn danken und lobsingen deinem Namen, du Höchster. Du lässest mich fröhlich singen von deinen Werken, und ich rühme die Geschäfte deiner Hände! Ja, du Herr bist der Höchste und bleibest ewiglich!"

---

[12] **Paul Gerhardt** *(1606-1676), famous German hymn-writer*
[13] **Alles andere findet sich** everything else will take care of itself

Fragen

1. In was für Stimmungen gehen die Menschen dem neuen Jahr entgegen?
2. Welche Stimmung herrscht in der christlichen Gemeinde?
3. Welchen Angriff hat die Regierung soeben auf die Kirche gemacht?
4. Wie hat die Regierung die Ausbildung der Pfarrer gehindert?
5. Warum wurde Pfarrer Eißen verhaftet?
6. Was ist dem Rechtsanwalt Bunke geschehen?
7. Warum ist einer, der die Gemeinde mit der Aussicht auf eine bessere Zeit tröstet, fehl am Platze?
8. Welche Rolle spielt der Teufel in der allgemeinen Not und Bedrückung?
9. Was sehen die Augen der Blinden?
10. Was sehen die Augen, die Gott aufgemacht hat?
11. Welchen Grund hat die Gemeinde zum Danken?
12. Was wird die Welt von der Gemeinde denken?
13. Welchen Trost bietet die Heilige Schrift?
14. Was ist die Sünde unseres Unglaubens?
15. Was sagt Luther über die Freundschaft der Welt?
16. Wie können wir den Teufel vertreiben und die Menschen überwinden?

Max Frisch

(1911-   )

Max Frisch, together with his compatriot Friedrich Dürrenmatt, has been hailed as one of the two leading contemporary dramatists in the German language. He was born in Zurich in 1911, educated there, and still lives there. He was at first a journalist, later a student of architecture. During World War II he served as a border guard in the Swiss army; after 1945 he traveled extensively in Europe, on both sides of the iron curtain, and in Mexico and the United States.

He is a writer of varied talents who has excited attention both by his novels and by his plays. He is a moralist, and a realistic and critical opponent of all ideologies and artificially preserved social regulations; as a consequence his work is frequently unconventional and startling. The American writer, Thornton Wilder, and the German playwright, Bertolt Brecht, have both exerted perceptible influence on him. In his work he seeks to portray man's awareness of his own guilt and his search for his own identity.

Some of his better known works are the plays *Die chinesische Mauer* (1947), *Don Juan oder die Liebe zur Geometrie* (1953), *Andorra* (1962), and the novels *Stiller* (1954) and *Homo Faber* (1957)

This selection comes from a volume of nonfictional prose.

Photo Fritz Eschen, copyright Klaus Eschen

HÖFLICHKEIT

Wenn wir zuweilen die Geduld verlieren, unsere Meinung einfach auf den Tisch werfen und dabei bemerken, daß der andere zusammenzuckt, berufen wir uns mit Vorliebe darauf, daß wir halt [1] ehrlich sind. Oder wie man so gerne sagt, wenn man sich nicht mehr halten kann: Offen gestanden! [2] Und dann, wenn es heraus [5] ist, sind wir zufrieden; denn wir sind nichts anderes als ehrlich gewesen, das ist ja die Hauptsache, und im weiteren überlassen wir

[1] **halt** *expletive*, simply
[2] **Offen gestanden** frankly expressed

es dem andern, was er mit den Ohrfeigen anfängt, die ihm unsere
Tugend versetzt.

Was ist damit getan?

Wenn ich einem Nachbarn sage, daß ich ihn für einen Horn-
5 ochsen halte—vielleicht braucht es Mut dazu, wenigstens unter
gewissen Umständen, aber noch lange keine Liebe, so wenig wie es
Liebe ist, wenn ich lüge, wenn ich hingehe und ihm sage, ich
bewundere ihn. Beide Haltungen, die wir wechselweise einnehmen,
haben eines gemeinsam: sie wollen nicht helfen. Sie verändern
10 nichts. Im Gegenteil, wir wollen nur die Aufgabe loswerden. . .

Das Höfliche, oft als leere Fratze verachtet, offenbart sich als
eine Gabe der Weisen. Ohne das Höfliche nämlich, das nicht im
Gegensatz zum Wahrhaftigen steht, sondern eine liebevolle Form
für das Wahrhaftige ist, können wir nicht wahrhaftig sein und
15 zugleich in menschlicher Gesellschaft leben, die hinwiederum allein
auf der Wahrhaftigkeit bestehen kann—also auf der Höflichkeit.

Höflichkeit natürlich nicht als eine Summe von Regeln, die man
drillt, sondern als eine innere Haltung, eine Bereitschaft, die sich
von Fall zu Fall bewähren muß—
20 Man hat sie nicht ein für allemal.[3]

Wesentlich, scheint mir, geht es darum,[4] daß wir uns vorstellen
können, wie sich ein Wort oder eine Handlung, die unseren eigenen
Umständen entspringt, für den anderen ausnimmt.[5] Man macht,
obschon es vielleicht unsrer eigenen Laune entspräche, keinen Witz
25 über Leichen, wenn der andere gerade seine Mutter verloren hat,
und das setzt voraus, daß man an den anderen denkt. Man bringt
Blumen: als äußeren und sichtbaren Beweis, daß man an die andern
gedacht hat, und auch alle weiteren Gebärden zeigen genau worum
es geht. Man hilft dem andern, wenn er den Mantel anzieht. Na-
30 türlich sind es meistens bloße Faxen; immerhin erinnern sie uns,
worin das Höfliche bestünde, das wirkliche, wenn es einmal nicht
als Geste vorkommt, sondern als Tat, als lebendiges Gelingen—

Zum Beispiel:

Man begnügt sich nicht damit, daß man dem andern einfach
35 seine Meinung sagt; man bemüht sich zugleich um ein Maß, damit

---

[3] **Man . . . allemal**   one does not possess it once and for all
[4] **geht es darum**   it is a question of
[5] **für den anderen ausnimmt**   affects the other person

sie den andern nicht umwirft, sondern ihm hilft; wohl hält man ihm die Wahrheit hin, aber so, daß er hineinschlüpfen kann.

Warum so viel Erkenntnis, die meistens in der Welt ist, meistens unfruchtbar bleibt: vielleicht weil sie sich selber genügt und selten auch noch die Kraft hat, sich auf den andern zu beziehen—   5
Die Kraft: die Liebe.

Der Weise, der wirklich Höfliche, ist stets ein Liebender. Er liebt den Menschen, den er erkennen will, damit er ihn rette, und nicht seine Erkenntnis als solche. Man spürt es schon am Ton. Er wendet sich nicht an die Sterne, wenn er spricht, sondern an die   10
Menschen. Man denke an die chinesischen Meister.

Nicht der Kluge, nur der Weise hilft.

„Im Deutschen lügt man, wenn man höflich ist."[6] Ein gräßliches Wort, wenn einer es als Auszeichnung nimmt; das Bekenntnis eines Mannes, der kein Maß hat, der nicht mehr echt ist, wenn er   15
Maß hält, und somit unerträglich für die andern, sobald er echt ist.

Mephisto[7] liefert übrigens die Antwort schon in dem Augenblick, da er das Stichwort gibt, das bekannte: „Du weißt wohl nicht, mein Freund, wie grob du bist".[8] Wichtig ist nicht, daß er grob ist. Dafür genügt der Nebensatz. Wichtig ist vor allem, daß   20
er es nicht weiß, und das heißt: daß er sich nicht auf die andern beziehen kann. Er empfindet es selber als Lüge, wenn er nach unserem Befinden fragt, wenn er höflich ist. Das ist ein ehrliches Bekenntnis, gewiß! Nur ist es wieder jenes Poltern mit einer Tugend, die auf Kosten der andern geht und nicht genügt, da sie nur ihm   25
genügt.

Unsere Schablone vom Künstler:

Daß ein Mensch, der innerlich ist, nicht höflich sein kann oder darf; das Innerliche und das Höfliche als unvereinbare Gegensätze; das Unbändige als Zeichen eines echten Menschen; der Künstler als   30
Außenseiter—und zwar nicht darum, weil er eine andere Art von menschlicher Gesellschaft erstrebt, sondern einfach darum, weil ihn

---

[6] **„Im Deutschen . . . höflich ist"**   "In German, people lie when they're polite." *Goethe, Faust II, 6771*
[7] **Mephisto**   *devil in Goethe's* **Faust**
[8] **Du weißt . . . du bist**   Surely, my friend, you don't realize how rude you are! *Goethe, Faust II, 6770*

die menschliche Gesellschaft nichts angeht, und zwar auf keinen
Fall, so daß er sie auch nicht verändern muß—
    Punktum!

Es fragt sich, ob diese romantische Schablone jemals stimmte,
5 ob sie für einzelne Völker stimmte, beispielsweise das deutsche, ob
sie für uns und unsere Zukunft stimmt. Jedenfalls stimmt sie nicht
für den griechischen Künstler, der sich seiner Polis [9] verpflichtet
wußte; nicht für Dante, den die Verbannung traf; nicht für Goethe;
nicht für Gottfried Keller,[10] der Staatsschreiber wird und seine
10 Mandate zum eidgenössischen Bettag [11] schreibt; nicht für Gotthelf; [12] nicht für die modernen Franzosen, die Dichter bleiben, auch
wenn sie staatliche Ämter bekleiden.[13]

Ziel ist eine Gesellschaft, die den Geist nicht zum Außenseiter
macht, nicht zum Märtyrer und nicht zum Hofnarren, und nur
15 darum müssen wir Außenseiter unsrer Gesellschaft sein, insofern
es keine ist—Höflich zum Menschen. Aber nicht zum Geld.

Verpflichtet an eine Gesellschaft der Zukunft:—wobei es für
die Verpflichtung belanglos ist, ob wir selber diese Gesellschaft noch
erreichen, ob sie überhaupt jemals erreicht wird; Nähe oder Ferne
20 eines Zieles, solange es uns als solches erscheint, ändern nichts an
unsrer Richtung.

Fragen

1. Wie entschuldigen wir unsere Wutausbrüche?
2. Unter welchen Umständen sagt man „offen gestanden!"?
3. Was wollen wir eigentlich, wenn wir einen Nachbarn beschimpfen oder ihm übermäßig schmeicheln?

---

[9] **Polis**   (*Greek*) city, community
[10] **Keller**   *Gottfried Keller (1819-1890), great Swiss novelist and poet.*
[11] **Bettag**   *Legal Swiss church holiday dedicated to prayer and devotional
meditation; dates from early Christian time when through collective prayer
some catastrophe was to be averted.*
[12] **Gotthelf**   *Jeremias Gotthelf (Albert Bitzius) (1797-1854), Swiss novelist.*
[13] **staatliche Ämter bekleiden**   served in government posts (*Paul Claudel,
André Malraux*)

4. Worauf besteht die menschliche Gesellschaft?
5. Was setzt die Höflichkeit immer voraus?
6. Warum bringt man Blumen?
7. Was gibt uns die Kraft, uns aufeinander zu beziehen?
8. Was hat der Weise, der wirklich Höfliche, stets?
9. Was wird dadurch bewiesen, daß man nicht weiß, wie grob er ist?
10. Welche romantische Schablone gibt es über den Künstler?
11. Welche Beispiele der Beziehung des Künstlers zur Gesellschaft zählt der Verfasser auf?
12. Was hat die Ferne oder Nähe eines Zieles, wonach man strebt, mit der Richtung des Strebens zu tun?

Vocabulary

The vocabulary aims at completeness, with the following exceptions: proper names and other unusual words explained in the notes; personal pronouns, possessive adjectives, articles, relative and demonstrative pronouns and adjectives; numerals; obvious cognates.

The gender of a noun is indicated by the preceding definite article; the genitive singular is indicated only if it ends in –(e)n or is otherwise unusual; the plural is indicated. Words which are interchangeable as adjectives and adverbs in German are defined in their adjectival form. Principal parts of strong verbs are indicated in most cases simply by listing the *Ablaut* vowels (e.g., **singen, a, u**); where there is consonantal change this is listed. No indication of the past tense auxiliary is given.

English meanings are intended to be suggestive rather than exhaustive.

Abbreviations

acc.	accusative	*pl.*	plural
adj.	adjective	*p.p.*	past participle
adv.	adverb	*prep.*	preposition
compar.	comparative	*pres. p.*	present participle
conj.	conjunction	*superl.*	superlative
dat.	dative	*v.i.*	intransitive verb
gen.	genitive	*v.t.*	transitive verb
imp.	impersonal	*w.*	with

ab•ändern alter, change

die **Abänderung, –en** alteration, change

die **Abbreviatur, –en** abbreviation, short form

die **Abdankung, –en** abdication

der **Abdruck, ⸗e** copy

der **Abend, –e** evening

die **Abendgesellschaft, –en** evening party, soiree

das **Abendland** the Occident
    abendländisch occidental
die **Abendstunde, –n** evening hour
das **Abenteuer, –** adventure
der **Abenteu(e)rer, –** adventurer
    abenteuerlich adventurous
    abenteuern have adventures
der **Abenteuerroman, –e** adventure novel, picaresque novel
    aber but, however
der **Aberglaube, –ns, –n** superstition
    abermalig repeated
der **Abfall, ⁼e** discard; decline; waste matter
    ab•fallen fall away, defect
    ab•fassen write, compose, put together
die **Abfassung, –en** composition, writing
sich **ab•finden (mit)** tolerate, put up (with)
sich **ab•geben (mit)** concern oneself (with)
    ab•gehen be lacking
die **Abgetrenntheit** separation, exclusiveness
der **Abglanz** reflected splendor, reflection
    ab•grenzen delimit, mark off
der **Abgrund, ⁼e** abyss, gulf
die **Abgrundtiefe, –n** unfathomable depth
    abhanden•kommen get lost
    ab•hängen depend
    abhängig dependent
    ab•helfen remedy, help

    ab•kommen get away (from)
der **Abkömmling, –e** descendant, offspring
der **Ablauf, ⁼e** course, end
    ab•legen lay aside, take (an examination)
    ab•lehnen refuse, reject
die **Ablehnung, –en** refusal, rejection
    ab•leiten derive
    ab•lenken divert, turn aside
die **Ablenkung, –en** deflection, diversion
    ab•lösen detach
    ab•nehmen decrease, take off
die **Abneigung, –en** distaste, hostility, disfavor
die **Abnormität, –en** abnormality
(sich) **ab•runden** round (oneself) off
der **Abscheu** horror, aversion, contempt
der **Abschied, –e** farewell
    ab•schließen shut off conclude
der **Abschluß, ⁼sse** conclusion, culmination
    ab•schrecken terrify, frighten
    ab•schreiben copy
die **Abschrift, –en** (handwritten) copy
    ab•schütteln shake off
    ab•schwächen weaken, diminish, reduce
    ab•schwören abjure, forswear

ab•sehen (**von etwas**) disregard; **auf . . . abgesehen** intended for; **von . . . abgesehen** disregarding

abseits aside, apart, astray

die **Absicht, –en** intention, purpose

absichtlich intentional

absolvieren finish (one's education); **absolviert** graduated

sich **ab•spielen** take place, occur

ab•sprechen deny, refuse

die **Abstammung, –en** descent

ab•streichen strike off, remove

ab•streifen cast off

die **Abstufung, –en** gradation

die **Abteilung, –en** division, department

ab•treiben (v.i.) drift off, (v.t.) drive away

ab•treten surrender, renounce

ab•tun put aside

ab•wägen balance, weigh

ab•warten wait for

ab•weichen deviate

die **Abweichung, –en** deviation

ab•werfen yield, bring in, cast off

sich **ab•zeichnen** contrast (with)

ach ah, oh, alas!

Acht: in — nehmen be careful of, take care of

achten heed; **auf etwas —** pay attention to something

die **Achtung** esteem, respect

die **Ackerfurche, –n** furrow in a plowed field

der **Adel** nobility

adlig of noble birth

ahnden avenge, punish

ähneln be similar to, resemble

ahnen have a presentiment (of)

die **Ahnenprobe, –n** proof of (well-born) ancestry

ähnlich similar

die **Ähnlichkeit, –en** similarity

die **Ahnung, –en** presentiment, premonition, intuition

ahnungslos unsuspecting

akademisch academic

der **Akkord, –e** chord

der **Akt, –e** act, deed

die **Aktion, –en** action, episode

aktiv active

das **Akzidens, Akzidenzien** non-essential factor, accident

die **Albernheit, –en** silliness, foolishness

all all, every; **—e** everyone; **—edem** all that; **—es** everything; **vor —em** above all

allein (adj.) alone; (conj.) but

allemal: ein für — once and for all

aller– (adjectival prefix) most

allerdings to be sure, indeed, it is true

allerlei of every kind

allezeit forever, always

allgemein universal, general, common

die **Allgemeingültigkeit** universal validity

die **Allgemeinheit** universality, generality
allgemeinverständlich universally understandable
allmählich gradual
allstündlich hourly
der **Alltag** commonplace existence, daily life, monotony
allumfassend all embracing
die **Allumfassung** all embracing nature
allzu (*all*) too
als than, when, as if; — **ob** as if
also accordingly, thus, therefore
alt old
das **Alter** (*old*) age
altern grow old
der **Altersgenosse, —n —n** contemporary, equal in age
das **Altertum, ⸚er** antiquity
althistorisch ancient, belonging to ancient history
altnordisch old Norse
das **Altpreußentum** old Prussian spirit
altpreußisch old Prussian
altspanisch old Spanish
sich **amerikanisieren** become Americanized
das **Amt, ⸚er** office, official position, function
amtlich official
an (*prep. w. dat. or acc.*) at, to, for, on
an•blicken look at
an•brechen begin, break out
an•bringen apply, use
andauernd permanently

das **Andenken** memory
ander— other; **—s** otherwise, differently
andererseits on the other hand
(sich) **ändern** change, alter
anderthalb one and a half
anderwärts in other respects
an•deuten indicate
andeutend allusive; implicit
an•drohen threaten
an•eignen appropriate
die **Aneignung, —en** appropriation
aneinander•stoßen be adjacent
an•erkennen acknowledge, edge, recognize; **anerkannt** recognized
der **Anfang, ⸚e** beginning
anfangs in the beginning
an•fangen begin
die **Anfechtung, —en** challenge; temptation
an•fertigen make, produce, prepare
die **Anforderung, —en** requirement, demand
an•führen lead; cite
der **Anführer, –** leader
angeblich presumed, supposed, alleged
angeboren native, innate
an•gehen concern
an•gehören belong to
angehörig belonging to
der **Angehörige** member
angekränkelt sickened
die **Angelegenheit, —en** affair, concern, business, matter
angenehm pleasant
angesichts in view (of)

der **Angestellte** employee
der **Angriff, –e** attack
die **Angst, ⸚e** terror, fear, anguish
an•haften adhere
(sich) **an•hängen** attach (oneself)
der **Anhänger, –** adherent, dependent
an•klagen accuse
die **Anknüpfung, –en** connecting link
an•kommen arrive; **auf etwas —** depend on something, matter
die **Anlage, –n** situation, tendency
der **Anlaß, –lässe** cause, occasion
an•leiten train, instruct, stimulate
an•locken lure, entire, attract
die **Anmut** grace, comeliness, charm
anmutig charming, pleasant
die **Annahme, –n** assumption
annehmbar acceptable
an•nehmen take on, accept, assume
die **Annexion, –en** annexation
anonym anonymous
(sich) **an•passen** adapt (oneself), fit
an•pflanzen plant, sow
an•preisen praise
an•rechnen attribute (to)
an•reden address, speak to
an•regen stimulate
au•rufen appeal (to), invoke

an•schauen look at, contemplate
anschaulich concrete, graphic, visible; **— machen** illustrate
die **Anschaulichkeit** vividness
die **Anschauung, –en** view, opinion
an•schlagen strike (a note)
an•sehen regard, look at
die **Ansehung, –en** regard, respect
die **Ansicht, –en** view, opinion
an•spornen spur on, stimulate
an•sprechen address (as); speak to
Anspruch: in — nehmen make demands on, claim
anspruchslos modest, undemanding
anständig decent
anstatt (*prep. w. gen.*) instead of
an•stellen start, set in motion, do
die **Anstellung, –en** appointment, employment
der **Anstoß, ⸚e** impact, opposition, offense
anstößig objectionable
an•streben strive for
die **Anstrengung, –en** effort
der **Anteil, –e** share, part, sympathy
antinazistisch anti-Nazi
das **Antlitz, –e** countenance, face
die **Antwort, –en** answer
an•vertrauen entrust
an•weisen assign
(sich) **an•wenden** apply

die **Anwendung, –en** application

die **Anzahl** number

an•ziehen attract, dress

Äonen (*pl. only*) eons

apodiktisch apodictic

apollinisch Apollonian

der **Apollinismus** Apollinism

die **Apologie** defense

der **Apparat, –e** apparatus

appellieren appeal

die **Arbeit, –en** work

arbeiten work

der **Arbeiter, –** worker

die **Arbeitermasse, –n** mass of workers

die **Arbeiterschaft** workmen, working class

der **Arbeitnehmer, –** employee, worker

das **Arbeitsmittel, –** means of production

arg wicked, bad, unfortunate

arm poor

der **Arm, –e** arm

die **Armee, –n** army

die **Armut** poverty

die **Art, –en** kind, species, sort

der **Arzt, ⁻e** physician

der **Aschenrest, –e** remains of ashes

der **Asiatismus** Asianism

die **Askese** asceticism

der **Asket, –en, –en** ascetic

die **Asketen–Philosophie** philosophy of asceticism

der **Assistent, –en, –en** assistant

die **Ästhetik** esthetics

ästhetisch esthetic

die **Ätiologie** etiology

atmen breathe

das **Attentat, –e** attempted assassination, attack

der **Attentäter, –** would-be assassin, attacker

auch also, even

auf (*adv.*) open; (*prep. w. dat. or acc.*) upon, on, to

der **Aufbau** construction

auf•bauen construct; **sich —** develop, be constructed

auf•blättern turn over the leaves (*of a book*)

auf•bringen muster up

auf•decken discover, open up

sich **auf•drängen** intrude, obtrude

die **Aufeinandergewiesenen** those who are bound to one another

auf•erlegen impose

auf•fangen catch

auf•fassen comprehend, conceive, view

die **Auffassung, –en** comprehension, conception, view

auf•finden find

auf•fordern call upon, ask, invite, challenge

auf•führen perform

die **Aufgabe, –n** function, task, assignment

der **Aufgang, ⁻e** rise

auf•geben give up

auf•gehen rise, be consumed

auf•glimmen, o, o flicker up

auf•halten maintain, delay

auf•heben neutralize, cancel

auf•hören stop

auf•klären enlighten, explain

die Aufklärung, –en enlightenment

die Aufklärungszeit time of the Enlightenment

auf•kommen come up

auf•legen impose

(sich) auf•lösen dissolve (oneself)

aufmerksam attentive

die Aufmerksamkeit, –en attentiveness, attention

die Aufnahme, –n reception

aufnahmefähig eligible, receptive, capable of receiving *or* being received

auf•nehmen take up, receive

aufrecht upright, honest, erect

aufrecht•erhalten keep upright

die Aufrechterhaltung maintenance (*of security or support*)

sich auf•recken stretch out, reach up

sich auf•richten stand erect

der Aufsatz, ¨e essay

auf•schieben postpone

der Aufschwung, ¨e upswing, recovery

auf•spannen stretch over, spread over

auf•sparen save up

auf•springen leap up, burst open

auf•steigen ascend, rise

auf•stellen set up

die Aufstellung, –en setting-up, erection

der Aufstieg, –e ascent, rise

auf•stöbern discover, unearth, ferret out

auf•suchen visit, look up

der Auftrag, ¨e commission, errand, mission

auf•treten appear, emerge

das Auftreten appearance

(sich) auf•tun open

auf•wachsen grow up

aufwärts upwards

auf•weisen show, exhibit

auf•wenden use, spend

auf•wiegen compensate, balance

auf•zählen enumerate

auf•zehren consume

auf•zwingen force upon

das Auge, –n eye; ins — fassen fix the eye on

der Augenblick, –e moment

aus (*adv.*) all over; (*prep. w. dat.*) out of, from

aus•beuten exploit

aus•bilden develop, educate; ausgebildet trained

die Ausbildung, –en education, training

aus•brechen erupt, break out

(sich) aus•breiten spread around, spread out

die Ausbreitung, –en spreading out, diffusion, expansion

der Ausbruch, ¨e eruption, outbreak

die Ausbürgerung, –en disenfranchisement, withdrawal of citizenship aus•dehnen extend, stretch out

die **Ausdehnung,** –en expansion, spread

der **Ausdruck,** ̈e expression

(sich) **aus•drücken** express (oneself)

ausdrücklich explicit, definite, express

auseinander•reißen tear apart, tear asunder

auseinander•setzen explain; **sich**— argue (with)

die **Auseinandersetzung,** –en explanation

auserwählen single out, select; **auserwählt** selected

aus•fallen turn out, eventuate

aus•führen carry out, execute

ausführlich in detail

aus•füllen fill up

die **Ausgabe,** –n edition; expense

der **Ausgang,** ̈e issue, event, outcome

(sich) **aus•geben** pass (oneself) off as, pretend to be

aus•gehen end, issue, proceed; **auf etwas** — intend to do something

ausgeprägt distinctive, marked, pronounced

ausgesogen *see* **aus• saugen**

ausgezeichnet distinguished, excellent

ausgiebig plentiful, copious, considerable

die **Ausgrabung,** –en excavation

aus•halten endure

aus•harren endure, persevere

aus•höhlen hollow out, undermine

die **Auskunft,** ̈e information

das **Ausland** foreign country

ausländisch foreign

aus•lassen omit

sich **aus•leben** live one's life to the full

aus•legen interpret, explain

die **Auslese,** –n selection, choice gathering, elite

der **Ausleseapparat,** –e instrument of selection

aus•löffeln spoon out, eat up

aus•lösen release, let loose

aus•machen compose, constitute

die **Ausnahme,** –n exception

der **Ausnahmsfall,** ̈e exceptional case

ausnahmsweise by exception

sich **aus•nehmen** look, appear

die **Ausnützung,** –en utilization, exploitation

die **Ausprägung,** –en definite expression

die **Ausrede,** –n excuse

aus•reichen suffice, be enough

aus•reinigen clean out

aus•richten accomplish perform

aus•rotten exterminate

aus•rufen exclaim, cry out

die **Aussage, –n** assertion

aus•saugen (*p.p.* **ausgesogen**) suck out, exhaust, drain

die **Ausschaltung, –en** elimination

Ausschau halten keep a watch for

aus•schließen exclude

ausschließlich exclusive

der **Ausschluß, –schlüsse** exclusion

der **Ausschnitt, –e** section

aus•sehen look, appear;

das **Aussehen** appearance

außen•bleiben remain outside

der **Außenseiter, –** outsider

außer (*prep. w. dat.*) except

äußer – outer

außerdem besides that

außerhalb (*prep. w. gen.*) outside of

äußerlich external, outward

die **Äußerlichkeit, –en** externality, outwardness

äußern express, utter

außerordentlich extraordinary

äußerst extremely

aus•setzen stop; **sich —** (expose oneself)

die **Aussicht, –en** prospect, view

aus•spinnen, a, o spin out

aus•sprechen pronounce, enunciate

der **Ausspruch, –̈e** pronouncement, utterance

aus•spüren hunt out

sich **aus•staffieren** equip oneself

aus•statten fit out, equip, furnish

aus•strecken stretch, extend

aus•streuen scatter around, spread

der **Austausch, –e** exchange

die **Austilgung, –en** extirpation, extermination

die **Ausübung, –en** exercise

aus•wachsen grow out, increase

die **Auswahl, –en** choice, selection

aus•wählen choose, select

der **Ausweg, –e** way out, passage out

die **Ausweisung, –en** deportation, expulsion

aus•wischen wipe out, erase

(sich) **aus•zeichnen** distinguish (oneself)

die **Auszeichnung, –en** distinction, mark of esteem

aus•ziehen go away

der **Autoerotismus** autoeroticism

autonom autonomous

der **Autonomiegedanke, –ns, –n** thought of autonomy

der **Autor, –en** author

die **Azurglocke, –n** dome of blue sky

der **Bach, –̈e** brook, stream

bagatellisieren minimize, underrate

bald soon; **— . . . —** now . . . now

die **Ballade, –n** ballad

der **Balladenstoff, –e** subject matter of a ballad

der **Bann** charm, spell; **im —e** under the spell
bannen spellbind
der **Barren, –** bar (of metal)
der **Bau, –ten** building, construction
bauen build, construct
der **Bauer, –n** peasant, farmer
bäuerlich rural, rustic
bauernmäßig peasant-like
der **Baumeister, –** architect
beabsichtigen intend
beachten pay attention to, heed
der **Beamte** (declined like adj.) official
der **Beamtengeist, –er** spirit of officialdom
das **Beamtentum** officialdom
die **Beanspruchung, –en** demand, claim
beantworten answer
die **Beantwortung, –en** answer, reply
bearbeiten work over, arrange
die **Bearbeitung, –en** treatment, arrangement, working over
bedauern regret
das **Bedenken** reflection, consideration, objection
bedeuten mean, signify
bedeutsam meaningful, significant
die **Bedeutsamkeit** significance, importance
die **Bedeutung, –en** meaning, significance
sich **bedienen** make use (of)
bedingen, a, u condition, cause

die **Bedingtheit, –en** conditionality
die **Bedingung, –en** condition
bedrängen oppress
bedrohen threaten
die **Bedrohung, –en** threatening attitude, threat
die **Bedrückung, –en** oppression
bedürfen need
das **Bedürfnis, –se** need, requirement
bedürftig in need (of)
beehren honor
beeinflussen influence
die **Beeinflussung, –en** influence
die **Beeinträchtigung, –en** injury, impairment, detriment
befähigen enable
sich **befassen** concern oneself (with)
der **Befehl, –e** command, order
befehlen, a, o, ie command, order
befestigen make firm, fasten
die **Befestigung, –en** attachment, fastening
befinden find, discover; **sich —** be
das **Befinden** welfare, state of health
beflügeln give wings to
die **Befolgung, –en** following, compliance
befragen interrogate
die **Befragung, –en** questioning, interrogation
befreien liberate
der **Befreier, –** liberator, deliverer

die **Befreiung, –en** liberation, deliverance

der **Befreiungskrieg, –e** war of liberation

das **Befremden** astonishment, dismay

befriedigen satisfy; **befriedigt** satisfied, with satisfaction

die **Befürchtung, –en** apprehension, fear

begegnen meet, encounter

die **Begegnung, –en** encounter

begehen commit

begehren desire, covet

begeistern inspire; **begeistert** enthusiastic; **sich —** be enthusiastic

die **Begeisterung, –en** enthusiasm

die **Begierde, –n** desire

der **Beginn** beginning, commencement

beglücken make happy

die **Begnadung** divine favor, grace from on high

sich **begnügen** content oneself

begreifen comprehend, grasp, understand

begreiflich understandable

begrenzt limited, bounded

der **Begriff, –e** concept

die **Begriffswelt, –en** world of concepts

begründen give reasons for, be the basis for, establish

der **Begründer, –** founder

die **Begründung, –en** foundation, establishment

begrüßen greet, welcome

begünstigen encourage, show favor to, favor

die **Begünstigung, –en** favor, support

das **Behagen** comfort, ease, pleasure

behaglich comfortable

behalten keep

das **Behältnis, –se** receptacle, vessel

behandeln treat, discuss

die **Behandlung, –en** treatment

die **Behandlungsweise, –n** manner of treatment

(sich) **behaupten** maintain, assert (oneself)

die **Behauptung, –en** assertion, claim

behend quick, agile

(sich) **beherrschen** control (oneself)

Behuf: zum — for the purpose (of)

bei (*prep. w. dat.*) with, at, in the case of

bei•bringen teach

beide both, the two

beidemal both times

beieinander beside each other

sich **bei•gesellen** associate oneself

beinahe almost

beisammen together

beiseite•schieben push aside

das **Beispiel, –e** example; **zum —** for example

beispielsweise by way of example

bei•steuern contribute

der **Beitrag, –̈e** contribution

bei•wohnen be present at, attend

bejahen affirm, assent to
bekämpfen fight against, assail
bekennen make known,
bekanntgeworden having become known
bekanntlich as is well known
die **Bekanntschaft, –en** acquaintance
bekennen make known, confess
das **Bekenntnis, –se** confession, admission
bekleiden adorn, clothe; **ein Amt —** hold an office
bekräftigen strengthen
die **Bekräftigung, –en** confirmation, strengthening
belanglos without importance
die **Belastung, –en** burden, trouble, taint
beleben quicken, vivify, give life to
belegen give reasons for
belehren instruct
die **Belehrung, –en** instruction, advice
belesen well-read
beleuchten illuminate
der **Belgier, –** Belgian
beliebig optional
belohnen reward
die **Belohnung, –en** reward
bemerken comment, notice
die **Bemerkung, –en** remark, comment
bemessen measure
sich **bemühen** take trouble, make an effort

sich **benehmen** behave
benennen name
benutzen use
beobachten observe
die **Beobachtung, –en** observation
bequem comfortable
die **Bequemlichkeit** indolent comfort
beraten advise
die **Beratung** advice, counsel, consultation
sich **berauschen** become intoxicated
berechnen calculate
die **Berechnung, –en** calculation
berechtigen justify
der *or*
das **Bereich, –e** compass, area, range, realm
bereichern enrich
bereit ready
bereiten make ready, prepare
bereits already
die **Bereitschaft** readiness
die **Bereitwilligkeit** readiness, willingness
der **Berg, –e** mountain
bergen, a, o, i protect, make secure
der **Bergrutsch, –e** mountain slide
der **Bericht, –e** report, account
berichten report, give account
berichtigen correct, amend
berücksichtigen take into account, bear in mind
der **Beruf, –e** vocation, occupation, profession

berufen call, assign, invoke; sich — auf appeal to

die Berufsarbeit, –en professional task, professional work

die Berufsart, –en type of profession

die Berufsgemeinschaft, –en community of profession

berufsmäßig professional

die Berufung, –en (academic) appointment, calling, appeal

beruhen rest upon, be based on

berühmt famous

berühren touch

die Berührung, –en touch, contact

(sich) beschäftigen occupy (oneself)

die Beschäftigung, –en occupation, employment

beschaulich thoughtful, contemplative

bescheiden modest

beschieden granted to

beschimpfen abuse, insult, revile

beschleunigen hasten

die Beschleunigung, –en acceleration

beschließen decide (upon)

beschönigen extenuate, excuse, water down

die Beschönigung, –en extenuation, palliation, excuse

die Beschränkung, –en limitation

beschreiben describe

beschwänzt with a tail

die Beschwerde, –n difficulty, trouble, complaint

beschwören beseech, adjure

beseelen animate, enliven, inspire

beseitigen remove

die Besetzungserörterung, –en discussion of appointment

die Besichtigung, –en inspection

die Besiedlung, –en colonization, settlement

besingen sing about, celebrate in song

sich besinnen (auf etwas) remember (something), recollect

die Besinnung recollection, consciousness

der Besitz possession

besitzen possess

besolden pay, give a salary to

besonder- special; —s especially

die Besonderheit, –en distinctiveness, individuality

besorgen take care of, perform

besser better

der Bestand, –̈e stock, constituency

beständig constant

bestärken strengthen

bestätigen confirm

bestehen exist, consist, insist, persist, pass (a test)

bestellen order, arrange, plant

bestgeraten most successful

bestimmen determine, set, destine; bestimmt definite

die **Bestimmtheit** definiteness, certainty

die **Bestimmung, –en** designation, purpose, appropriate place

bestmöglich best possible

die **Bestrebung, –en** effort

der **Besuch, –e** visit

besuchen visit

besudeln soil, defile

die **Betätigung** putting into practice, activation

die **Betonung, –en** emphasis

betören befool, bemuse, besot, infatuate

Betracht: in — in(to) consideration

betrachten observe, consider, contemplate

beträchtlich considerable

der **Betrag, ⁻e** amount

betreffen concern

betreffend concerning

betreiben carry on

der **Betrieb, –e** activity

das **Betriebsmittel, –** means of production

der **Betroffene** the one concerned

betrügen, o, o deceive

sich **beugen** bend, lean

beunruhigen disturb

der **Beurteiler, –** judge, critic

die **Beurteilung, –en** judgment, opinion

die **Bevölkerung, –en** population

bevor before

bevor•stehen impend, be at hand, be in store for

bevorzugen favor, give advantage to

bewahren preserve, conserve

sich **bewähren** prove oneself

die **Bewahrerin, –nen** woman who keeps *or* preserves

die **Bewährung, –en** confirmation, proof, verification

die **Bewältigung, –en** conquest, mastery, overcoming

(sich) **bewegen** move (oneself) (*weak verb*)

bewegen, o, o motivate

beweglich movable, flexible, elastic

die **Bewegung, –en** movement, motion

die **Bewegungsgleichung, –en** equation of motion

der **Bewegungszustand** condition of motion

der **Beweis, –e** proof, evidence

beweisen, ie, ie prove, show

der **Bewerber, –** applicant, candidate, competitor

bewirken bring about, cause

bewundern admire

bewundernswert admirable

die **Bewunderung** admiration

bewunderungswürdig worthy of admiration

bewußt conscious, aware

das **Bewußtsein** consciousness

die **Bewußtseinswelt, –en** world of consciousness

bezahlen pay

bezaubern enchant

bezeichnen mark, denote, designate

bezeugen testify, bear witness to

sich **beziehen (auf)** refer (to)

die **Beziehung, –en** connection, reference, relationship

die **Beziehungskraft, ⁼e** power of relationship

Bezug: in — auf in reference to

bezüglich (*w. gen.*) with respect to

die **Bezweiflung, –en** doubt

die **Bibliothek, –en** library

der **Biedermann, ⁼er** honest man, honorable man, Philistine

biegen, o, o bend

biegsam flexible

die **Biegung, –en** bending, flexion

bieten, o, o offer

das **Bild, –er** picture, image

bilden form, educate;

gebildet educated

bildnerisch pictorial

bildsam impressionable, pliant, docile

die **Bildung, –en** formation, education

billig inexpensive, proper

binden, a, u tie, fasten, bind

der **Bindfaden, ⁼en** string

die **Bindung, –en** connection

binnen (*prep. w. dat.*) within

bis until

der **Bischof, ⁼e** bishop

bisher until now, heretofore

bisherig- previous

bissig ferocious, savage, snappish

die **Bitte, –n** request

bitten, bat, gebeten ask (*a favor*)

blasen, ie, a, ä blow

das **Blatt, ⁼er** leaf, page

bleiben, ie, ie remain

blenden make blind

der **Blick, –e** glance, look

blicken look

blicklos sightless

blind blind

die **Blindheit** blindness

blinzeln blink

bloß barely, merely, simply, only

bloß•legen expose, lay bare

bluffen bluff

blühen bloom, flourish

die **Blume, –n** flower

das **Blut** blood

die **Blüte, –n** blossom, flowering

der **Blutfleck, –en** bloodstain

der **Boden, ⁼** ground, soil, floor

bodenlos bottomless

böse angry, evil

boshaft malicious, nasty

die **Botschaft, –en** message

der **Botschafter, –** ambassador

der **Bratenrock, ⁼e** frock coat

brauchbar useful, usable

brauchen need, use

braun brown

die **Braut, ⁼e** betrothed woman, bride

brav good, well-behaved

brechen, a, o, i break

die **Brechung, –en** refraction

breit broad

die **Breite, –n** breadth, latitude

brennen, brannte, gebrannt burn

der **Brief, –e** letter

bringen, brachte, gebracht bring

der **Brite, –n, –n** Briton

britisch British

der **Bruch, ⸚** fraction, break, rupture, breaking
brüchig brittle, fragile, cracked
der **Bruchteil, –e** fragment
die **Brücke, –n** bridge
brücken bridge
der **Bruder, ⸚** brother
der **Bruderrat** council of brothers
die· **Brüderschaft, –en** brotherhood, fraternity
die **Brust, ⸚e** breast, chest
das **Buch, ⸚er** book
der **Büchermacher, –** maker of books
das **Bücherschreiben** writing of books
der **Bund, ⸚e** confederation, union
das **Bündnis, –se** alliance, league
die **Burg, –en** citadel, fortress
der **Bürger, –** citizen
das **Bürgerhaus, ⸚er** middle-class home
der **Bürgerkrieg, –e** civil war
bürgerlich civil, of the middle class
die **Bürgerlichkeit** bourgeoisie
die **Bürgerschaft, –en** citizens, townspeople
der **Bürgersohn, ⸚e** son of plain people
das **Bürgertum** bourgeoisie
die **Bürgschaft** pledge, guarantee
bürokratisch bureaucratic
bürokratisiert bureaucratized
der **Bursche, –n, –n** fellow
die **Buße** atonement, penance

die **Chance, –n** opportunity
das **Charakterbild, –er** picture or image of a character
das **Charivari, –s, –s** noise, hubbub, uproar, hullabaloo
der **Chef, –s, –s** head, chief
chinesisch Chinese
das **Christentum** Christianity
christlich Christian
chronisch chronic

d.h. (das heißt) i.e., that is
da (*adv.*) there, then; (conj.) since
dabei in it, at it, there, besides, moreover
der **Dachboden, ⸚** attic
dadurch by that means, thus
dagegen on the contrary
daheim at home
daher from there, thence, therefore
dahin to that point, gone
dahin•fallen fall away, become invalid
dahin•gehen tend toward, aim at
dahin•rennen run along
dahin•treiben (*v.i.*) float along, be carried along; (*v.t.*) drive
damalig- of that time
damals at that time
die **Dame, –n** lady
die **Damenmode, –n** ladies' fashion
damit in order that, therewith
die **Dämmerung, –en** twilight
danach accordingly, thereafter

dänisch Danish

dankbar grateful

danken thank

die **Danksagung, –en** thanksgiving

dann then; — **und wann** now and then

daran adjacent to it, near it, at it, (*w.* **denken**), because of it, (*w.* **glauben**), in it

daran•liegen be important to

darauf on it, thereupon, then, to it

dar•bieten offer, present

dar•bringen offer, present

darin in it, therein

die **Darlegung, –en** explanation, exposition

dar•stellen depict, represent, stand for

die **Darstellung, –en** presentation, representation, description

dar•tun demonstrate

darüber above it, about it

darum therefore, around it

das **Dasein** existence

da•sein be there, be present

der **Daseinsraum** room for existence

die **Daseinsverklärung** transfiguration of existence

die **Daseinswahrheit, –en** truth of existence

daß (*conj.*) that

da•stehen stand there

die **Dauer** permanence, duration, continuance; **auf die — permanently**

dauern last, continue, endure

dauernd lasting, permanent

davon off *or* from it, thereof, therefrom

davon•laufen run away, be off

dazu in addition, to it, for it

der **Deckname, –ns, –n** pseudonym

die **Deckung, –en** cover, protection

deinetwillen for your sake

der **Dekan, –e** dean

dementsprechend accordingly, correspondingly, conformably

die **Demokratie, –n** democracy

denkbar conceivable

die **Denkbemühung, –en** effort to think

denken, dachte, gedacht think

der **Denker, –** thinker

die **Denkhemmung, –en** inhibition of thought

das **Denkmal, –̈er** monument, memorial

die **Denkungsart, –en** way of thinking

das **Denkverbot, –e** prohibition of thought

denn (*conj.*) for, since, because; (*adv.*) then

dennoch yet, nevertheless

derart so, in such a manner, to such a degree

derartig of *or* to such a kind *or* manner *or* degree

dergleichen such a thing, the like

derjenige, diejenige, dasjenige the one who

derselbe, dieselbe, dasselbe the same

desavouieren disavow, go back on

deshalb therefore, on that account

desto (*adv.*) the (+ *compar.*), (*see also* **je**)

deswegen on that account, therefore

deuten interpret, expound, explain

deutlich clear, distinct

die **Deutlichkeit** clearness, distinctness

deutsch German

(das)**Deutschland** Germany

der **Deutschritter,** – Teutonic Knight

deutschsprechend German-speaking

das **Deutschtum** German character, "German-ness"

die **Deutung, –en** interpretation

das **Dezennium, Dezennien** decade, ten-year period

die **Dichte** density

dichten write literary works

der **Dichter,** – writer of serious literature

dichterisch poetic

die **Dichtkunst** art of poetry

die **Dichtung, –en** literature, work of literature

dienen serve

der **Dienst, –e** service

die **Differenzierung, –en** differentiation

das **Ding, –e** thing

dionysisch Dionysian

disponieren dispose

doch anyway, yet, though, after all, yes, I hope, at any rate

dogmenlos without dogmas

der **Doktortitel,** – title of doctor

doktrinär doctrinaire

der **Doktrinarismus** doctrinairism

die **Dolchstoßlegende, –n** "stab-in-the-back" legend

der **Doppelgänger,** – double

das **Doppelgesicht, –er** twofold aspect

doppelt double

das **Dorf, ⁈er** village

dort there

dorthin thither

der **Dozent, –en, –en** instructor (*in a college*)

der **Drache, –n, –n** dragon

dramatisch dramatic

die **Dramaturgie, –n** dramaturgy

der **Drang** pressure, urgency

drängen press, urge, push

das *or* die **Drangsal, –e** affliction, distress

sich **drehen (um etwas)** hinge (on something), turn (on something)

dreierlei of three kinds

dreist bold

dreistündig of three hours

dringen, a, u penetrate, enter by force

die **Dringlichkeit** urgency, pressure

dritt– third

drittens thirdly

drohen threaten

drollig funny, droll

der **Druck, ⁼e** *or* **-e**   pressure, strain; print
drucken   print
drücken   press
drunter und drüber   topsy-turvy
dulden   tolerate
dumm   stupid
dumpf   dull, hollow, dead, stolid
die **Dumpfheit**   stolidity
düngen   fertilize
dunkel   dark
dunkelhell   dark and light
dünken: es dünkt jemanden   somebody thinks
der **Dunst, ⁼e**   vapor, mist
düpieren   dupe
durch (*prep. w. acc.*)   through, by
durchaus   thoroughly, altogether, downright
durch•brechen   break through
der **Durchbruch, ⁼e**   breakthrough, irruption
durch•dringen   penetrate, permeate
durch•führen   carry out
durchgreifend   thorough
durch•korrigieren   correct, check
durchmessen   pass over, traverse
sich **durch•ringen**   make one's way, fight one's way through
durch•schauen   look through
durchschimmern   gleam through

durch•schlagen   break through; **durchschlagend**   successful
durch•schneiden   cut in two; pass through
durch•setzen   carry out
durchsichtig   transparent
durchstrahlen   illumine, irradiate
durchwegs   consistently
durchziehen   move through, permeate
dürfen, durfte, gedurft, darf   be allowed to, may
das **Dutzend, -e**   dozen

eben   (*adv.*) just; (*adj.*) level, flat, even
ebendies   just this
ebenfalls   likewise
ebenso   in the same way
ebensolch   just such
ebensowenig   just as little
echt   genuine
die **Eddazeit, -en**   time of the *Edda*
edel   noble
ehe   (*conj.*) before
die **Ehe, -n**   marriage
ehedem   formerly
das **Eheleben**   married life
ehelich   conjugal, matrimonial
der **Ehemann, ⁼er**   husband
eher   sooner, rather
ehern   bronze, brazen
die **Eheschließung, -en**   solemnization of marriage
die **Ehre, -n**   honor
ehren   honor

der **Ehrendoktor, –en** honorary doctor (*of a university*)

das **Ehrenmal, –e** monument, memorial

ehrenvoll honorable

die **Ehrfurcht** respect, reverence

ehrfürchtig respectful, reverent, deferential

der **Ehrgeiz** ambition

ehrlich honorable, honest

die **Ehrlichkeit** honor, honesty, uprightness

der **Eifer** zeal, eagerness

eifersüchtig jealous

eigen own

eigenartig peculiar

das **Eigenbewußtsein** personal consciousness

eigennützig selfish, self-interested, egotistical

die **Eigenschaft, –en** quality, characteristic

der **Eigensinn** obstinacy, willfulness

die **Eigenständigkeit** independence

eigentlich (*adv.*) actually, as a matter of fact; (*adj.*) real, actual

das **Eigentum, ∺er** property

eigentümlich peculiar

die **Eigentümlichkeit, –en** peculiarity

der **Eigentumnachweis** evidence of ownership

eigenwillig willful, opinionated

eignen be suitable **geeignet** suitable

die **Eignung, –en** suitability, appropriateness

einander each other, one another

ein•beziehen bring in, include

sich **ein•bilden** imagine

die **Einbildung, –en** imagination

die **Einbildungskraft** imaginative faculty

ein•bläuen drill, pound in

ein•büßen forfeit, lose

eindeutig unambiguous, unequivocal

die **Eindeutigkeit** straightforwardness, unequivocalness

ein•dringen penetrate, intrude

der **Eindruck, ∺e** impression

einen unite

einerlei of one kind, the same, indifferent

einerseits on the one hand

einfach simple

die **Einfachheit** simplicity

einfachhin simply

der **Einfall, ∺e** notion, idea

ein•fallen occur

die **Einfalt** simplicity

ein•fangen catch, imprison

ein•flößen instill, infuse

der **Einfluß, ∺sse** influence

die **Einfügung, –en** admission, adaptation, joining

ein•führen introduce, import

die **Einführung, –en** introduction, import

ein•gehen enter, go into

eingerechnet included in the calculation

eingeschränkt limited

das **Eingeständnis, –se** confession, admission
ein•gestehen admit, confess
ein•gliedern incorporate (in)
ein•graben engrave
die **Einheit, –en** unity, unit
das **Einheitsgefühl, –e** feeling of harmony
die **Einheitspartei, –en** unity party
einhellig unanimous, uniform
einher•gehen proceed
einig unified; **—e** some
ein•impfen inoculate, implant, graft on
der **Einklang** unison, accord
die **Einladung, –en** invitation
ein•lassen admit, let in
sich **ein•leben** accustom oneself to one's surroundings; **eingelebt** well-adjusted
ein•leiten introduce, preface, open, begin
die **Einleitung, –en** introduction
einmal once; **auf —** suddenly
ein•nehmen assume, take
ein•ordnen arrange, classify
die **Einordnung, –en** classification, arrangement
ein•pferchen pen up, coop up
die **Einrichtung, –en** arrangement
ein•rücken move in
lie **Einsamkeit** solitude, loneliness
ein•sammeln gather together, assemble
ein•schätzen estimate, assess

der **Einschlag, ⁻e** infusion
ein•schließen include, enclose
ein•schränken limit, confine
die **Einschränkung, –en** limitation
ein•sehen examine, apprehend, realize
die **Einseitigkeit, –en** onesidedness
ein•setzen put in, begin
die **Einsicht, –en** insight, realization, understanding
einst once upon a time
ein•stellen adjust, regulate, set; **eingestellt** adjusted
die **Einstellung, –en** attitude, position
ein•stimmen agree
ein•tauchen dip in, dive in
ein•tragen bring in, engrave
ein•treten enter
ein•üben practice, drill
die **Einübung, –en** practice, drill
das **Einvernehmen** agreement, harmony, understanding
das **Einverständnis, –se** understanding, agreement
der **Einwand, ⁻e** objection
ein•weihen initiate, inaugurate, dedicate
ein•wenden object
ein•zeichnen mark, inscribe
das **Einzeldasein** individual existence
die **Einzelheit, –en** detail
einzeln individual, one by one

das **Einzelschicksal, –e** individual destiny

der **Einzelteil, –e** individual part

die **Einzelwissenschaft, –en** individual science

der **Einzelzug, ͏̈e** individual trait

ein•ziehen pull in, move in

einzig sole, only

der **Eisenhammer, ͏̈** iron hammer

der **Eisenmann, ͏̈er** man of iron

eisig icy

elend miserable, wretched

elterlich parental

die **Eltern** parents

empfangen receive, conceive

empfehlen recommend (see **befehlen**)

empfinden feel, perceive, be sensitive to

die **Empfindung, –en** sentiment, feeling

der **Empirestil** style of the (*Napoleonic*) Empire

sich **empören** be angry, be excited, be enraged

empor•helfen lift up, help rise

empor•klettern climb up

empor•steigen ascend, rise

empor•steigern cause to rise

empor•streben strive upwards

emsig busy, industrious

das **Ende, –n** end

die **Endgestaltung, –en** final organization

endgültig final, ultimate

die **Endkatastrophe, –n** final catastrophe

endlich final, ultimate, finite

endlos endless, perpetual

die **Endlosigkeit** endlessness

der **Endsieg, –e** final victory

das **Endziel, –e** final goal

energisch energetic

eng narrow

der **Engländer, –** Englishman

entarten degenerate

entbehren dispense with, do without

die **Entbehrung, –en** privation, want

sich **entbinden** loose, set free, unbind

entbrennen burst into flame

die **Entchristlichung** dechristianization

entdecken discover

die **Entdeckung, –en** discovery

enteignen disown, deprive of property

enterben disinherit

entfachen inflame, enkindle

entfalten unfold

die **Entfaltung, –en** unfolding, development

entfernen remove; **sich —** go away

die **Entfernung, –en** distance

entgegen•eilen hasten toward

entgegengesetzt opposite

entgegen•harren wait patiently for

entgegen•schauen look toward, anticipate

entgegen•setzen oppose, contrast

entgegen•tragen   bring to
entgehen   escape
entgelten   recompense, pay
for, atone
enthalten   contain; sich —
refrain from
die Enthaltsamkeit   abstemious-
ness
enthüllen   reveal, uncover
entlassen   dismiss, release
die Entlohnung   paying off, recompense
entmächtigen   deprive of
power
die Entmündigung, –en   plac-
ing under the control of a
trustee
entreißen   snatch from
entrüstet   dismayed
entsagen   give up, deny oneself, renounce
die Entsagung   renunciation
entschädigen   make up for
die Entschädigung, –en   compensation, reimbursement
(sich) entscheiden   decide, make
up one's mind
die Entscheidung, –en   decision
entschieden   decisive, decided
(sich) entschließen   resolve, decide; entschlossen   resolute
die Entschlossenheit   firm resolve, determination
die Entschuldigung, –en   excuse
entseelt   lifeless
entsetzlich   dreadful, horrible, frightening
entsetzt   horrified
entsprechen   correspond
(to)

die Entsprechung   correspond-
ence (to)
entspringen   escape, originate, spring from
entstehen   orginate, arise
die Entstehung, –en   birth, origin
entstellen   distort, disfigure
enttäuschen   disappoint
die Enttäuschung, –en   disap-
pointment
entwerfen   design, project,
sketch
entwerten   depreciate, de-
valuate
(sich) entwickeln   develop (oneself)
die Entwicklung, –en   development
der Entwicklungsgang   course
of development
die Entwicklungsgeschichte, –n
history of development
der Entwicklungsprozeß, –zesse
process of development
die Entwicklungsstörung, –en
disturbance of development
die Entwicklungsverzögerung,
–en   delay or postpone-
ment of development
entwirren   disentangle, un-
ravel, eliminate confusion
entwöhnen   disaccustom
(sich) entziehen   withdraw (oneself)
entzücken   captivate, delight
die Entzweiung, –en   disunion,
dissension, variance
die Epigonenphilosophie   philosophy of imitators
episch   epic

das **Epos, –, Epen** epic (poem)
erachten consider, deem, adjudge, believe to be
erbärmlich miserable, wretched, pitiable
erbauen edify
der **Erbe, –n, –n** heir
erblich hereditary
erblühen blossom forth
erbringen bring (*proof*)
die **Erde** earth
das **Erdendasein** earthly existence
der **Erdenrest, –e** earthly remains
erdichten invent, concoct
der **Erdkreis** the whole earth
sich **erdreisten** dare, be so bold
der **Erdteil, –e** continent, part of the earth
erdumwandelnd encircling the earth
das **Ereignis, –se** event
erfahren experience, find out, come to know
die **Erfahrung, –en** experience
die **Erfahrungstatsache, –n** fact of experience
erfassen grasp, take hold of, understand
erfinden invent
der **Erfinder, –** inventor
die **Erfindung, –en** invention
der **Erfolg, –e** success
erfolgen ensue
erfolgreich successful
erforderlich required, indispensable
das **Erfordernis, –se** requirement, necessity
erfreuen gratify, cheer, delight

erfreulich gratifying
erfüllbar able to be fulfilled
erfüllen fulfill
die **Erfüllung** fulfillment
erfunden feigned, invented
(sich) **ergänzen** supplement (one another), supply
die **Ergänzung, –en** completion
ergeben yield; **sich —** result, derive, surrender
das **Ergebnis, –se** result
die **Ergiebigkeit** productiveness, productivity
die **Ergötzung, –en** amusement, delight, pleasure
ergreifen seize, take hold of, grasp
erhaben lofty, sublime
(ich) **erhalten** receive, maintain, preserve (oneself)
die **Erhaltung** preservation, maintenance
erhärten corroborate, substantiate
erheben lift up, raise; **sich —** revolt
erheblich considerable
die **Erhebung** exaltation
erhellen illuminate, brighten
erhoffen hope for
(sich) **erhöhen** heighten, intensify
sich **erholen** recover
die **Erholung, –en** recover
erinnern remind; **sich —** remember
die **Erinnerung, –en** memory, reminder
erkämpfen fight for and get

erkaufen purchase, buy
erkennen recognize
das **Erkenntnis,–se** knowledge, perception, recognition
erkenntnistheoretisch epistemological
erklären explain, declare
die **Erklärung, –en** declaration, explanation
erkranken become ill
die **Erkrankung, –en** falling ill, illness
erlahmen become lame, flag, wilt
erlauben permit
erlaucht exalted, noble
erläutern elucidate, clear up
erlebbar able to be experienced
erleben experience
das **Erlebnis, –se** experience
die **Erleichterung, –en** relief, alleviation
erleiden suffer, endure, bear
erlernen learn thoroughly
erleuchten illuminate
erlöschen, erlosch, erloschen, erlischt be extinguished, go out
erlösen redeem
der **Erlöser, –** redeemer
die **Ermangelung** default, failing
ermessen calculate, compute, comprehend, measure
die **Ermittlung, –en** ascertainment, finding out
ermöglichen make possible
die **Ermordung, –en** murder
ermuntern cheer up, encourage, rouse

ermutigen encourage, hearten
die **Erneuerung** renewal, restoration, renovation
erniedern lower, abase
erniedrigen humiliate, humble
ernst serious, grave
der **Ernst** seriousness, gravity;
— **machen** be in earnest
der **Eroberer, –** conqueror
erobern conquer
erörtern discuss, argue
erraten guess, solve
erregen stimulate, arouse, agitate
erreichen reach, attain
errichten construct, erect, raise
der **Ersatz** substitute, compensation, restitution
die **Ersatzbefriedigung, –en** substitute satisfaction
die **Ersatzerscheinung, –en** substitute phenomenon
die **Ersatzvorlesung, –en** supplemental lecture
erscheinen appear
die **Erscheinung, –en** phenomenon, appearance
erschließen open, unlock, reveal
erschöpfen exhaust
die **Erschöpfung** exhaustion
erschrecken, erschrak, erschrocken, erschrickt be frightened
erschrecken frighten (*weak verb*)
die **Erschütterung, –en** strong emotion, shock
ersehnen long for

ersetzen replace
erst (*adv.*) not until, only; (*adj.*) first
erstarken grow strong
erstaunen be astonished, astonish
ersteigen ascend, climb, mount
erstenmal: zum — for the first time
ersticken choke, suffocate
erstlich in the first place
erstreben aspire to, strive after
erteilen (**eine Antwort**) give (an answer)
ertönen resound
ertragen support, bear, endure
erträumen dream of
die **Ertüchtigung** making strong
erwachen wake up
erwachsen grow up; **erwachsen** grown-up, adult
die **Erwägung, –en** consideration, reflection
erwähnen mention
erwarten expect
die **Erwartung** expectation
erwecken awaken
erweisen show, prove, illustrate; **sich —** prove to be (true)
erweitern broaden, widen
die **Erweiterung, –en** broadening, widening
der **Erwerb, –e** acquisition, livelihood
erwerben acquire
das **Erwerbsstreben** zeal for acquisition
erwidern respond, reply

die **Erwiderung, –en** response, reply
erzählen relate, tell
der **Erzähler, –** narrator, one who tells the story
die **Erzählung, –en** story, tale
erzeugen produce, generate, evoke
der **Erzeuger, –** father, generator
erziehen educate
erzieherisch educational
die **Erziehung, –en** education, training
die **Erzielung** acquisition, attainment
ethisch ethical
etwa about, around
etwaig possible, contingent
etwas something
europäisch European
evangelisch Evangelical
das **Evangelium, Evangelien** Gospel
eventuell possible
ewig eternal
die **Ewigkeit** eternity
ewiglich eternally
das **Examen, Examina** examination
das **Exil, –e** exile, banishment
die **Existenz, –en** existence
die **Existenzfähigkeit, –en** capacity for existence

die **Fabel, –n** fable, plot
die **Fabrik, –en** factory
der **Fabrikant, –en, –en** manufacturer
das **Fach, ⸚er** field, specialty

die **Fachinstanz, –en** authority in the field

der **Fachvertreter, –** person in the field, specialist

fähig capable

die **Fähigkeit, –en** capacity, ability

der **Fahneneid, –e** oath to the flag

fahren, u, a, ä go, drive, ride

das **Fahrzeug, –e** vehicle

die **Fakultät, –en** faculty

der **Falke, –n, –n** falcon

der **Fall, ⁼e** fall, case; **zu —e kommen** be ruined

fallen, ie, a, ä fall

falls in case

falsch wrong, false

falschheilig sanctimonious

faltenlos without wrinkles

die **Familie, –n** family

das **Familiengefühl, –e** family feeling

fangen, i, a, ä catch; **gefangen** in captivity

die **Farbe, –n** color

der **Farbenleiter, –** scale of colors

farbenvoll colorful

die **Faselei, –en** drivel

faßbar graspable

fassen grasp, seize, take hold

die **Fassung, –en** version, control

fast almost

faustisch Faustian

die **Faxe, –n** (*usually pl.*) foolery, nonsense

fechten, o, o, i, fight

die **Feder, –n** pen

fehl am Platz misplaced

fehlen be lacking, be wanting, be absent

der **Fehler, –** error

fehlerhaft defective, faulty, imperfect

die **Fehlerquelle, –n** source of errors

der **Fehlgriff, –e** error, blunder, mistake

die **Feier, –n** celebration, observance

feiern celebrate

feige cowardly

die **Feigheit, –en** cowardice

fein delicate, fine

der **Feind, –e** enemy

feindlich hostile

das **Feld, –er** field; **auf freiem —e** in the open field

der **Feldzug, ⁼e** campaign

fern(e) distant, far

die **Ferne** distance

fertig finished, ready

fertig•bringen accomplish

fest firm, solid, compact

das **Festessen, –** banquet, feast

fest•halten hold fast

die **Festigkeit** firmness

festlich festive

fest•stellen determine, discover, establish

die **Feststellung, –en** ascertainment, determination

das **Feuer, –** fire

feurig fiery

fiktiv fictitious

finanziell financial

der **Finanzminister, –** minister of finance

finden, a, u find

der **Fingerzeig, –e** hint
fingieren feign, sham, simulate
finster dark, obscure, sinister
die **Finsternis, –se** darkness
die **Fixierung, –en** fixation, fixing
flach flat
die **Fläche, –n** surface
die **Flausen** nonsense
der **Fleck, –e** spot; **vom —
kommen** budge
das **Fleisch** flesh, meat
fleißig busy, zealous, industrious
der **Fluch, –e** curse
der **Flügel, –** wing; grand piano
die **Folge, –n** consequence
folgen follow
die **Folgerung, –en** conclusion, deduction, inference
forciert forced
fordern demand, require
fördern advance, help forward, further
die **Forderung, –en** challenge, requirement
die **Förderung, –en** advancement, furtherance, promotion
die **Formel, –n** formula
formell formal
förmlich formal, downright, absolute, sheer, literally
die **Formulierbarkeit** ability to be formulated
die **Formwirkung, –en** effect of form
forschen investigate, search out
die **Forschung, –en** investigation, research

der **Forschungsbetrieb** business of research
fort on, further, away
fortan henceforth
fort•bauen continue to build
fort•bestehen continue to exist
die **Fortdauer** continuance
die **Fortentwicklung, –en** continuing development
fort•pflanzen propagate, reproduce, proliferate
die **Fortpflanzung** propagation
die **Fortpflanzungsfunktion, –en** function of propagation
fort•schieben push away
fort•schreiten stride away, away, advance
der **Fortschritt, –e** advance, progress
der **Fortschrittsoptimismus** optimism about the progress of man
fort•setzen continue
die **Fortsetzung, –en** continuation
die **Frage, –n** question; **in —
stellen** question
fragen ask; **es fragt sich** it is a question
fraglich questionable
fragwürdig questionable
die **Fragwürdigkeit** questionableness
der **Franzose, –n, –n** Frenchman
französisch French
die **Fratze, –n** grimace
die **Frau, –en** woman, wife
die **Frauenrolle, –n** woman's role

frech insolent, impudent

frei free

die **Freigabe** release, emancipation

die **Freihandelslehre** doctrine of free trade

die **Freiheit, –en** liberty, freedom

frei•lassen liberate, release

die **Freilassung** liberation, release

freilich it is true, indeed, I admit, to be sure

der **Freimut** candor, openness

freiwillig voluntary

fremd strange, foreign

die **Fremde** another region, foreign land

fremdsprachig speaking a foreign language

die **Frequenz** frequency

fressen, a, e, i eat (of animals)

die **Freude, –n** joy

sich **freuen** be glad, rejoice

der **Freund, –e** friend

der **Freundeskreis, –e** group of friends

die **Freundin, –nen** (female) friend

die **Freundschaft** friendship

der **Friede(n)** peace

die **Friedensbedingung, –en** condition of peace

das **Friedenssystem** system of peace

die **Friedfertigkeit** peaceableness, peaceable disposition

froh glad

fromm devout

die **Frömmigkeit** devoutness, piety

frönen indulge

die **Frucht, ⸚e** fruit

fruchtbar fruitful

die **Fruchtbarkeit** fruitfulness

früh early, **—er** formerly, earlier

das **Frühjahr** springtime

der **Frühsommer, –** early summer

fühlbar perceptible

fühlen feel, perceive

die **Fühlung** contact, touch

führen, – lead

der **Führer, –** leader

die **Führung** leadership, guidance

die **Fülle** abundance

füllen fill

der **Fund, –e** find

das **Fundament, –e** base, groundwork

der **Funke, –n, –n** spark

die **Funktionsausübung, –en** exercise of (a) function

die **Funktionsschädlichkeit** impairment of function, harmfulness

für (prep. w. acc.) for; **—** **sich** alone; das **Für-sich-sein** independence

furchtbar dreadful

fürchten fear; **sich —** be afraid

die **Furchtsamkeit** timidity

die **Gabe, –n** gift, talent

der **Gang, ⸚e** course; **in —** **bringen** set in motion; **im —e sein** be in motion

ganz (*adv.*) quite, rather, wholly, altogether; (*adj.*) entire; — **und gar** entirely

die **Ganzheit** completeness, entirety, integrity

gar at all, even; — **nicht** not at all; (*see* **ganz**)

gären, o, o ferment

der **Gasthof, ⸚e** hotel

die **Gattin, –nen** wife

die **Gattung, –en** genus, race, species, genre

geartet sein have (such a) nature

die **Gebärde, –n** gesture

gebären, a, o, ie give birth (to)

geben, a, e, i, give; **es gibt** there is (are)

das **Gebet, –e** prayer

das **Gebiet, –e** area, field

das **Gebilde, –** formation

das **Gebot, –e** command; **zu —e stehen** be at one's command

der **Gebrauch** use, employment

gebrauchen use

gebühren be fitting

die **Gebundenheit** confinement, restraint, restriction

die **Geburt, –en** birth

das **Gedächtnis, –se** memory

die **Gedächtnisrede, –n** memorial address, eulogy

der **Gedanke, –ns, –n** thought

der **Gedankenaustausch** exchange of thoughts

der **Gedankengang** train of thought

das **Gedankengebäude** structure of thought

die **Gedankennot** agony of mind and thought

gedenken (*w. gen.*) remember, recall, think of

das **Gedicht, –e** poem

das **Gedränge** crowd, throng, pressure of numbers

die **Geduld** patience

die **Gefahr, –en** danger

gefährden endanger

gefährlich dangerous

gefallen (*w. dat.*) please

gefangen•nehmen take captive

das **Gefäß, –e** vessel

das **Gefolge, –** retinue

die **Gefügigkeit** pliability, adaptability

das **Gefühl, –e** feeling, emotion

die **Gefühlstiefe, –n** depth of emotion

die **Gefühlswelt, –en** world of emotion

gegen (*prep. w. acc.*) against

die **Gegend, –en** locale, region, district, neighborhood

gegeneinander against each other, mutually opposed

die **Gegenlehre, –n** counterdoctrine

die **Gegenliebe** reciprocity, love in return

die **Gegenreformation** Counterreformation

die **Gegenregung, –en** opposite emotion, countermovement

der **Gegensatz, ⸚e** contrast, opposite

das **Gegensatz-Element, –e** element of contrast

gegensätzlich contrasting, hostile, antagonistic

die **Gegensätzlichkeit, –en** antagonism, polarity

der **Gegenspieler, –** opposite number, counterpart

der **Gegenstand, ⸚e** object, subject

das **Gegenstück, –e** counterpart

das **Gegenteil, –e** contrary, opposite; **im —** on the contrary

gegenüber (*w. dat.*) opposite

gegenüber•stehen stand opposite

gegenüber•stellen put opposite

die **Gegenüberstellung, –en** confrontation

die **Gegenwart** present

gegenwärtig present

die **Gegenwärtigkeit** present appropriateness

der **Gegner, –** opponent

der **Gehalt, –e** content, substance, intrinsic value

das **Gehalt, ⸚er** salary

gehaltreich substantial

gehaltvoll substantial

geheim secret, private

der **Geheimbund, ⸚e** secret society

das **Geheimfach, ⸚er** secret compartment

das **Geheimnis, –se** secret

geheimnisreich full of secrets

geheimnisvoll mysterious

gehen, ging, gegangen go

der **Gehilfe, –n, –n** assistant

das **Gehirn, –e** brain

das **Gehör** hearing, power of hearing

gehorchen obey

gehören (*w. dat.*) belong to

gehorsam obedient

der **Gehorsam** obedience; **— leisten** obey

der **Geist, –er** spirit, mind, intelligence

geistesaristokratisch spiritually *or* intellectually aristocratic

der **Geistesheros, –heroen** hero of the spirit

die **Geisteskraft, ⸚e** power of the mind *or* spirit

das **Geistesleben** intellectual life

geistig of the intelligence, of the spirit, intellectual, spiritual

die **Geistigkeit** intellectuality

geistlich clerical

die **Geistnatur** intellectualized nature

geistreich intelligent

der **Gekreuzigte** the crucified (one), Jesus Christ

das **Gelände, –** tract of land

gelangen arrive, reach, attain

gelassen calm

das **Geld, –er** money

der **Geldbeutel, –** purse, moneybag

das **Geldverdienen** earning money

die **Gelegenheit, –en** opportunity, occasion

gelegentlich occasional

die **Gelehrsamkeit** erudition, scholarship

der **Gelehrte** scholar (*decl. like adj.*)

gelingen, a, u (*imp.*) succeed; **es gelingt mir** I succeed

gelten, a, o, i stand for, be valid, be a question of

die **Geltung, –en** validity, value, worth

das **Gemach, ⸚er** room

das **Gemälde, –** painting

gemäß (*w. dat.*) in accordance with, according to

gemein common

die **Gemeinde, –n** community, congregation

gemeingefährlich dangerous to the public welfare

das **Gemeingefühl, –e** common feeling, common emotion

das **Gemeingut, ⸚er** common possession

die **Gemeinheit, –en** meanness

gemeinhin commonly

gemeiniglich usually

gemeinsam in common, mutual

die **Gemeinsamkeit** community (*of interests*)

die **Gemeinschaft** community, common weal

gemeinschaftlich united, together, in common

das **Gemeinwesen, –** community of people

das **Gemüt, –er** mind, heart, nature

die **Gemütstiefe, –n** depth of spirit, emotional depth

genau exact, accurate

genausoviel just as much

genehm pleasant, acceptable, agreeable, welcome

die **Generalität** body of generals

der **Generaloberst, –en, –en** colonel general (*high rank in German army*)

das **Generalsabzeichen, –** mark of a general, shoulder stars

die **Generalsfronde** general's revolt

der **Generalstab, ⸚e** general staff

die **Genesung** convalescence, recovery

genialisch of a genius

das **Genie, –s** creative genius, extraordinary imaginative power

genießen, genoß, genossen enjoy

der **Genosse, –n, –n** associate, companion, comrade

genügen (*w. dat.*) suffice, be enough

der **Genuß, –nüsse** enjoyment

die **Genußfähigkeit** capacity for enjoyment

das **Gepräge** character, imprint, stamp

gerade (*adj.*) straight, even; (*adv.*) just, exactly

geradezu downright, simply

geraten get into, become involved

Geratewohl: aufs —— at random, indiscriminately

geräumig spacious, roomy

das **Geräusch, –e** noise

gerecht just, upright

das **Gerede** chatter, gossip

gering slight, small

gering•achten think little of, look down on

germanistisch Germanistic (*in the academic sense*)

das **Geröll, –e** pebbles, rubble

gerühmt famed

der **Gesamt-Charakter** collective character

die **Gesamtentwicklung, –en** total development

die **Gesamtheit** totality, entirety

der **Gesamtprozeß, –zesse** total process

der **Gesang, ⁼e** song, singing

das **Geschäft, –e** business

geschehen, a, e, ie happen

das **Geschenk, –e** present, gift

die **Geschichte, –n** story, history

geschichtlich historical

die **Geschichtskatastrophe, –n** catastrophe of history

das **Geschichtsschicksal, –e** historical destiny

das **Geschick, –e** destiny, fate, aptitude, skill

geschickt skillful

das **Geschlecht, –er** sex, race, generation

der **Geschlechtsakt, –e** sex act, sexual intercourse

das **Geschlechtsleben** sexual life

die **Geschlechtstätigkeit** sexual activity

der **Geschlechtstrieb, –e** sex impulse

die **Geschlossenheit** conciseness, closeness

der **Geschmack, ⁼e** taste

geschmackvoll tasteful, in good taste

das **Geschmeiß** vermin

das **Geschöpf, –e** creature

das **Geschrei** shouting, yelling, racket

das **Geschwätz** idle talk, chatter, gossip

geschweige let alone, not to mention; say nothing of

die **Geschwister** brother(s) and sister(s)

das **Geschwisterkind** cousin

der **Gesell, –e** fellow

gesellig social

die **Gesellschaft, –en** society, group, company, gang

gesellschaftlich social

das **Gesellschaftsbild, –er** picture of society

die **Gesellschaftskleidung** socially approved form of dress

die **Gesellschaftslehre, –n** sociology

das **Gesetz, –e** law

das **Gesicht, –e** vision

das **Gesicht, –er** face

der **Gesichtspunkt, –e** point of view

die **Gesinnung, –en** mental attitude, way of thinking, mind

der **Gesinnungsgenosse, –n, –n** person of like leanings

gesonnen *see* **sinnen**

das **Gespräch, –e** conversation

die **Gestalt, –en** form, figure, pattern

sich **gestalten** form, shape up, turn out

die **Gestaltung, –en** forming, configuration, creation

gestatten permit

die **Geste, –n** gesture

gestehen admit, confess

gesund healthy, sound
die **Gesundheit** health
getreulich faithfully, loyally
sich **getrösten** comfort, oneself
gewähren grant, afford, offer
der **Gewahrsam** safekeeping
der **Gewährsmann, ⸚er** authority, source of information
die **Gewalt, –en** power, force, strength
gewaltig powerful, mighty
gewaltsam by force, forcible
die **Gewalttätigkeit** violence
gewärtigen have to reckon with
das **Gewehr, –e** gun
das **Gewerbe, –** trade, business, occupation
das **Gewicht, –e** weight, importance
gewillt willing, prepared (*to do something*)
der **Gewinn, –e** winning of a battle, success, victory
gewinnbar obtainable
gewinnen obtain
gewiß sure, certain, to be sure
das **Gewissen** conscience
die **Gewissenhaftigkeit** conscientiousness
die **Gewissenlosigkeit** lack of conscientiousness
die **Gewissensfrage, –n** question of conscience
sich **gewöhnen** accustom oneself
gewöhnlich customarily, usually
das **Gewölbe, –** arch, vault
geziemen become, behoove, be fitting for

das **Gezwitscher** twittering
gießen, goß, gegossen pour, gush
der **Gipfel, –** peak, top
der **Gipsabdruck, ⸚e** plaster cast
der **Glanz** brilliance
glänzen shine, be brilliant
glatt smooth
der **Glaube, –ns** faith, belief
glauben believe
gläubig believing, devout
glaubwürdig credible, trustworthy
gleich (*adj.*) equal, same; (*adv.*) at once; (*prep. w. dat.*) like
gleichartig homogeneous
gleichberechtigt equally justified
die **Gleichberechtigung** equal justification
gleichen, i, i resemble
die **Gleichförmigkeit** uniformity
das **Gleichgewicht** equilibrium
die **Gleichheit** identity, equality
gleichkräftig equally strong
gleichmächtig equally powerful
gleichmäßig even, regular, uniform
der **Gleichnis-Rausch** intoxication with allegory
gleichsam as it were, so to speak
gleichselig equally happy
gleich•setzen make equal, equate
gleich•stellen equalize, equate
gleich•tun match, emulate

gleichviel all the same, no matter
gleichwie just as, like
gleichwohl nevertheless, all the same
gleichzeitig at the same time
gleiten, glitt, geglitten glide, slide
das **Glied, –er** limb, member
gliedern articulate, divide
die **Glocke, –n** bell
das **Glockengeläut** ringing of bells
das **Glück** happiness, good fortune
glücken (*imp.*) succeed
glücklich happy, fortunate
die **Glücksbefriedigung** satisfaction of happiness
der **Glücksfall, ⸚e** stroke of good fortune
glühen glow
die **Glut, –en** glow, blaze
die **Gnade, –n** grace, favor
gnädig gracious
die **Goethe-Forschung** research on Goethe
gönnen grant, not begrudge
gotisch Gothic
der **Gott, ⸚er** god, God
der **Götternamen** divine name
die **Götterwelt, –en** world of the gods
der **Gottessohn** Son of God, Jesus Christ
die **Gottheit, –en** deity, divinity
göttlich divine
gottlos godless
der **Graben, ⸚** ditch
graben, u, a, ä dig

der **Grad, –e** degree
der **Graf, –en, –en** count
sich **grämen** grieve, worry, fret
das **Gras, ⸚er** grass
gräßlich horrible, ghastly
grauenhaft hideous, horrible, shocking
grausam cruel, brutal
die **Grausamkeit** cruelty
greifbar tangible, palpable, seizable
greifen, griff, gegriffen seize, take hold
der **Greis, –e** old man
die **Grenze, –n** limit, boundary
grenzenlos unbounded
die **Grenzlinie, –n** boundary line
der **Greuel, –** abomination, horror
der **Grieche, –n, –n** Greek
(das) **Griechenland** Greece
griechisch Greek
der **Griff, –e** grasp, handle, trick
grillig whimsical
grob coarse, rough
die **Grönlandfahrt** journey to Greenland
groß big, large, great
großartig wonderful, first-rate, splendid
die **Größe** size
die **Großheit** grandeur
der **Großstaat, –en** great power
die **Großstadt, ⸚e** large city, metropolis
großtuerisch bragging, vainglorious
grotesk-furchtbar grotesque and frightful

der **Grund, ⸚e** basis, reason, valley, ground, depth; **im —e** basically

der **Grundansatz, ⸚e** basic evaluation

gründen establish, found

die **Grundform, –en** basic form

die **Grundfrage, –n** basic question

der **Grundgedanke, –ns, –n** basic thought

die **Grundlage, –n** basis

grundlegend basic, fundamental

gründlich thorough

das **Grundmotiv, –e** basic theme

der **Grundsatz, ⸚e** basic principle

grundsätzlich on principle

die **Grundüberzeugung, –en** basic conviction

das **Grundverhalten** basic attitude

der **Grundwille, –ns, –n** basic will

der **Grundzug, ⸚e** basic feature

grünen flourish, be green

die **Gruppe, –n** group

gruppenweise in groups

gruppieren group, cluster

gültig valid

die **Gültigkeit** validity

die **Gunst** favor

günstig favorable

gut good, kind

das **Gut, ⸚er** good thing, possession, estate

gutgläubig unsuspicious, credulous, gullible

gut•heißen approve

gut•machen make good

gutmütig good-natured

die **Gutmütigkeit** good nature

der **Gutsbesitzer, –** estate owner

der **Gutsbesitzer –** estate owner

der **Gymnasialprofessor, –en** professor in a **Gymnasium** (*secondary school*)

der **Gymnasiast, –en, –en** student in a **Gymnasium**

die **Gymnastik** gymnastics

die **Habe** possessions, belongings

haben, hatte, gehabt, hat have

die **Habilitation** qualification for teaching in a university

sich **habilitieren** become qualified as a university lecturer

halb half

die **Halbbildung** incomplete education

der **Halbbruder, ⸚** half brother

halberwacht half awakened

halbieren cut in two

halbleiblich half physical

das **Halbmensch-Tier, –e** half human half animal

halbwahr half true

die **Hälfte, –n** half

der **Halm, –e** blade, wisp

der **Halt, –e** support, hold, basis

haltbar firm, tenable, solid, strong

halten, ie, a, ä hold, keep; **eine Rede —** make a speech

die **Haltung, –en** bearing, attitude, carriage

handeln act

die **Handelskompanie, –n** trading company

die **Handhabe** management, device

der **Händlerinstinkt, –e** trading instinct

die **Handlung, –en** action, deed

die **Handschrift, –en** manuscript

das **Handwerk, –e** trade, craft

der **Handwerker, –** tradesman, craftsman

die **Handwerkslehre, –n** formal teaching of a craft

hängen, i, a hang

hantieren fuss, fumble, play around

die **Harfe, –n** harp

harmlos innocent, harmless, simple

die **Harmlosigkeit, –en** harmlessness, innocence

die **Harmonielehre** harmony (*as a formal study*)

die **Härte** hardness, harshness

hartnäckig stubborn

hartstirnig unbending, stubborn

das **Hasard** gamble, risk

der **Haß** hatred, hate

hassen hate

häßlich ugly, hateful

der **Hauch, –e** breath

der **Haufen, –** pile, heap, mass

haufenweise in piles, in large numbers

häufig frequent, abundant

das **Häuflein, –** small group

das **Haupt, –̈er** head

der **Hauptgrund, –̈e** principal reason

das **Hauptinteresse, –n** main interest

der **Hauptmann, Hauptleute** captain

die **Hauptsache, –n** main issue

der **Hauptschlag, –̈e** main stroke

die **Hauptstadt, –̈e** capital (city)

der **Hauptstrahl, –en** main ray

der **Hauptstrom, –̈e** mainstream

das **Haus, –̈er** house; **nach —e** home; **zu —e** at home

das **Hausgeschäft, –e** domestic occupation

die **Hausmaus, –̈e** house mouse

heben, o, o lift, raise; **gehoben** preserved, hidden

das **Heer, –e** army

die **Heeresleitung, –en** military direction, army leadership

heften attach, fasten, adhere

die **Heftigkeit** vehemence, violence

die **Hegemonie-Politik** policy aiming at domination

die **Hehrheit** sublimity

der **Heide, –n, –n** pagan, heathen

heidnisch heathen, pagan

das **Heil** salvation, welfare

der **Heiland** Savior, Redeemer (Christ)

heilen cure, heal

heilig holy

heiligen make holy, sanctify

die **Heiligkeit** holiness

heilsam wholesome, healing, curative, salubrious

die **Heilsanstalt, –en** hospital, clinic

die **Heimat, –en** place of birth, homeland

die **Heimatsstadt, ⸚e** native city
heimisch at home
heim•kehren return home
heim•kommen come home
heimlich secret
heischen demand
heißen, ie, ei call, name, mean
heiter cheerful
die **Heiterkeit** cheerfulness
der **Held, –en, –en** hero
der **Heldenmut** heroic courage
das **Heldentum** heroism
heldisch heroic
helfen, a, o, i help
der **Helfer, –** helper
hell bright, clear
das **Helldunkel** chiaroscuro
hellenisch Hellenic
hellsichtig clearheaded, shrewd
hemmen retard, hamper, hinder; **in sich gehemmt** inhibited
herab•drücken depress
heran•bilden breed, educate, bring up
heran•bringen bring along
heran•reichen come up to, reach
heran•treten step up to
herauf•führen lead up
herauf•kommen come up
herauf•wachsen grow up
sich **heraus•bilden** develop
heraus•bringen bring out
heraus•fordern challenge, provoke
heraus•greifen choose, take
heraus•heben lift out, emphasize

heraus•kratzen scratch out
heraus•modellieren mold, model
sich **heraus•stellen** turn out prove to be
heraus•strömen stream forth
heraus•treten step out
heraus•wachsen grow out
herb sharp, tart, sour
herein•brechen break in
herein•fallen fall in
her•geben produce, give over
die **Herkunft, ⸚e** origin
der **Herr, –n, –en** lord, master, gentleman
die **Herrentracht, –en** garb of gentlemen
herrlich splendid
die **Herrschaft, –en** domination, persons in charge
herrschaftlich lordly, dominating
herrschen prevail, dominate
der **Herrscher, –** ruler, sovereign, monarch
her•rühren proceed from
her•stammen originate from
die **Herstammung, –en** ancestry, origin
her•stellen prepare
herum•laufen run around
herum•liegen lie around
herum•schleppen drag around
herum•stolzieren strut around
herunter•steigen climb down

hervor out, forth
hervor•bringen bring forth, produce
hervor•heben emphasize
hervor•locken lure out
hervor•ragen project, protrude, exceed, excel
hervorragend excellent, eminent
hervor•rufen evoke
hervor•treten step out, emerge
das **Herz, –ens, –en** heart
die **Herzenseinfalt** simpleheartedness
der **Herzfehler, –** cardiac defect
herzklopfend palpitating
herzlich hearty, cordial
heute today
heutig of today
hie hither, here
hieher hither
hier here
hierher hither
hierin here in
die **Hilfe, –n** help; **zu — nehmen** use
der **Hilfswille, –ns** will to help
der **Himmel, –** sky, heaven
himmlisch heavenly
hin there, thither, gone; **auf . . . —** toward
hinab down
hinab•gleiten slide down
der **Hinabstieg** descent
sich **hinab•stürzen** plunge down
hinauf up
hinaus out
hinaus•bringen bring out
hinaus•greifen reach out
hinaus•heben lift above

hinaus•kommen come out
hinaus•steigen get out, come out
hinaus•treiben expel
hinaus•weisen show out
hinaus•wollen want to leave
die **Hinausziehung, –en** postponement
hindern prevent, hinder
das **Hindernis, –se** hindrance, impediment
hin•drängen push towards
hindurch through
hindurch•dringen penetrate through
hindurch•gehen traverse, go through
hindurch•schauen see through
hinein•blicken look into
hinein•leuchten shine into
hinein•nehmen take into
hinein•schlüpfen slip into
hinein•setzen put into
sich **hinein•stürzen** plunge into
die **Hingabe** devotion, surrender
sich **hin•geben** devote oneself
hingegen but, however, on the other hand
hin•gehören belong (*in a space or situation*)
hin•halten hold out to, offer
die **Hinneigung, –en** inclination
hin•reichen suffice, be adequate
hin•richten execute, put to death
sich **hin•setzen** sit down
die **Hinsicht, –en** respect, aspect

hinsichtlich (*prep. w. gen.*) in respect to

hin•stellen put down

hin•strecken stretch out

hinter (*prep. w. dat. or acc.*) behind, after

das **Hinterbein, –e** hind leg

der **Hintergrund, ⸚e** background

das **Hinterteil, –e** hind part

hin-und-her-laufen run to and fro

hinunter down

hinunter•gleiten slide down

hinweg•heben remove

der **Hinweis, –e** reference, allusion

hin•weisen (auf) refer (to)

hinwiederum again, on the other hand, in return

sich **hinzu•drängen** crowd in

der **Hirt, –en, –en** shepherd

der **Hirtenbube, –n, –n** shepherd lad

die **Hirtenflöte, –n** shepherd's pipe

der **Hirtenknabe, –n, –n** shepherd's boy

der **Historiker, –** historian

historisch historical

die **Hitlerbewegung** Hitler movement

das **Hitlerjoch, –e** yoke of Hitler

die **Hitlerregierung** Hitler government

das **Hitlerregiment** Hitler regime

hitlertreu loyal to Hitler

das **Hitlertum** Hitlerism

hoch high (*inflected form* **hoh–**, *compar.* **höh–**, *superl.* **höchst–**)

hochberühmt highly famed

hochgebildet highly educated

die **Hochschule, –n** institution of higher learning

hochsinnig high-minded

höchst highly

hoch•stehen stand high

hoch•stellen place high

höchstens at most

der **Hof, ⸚e** (*royal*) court

hoffen hope

die **Hoffnung, –en** hope

das **Hoffräulein, –** court lady

höflich courteous

die **Höflichkeit, –en** courtesy

der **Hofnarr, –en, –en** court fool

die **Höhe, –n** height

die **Hoheit** highness, loftiness, nobility

der **Höhepunkt, –e** high point

höherwertig of higher value

höhnen scorn, mock, deride

höllentief deep as Hell

das **Holz, ⸚er** wood

die **Holzbaracke, –n** barracks of wood

die **Holzschnittmanier** style of a wood-carving

die **Holzsorte, –n** kind of wood

homogen homogeneous

das **Honorar, –e** honorarium

hören hear

die **Hörerzahl, –en** number of auditors (*students*)

der **Hornochse, –n, –n** dumbbell, blockhead

hübsch pretty

die **Humanitätsperiode, –n** period of humanity

der **Hund, –e** dog
hüpfen skip, hop
hüten watch over, guard;
sich — beware of
hütenswert worth preserving
die **Hütte, –n** cottage, hut
die **Hypothek, –en** mortgage

i. R. (im Ruhestande) retired
das **Idealbestreben** ideal striv-
ing
die **Idee, –n** idea
ideell ideal
die **Ideenwelt, –en** world of
ideas
ihrerseits on their part
ihresgleichen its like, their
like
immer always
immerhin anyhow, at any
rate
imstande sein be in a position, be able
in (*prep. w. dat. or acc.*) in,
into
der **Inbegriff, –e** essence, quint-
essence
indem while, whereas
der **Independentismus** inde-
pendency (*economic*)
indessen meanwhile
indisch Indian, Hindu
das **Individuum, Individuen** individual
ineinander•greifen inter-
lock
infolge in consequence of
infolgedessen consequently
die **Infragestellung** questioning
der **Ingenieur, –s, –s** engineer

der **Inhalt, –e** contents
die **Inhaltsangabe, –n** table of
contents
inmitten amidst
inne•halten stop, keep, observe
die **Innehaltung** observance
innerhalb (*prep. w. gen.*)
inside
innerkirchlich intraecclesi-
astical
innerlich inner, internal
die **Innerlichkeit** fervor, deep
feeling
innig fervent, deeply felt
der **Insasse, –n, –n** inmate
die **Inschrift, –en** inscription
die **Insel, –n** island
das **Inseldasein** insular existence
insgeheim in secret
insofern to the extent
das **Institut, –e** institute
der **Institutsvorstand** managing
board of an institution
interessant interesting
das **Interesse, –n** interest
der **Interessengegensatz, –̈e** opposition of interests
(sich) **interessieren** interest (oneself)
das **Internierungslager, –** in-
ternment camp
intim intimate
das **Inventar, –e** inventory
invertiert inverted
inwiefern to what extent
die **Inzucht** inbreeding
ird(i)sch earthly
irgend some, any, ever, at
all
irgendwelch some
irgendwie somehow

irgendwo somewhere
(sich) **irren** be mistaken
irre•werden become confused *or* mistaken
die **Irrlehre, –n** erroneous doctrine
der **Irrtum, ⁼er** error
isländisch Icelandic
die **Isolierung, –en** insulation, isolation

ja yes, indeed, to be sure
die **Jagd, –en** hunt, chase
der **Jäger, –** hunter
das **Jahr, –e** year
jahrelang for years
das **Jahrhundert, –e** century
die **Jahrhundertwende, –n** turn of the century
der **Jahrmarkts-Lärm** noise of the fair
der **Jahrmarkts-Staub** dust of the fair
das **Jahrzehnt, –e** decade, ten-year period
der **Jammer** misery, woe
jammern wail, moan, lament
das **Jasagen** assent
je ever; the (+ *compar.*); — **nachdem** according (to)
jedenfalls in any case
jedoch yet, still, however, nevertheless
jeglich– every, each
jemals ever
jemand someone, anyone
jenseits (*prep. w. gen.*) the other side of
jetzig – present, existing
jetzt now

jeweilig for the time being, specific
der **Jubel** jubilation, exultation
jubeln rejoice, exult
der **Jude, –n, –n** Jew
die **Judenfrage, –n** Jewish question
das **Judentum** Judaism
die **Judenverfolgung, –en** persecution of the Jews
jüdisch Jewish
die **Jugend** youth, early life
das **Jugenddrama, –dramen** early drama
der **Jugendfreund, –e** young friend
die **Jugendkraft, ⁼e** youthful strength
jugendlich youthful
die **Jugendliebe** young love
jung young
die **Jungfrau, –en** maid(en), virgin
der **Jüngling, –e** young man, youth
die **Jünglingsjahre** years of young manhood

der **Käfig, –e** cage
kahl barren, empty, bald
kalt cold
der **Kamerad, –en, –en** comrade
die **Kammer, –n** small room, chamber
der **Kampf, ⁼e** struggle, battle
die **Kampfbereitschaft** readiness for battle
kämpfen battle, fight, struggle

kampffähig capable of fighting

kampflos without a struggle

kanadisch Canadian

der **Kanarienvogel,** ⸚ canary

die **Kannelierung, –en** fluting, channeling

kapitalistisch capitalistic

das **Kapitel, –** chapter

der **Karabiner, –** carbine, rifle

karg meager

katholisch Catholic

kaufen buy

der **Kaufmann, Kaufleute** merchant

kaum hardly, scarcely

kausal causal, causative

die **Kehle, –n** throat

der **Keim, –e** germ, seed

keinerlei none at all, of no kind

keinesfalls by no means, not in any case

keineswegs in no way, by no means

keltisch Celtic

kennen, kannte, gekannt know

kennen•lernen become acquainted with

kenntlich easy to recognize. conspicuous

die **Kenntnis, –se** knowledge, information

das **Kennzeichen, –** distinguishing feature, characteristic

der **Kern, –e** core, kernel

die **Kerze, –n** candle

die **Kette, –n** chain

ketten chain, bind

der **Ketzer, –** heretic

das **Kind, –er** child

die **Kirche, –n** church

der **Kirchendienst, –e** church service

kirchlich ecclesiastical

kitten paste, glue

klagen complain, lament

der **Klang,** ⸚**e** sound, tone

klar clear, lucid

klardenkend intelligent, thinking clearly

die **Klasse, –n** class

klassenbewußt class-conscious

klein little

der **Kleinglaube, –ns, –n** lack of faith, little faith

klettern climb

klingen, a, u sound, resound

klinisch clinical

die **Kluft,** ⸚**e** difference, gap, cleft

klug smart, intelligent

knapp concise, terse

knebeln gag, muzzle

der **Knecht, –e** slave, servant

sich **knöpfen** attach oneself (to)

der **Knoten, –** knot

knüpfen tie, join

kochen cook, boil

das **Kolleg, –ien** lecture, course; **ein — lesen** give a course

der **Kollege, –n, –n** colleague

das **Kolleggeld, –er** tuition, course fee

der **Kometennebel, –** nebula of comets

das **Kommando, –s** command, commando

kommen, kam, gekommen come

der **Kompendienschreiber, –** writer of abstracts and short treatises

das **Kompendium, –ien** manual, abstract, treatise

der **Kompilator, –en** compiler

der **Komplex, –e** complex

die **Komponente, –n** component

das **Komponieratelier, –e** studio (*for composing*)

komponieren compose

konfessionell confessional (*denominational*)

die **Königin, –nen** queen

die **Konkretheit, –en** concreteness

das **Konkurrenzgefühl, –e** feeling of competition

können, konnte, gekonnt, kann be able, can, know how

die **Konsequenz, –en** consequence, logical consistency

konstatieren state, observe

konstitutiv basic, natural

der **Kontakt, –e** contact

das **Konvolut, –e** scroll, manuscript

das **Konzentrationslager, –** concentration camp

konzentrisch concentric

der **Kopf, –̈e** head

körperlich bodily, physical

die **Körperschaft, –en** agency, body, corporation

korrespondieren correspond

korrigieren correct

kosmisch cosmic

der **Kosmopolit, –en, –en** cosmopolitan

der **Kosmos** universe, cosmos

Kosten: auf — at the expense

kostenlos without expense, free

kostenverursachend expense-causing, entailing expense

köstlich precious, delightful

kraft (*prep. w. gen.*) by dint of

die **Kraft, –̈e** power, strength

der **Kräfteaufwand, –̈e** expenditure of energy

das **Kraftgefühl, –e** feeling of power

kräftig powerful, strong

kraftlos powerless, feeble, weak

die **Kraftmenge, –n** amount of strength

das **Kraftloswerden** process of enfeeblement

kraftspendend energetic, using power

der **Kranich, –e** crane (*bird*)

krank sick

krankhaft diseased

die **Krankheit, –en** illness, disease

der **Krankheitszustand, –̈e** condition of illness

krankmachend disease producing

das **Kranksein** state of being ill

der **Kreis, –e** circle, group

kreisen circulate

der **Kreisleiter, –** district leader

das **Kreuz, –e** cross

kreuzigen crucify

der **Krieg, –e** war

die **Kriegsaufrüstung, –en** rearmament, preparation for war

die **Kriegsertüchtigung** training for war

die **Kriegsfortsetzung, –en** continuation of war

der **Kriegsgegner, –** opponent of war

das **Kriegsinstrument, –e** instrument of war

der **Kriegstod** death in war

kritisch critical

die **Krücke, –n** crutch

kühl cool

kühn bold

die **Kühnheit, –en** brazenness

der **Kult, –e** cult

die **Kultur, –en** culture, civilization

die **Kulturanforderung, –en** demand of civilization

die **Kulturarbeit, –en** effort in behalf of civilization

der **Kulturaufbau** process of building a civilization

der **Kulturbesitz** cultural possession

das **Kulturbild, –er** state of culture

kulturell cultural

die **Kulturenergie, –n** force of civilization

der **Kulturenthusiasmus** enthusiasm for culture

die **Kulturentwicklung, –en** development of civilization

kulturförderlich promoting culture

die **Kulturgesinnung, –en** disposition toward culture

das **Kulturideal, –e** ideal of civilization

die **Kulturidee, –n** idea of civilization

das **Kulturleben** cultural life

kulturlos uncivilized

das **Kulturniveau, –s** level of culture

der **Kulturoptimismus** hope for civilization

die **Kulturstufe, –n** stage of civilization

das **Kulturvolk, ⸗er** civilized people

das **Kulturwerk, –e** cultural achievement

der **Kulturwert, –e** cultural value

der **Kulturzustand, ⸗e** state of culture

kumulieren accumulate

kund well-known, aware

die **Kundgebung, –en** manifestation

der **Kundige, –n, –n** expert, initiated person

kündigen give notice (of termination of employment)

künftig future

die **Kunst, ⸗e** art

der **Künstler, –** artist

künstlerisch artistic

die **Künstlerschaft** artistry

das **Kunstmittel, –** artistic means

kunstreich ingenious, artistic

das **Kunststück, –e** clever trick

die **Kunsttheorie, –n** art theory

das **Kunstwerk, –e** work of art

der **Kunstwert, –e** value of art

die **Kunstwirkung, –en** artistic effect

kurz brief, short

die **Kürze** brevity

kurzlebig short-lived

kürzlich recently

die **Küste, –n** coast

das **K–Z–Lager** *see* **Konzentrationslager**

lächeln smile

lachen laugh

lächerlich ridiculous

die **Lächerlichkeit** ridiculousness, absurdity

laden, u, a, ä load, burden

die **Lage, –n** position, situation

die **Lagermißhandlung, –en** cruelty *or* mistreatment in a camp

das **Lagersterben** dying in a camp

die **Lagerung, –en** stratification, suspension

lähmen paralyze

lahm•legen render inactive, paralyze

der **Laie, –n, –n** layman

die **Laienreligion, –en** secular faith, lay religion

das **Land, –er** country

die **Landkarte, –n** map

ländlich rural

der **Landsmann, Landsleute** farmer, peasant, rustic

die **Landschaft, –en** landscape

landschaftlich rural, scenic

die **Landsleute** *see* **Landsmann**

der **Landsmann, Landsleute** fellow countryman, compatriot

die **Landung, –en** landing

lang(e) long, a long time

das **Längenmaß, –e** linear measure

längs (*w. dat*) along, by the side of

langsam slow

längst long ago, long since

der **Lärm** noise

lassen, ie, a, ä let, leave, refrain from, cause

die **Last, –en** burden

lasten weigh heavily upon

lateinisch Latin

die **Latenz** concealment

der **Lauf, –e** course

die **Laufbahn, –en** career

laufen, ie, au, äu run, walk

der **Läufer, –** runner

die **Laune, –n** humor, whim

lauschen listen

laut loud, aloud

laut (*prep. w. dat*) according to

lauten read, be read as, sound; **sich —** form a sound

lauter pure, flawless; nothing but

läutern purify

die **Läuterung, –en** purification

lautlos soundless

leben live

das **Leben** life

lebendig alive, living

die **Lebendigkeit** liveliness, vitality

die **Lebensängstlichkeit, –en** anxiety for life, fear of living die **Lebensart, –en** kind of life, kind of living

die **Lebenserinnerung, –en** memoir, memory of life

lebensfähig vigorous, vital, fit to live

die **Lebensfrage, –n** question of life

das **Lebensgefühl, –e** life instinct, feeling for life

das **Lebensjahr, –e** year of one's life

die **Lebenskraft, ⁼e** vigor, vitality

der **Lebenskreis, –e** life history

lebenslange for life, lasting a long time

die **Lebenslust** love of life, joy in living

die **Lebensnot, ⁼e** vicissitude of life

die **Lebensordnung, –en** order of life

das **Lebensproblem, –e** problem of living

der **Lebensraum, ⁼e** living space

die **Lebenstätigkeit, –en** activity of life

die **Lebenstüchtigkeit** ability to cope with life

das **Lebensverhältnis, –se** life relationship, living condition(s)

die **Lebenszeit, –en** lifetime, span of life

lebenumfassend life encompassing

das **Lebewesen, –** living creature

Lebzeiten: bei — in (one's) lifetime

leer empty

die **Leere** void, emptiness

legen put, lay

legitim legitimate

das **Lehramt, ⁼er** teaching position, profession of teaching

der **Lehrbetrieb** teaching activity, teaching process

der **Lehrbube, –n, –n** apprentice

die **Lehre, –n** teaching, lesson, doctrine

lehren teach; **gelehrt** learned

der **Lehrer, –** teacher

die **Lehrerprüfung, –en** license examination for teaching

das **Lehrfach, ⁼er** teaching field, subject matter

das **Lehrgedicht, –e** didactic poem

das **Lehrjahr, –e** apprentice year

die **Lehrmöglichkeit, –en** possibility of teaching

der **Lehrplan, ⁼e** teaching plan, program of instruction

das **Lehrstück, –e** assignment

der **Leib, –er** body

leiblich physical, bodily

die **Leiche, –n** corpse

leicht easy, light, soft

die **Leichtigkeit** ease, facility

leichtlich easily, lightly

leichtsinnig frivolous

das **Leid, –en** sorrow, grief, misery

leiden, litt, gelitten suffer, allow

die **Leidenschaft, –en** passion

leidenschaftlich passionate

leider unfortunately

leidlich bearable, tolerable, moderate, fairly, quite
leidvoll sorrowful
leihen, ie, ie lend, borrow
leise soft, gentle
leisten perform, fulfill, supply; **Gehorsam —** obey
die **Leistung, –en** accomplishment, achievement, performance
der **Leiter, –** leader, chief
die **Leitidee, –n** guiding idea
die **Lektüre, –n** perusal, reading
lenken guide, direct, steer
lernen learn
lesen, a, e, ie read, choose
lesenswert worth reading
der **Leser, –** reader
letzt – last
letzlich lastly
leuchten shine, gleam, be radiant
leugnen deny
die **Leute** people
der **Leutnant, –s** lieutenant
das **Licht, –er** light
die **Lichtgeschwindigkeit** velocity of light
der **Lichtleiter, –** light conductor
die **Liebe** love
lieben love, like
liebenswürdig amiable, lovable
lieber rather
die **Liebesgeschichte, –n** love story
das **Liebeslied, –er** love song
die **Liebesregung, –en** feeling of love

liebevoll affectionate, loving, tender
der **Liebhaber, –** lover, amateur
die **Liebhaberei, –en** favorite pastime, fancy
der **Liebling, –e** favorite
der **Lieblingsaufenthaltsort, –e** favorite place to stay
das **Lieblingswort, ¨er** favorite word
liebreich loving, affectionate
der **Liedesklang, ¨e** sound of a song
liefern supply, deliver
liegen, a, e lie, be situated, be located
die **Linie, –n** line, **in erster —** above all
die **Lippe, –n** lip
die **Liste, –n** list
der **Literat, –en, –en** man of letters
loben praise
lob•singen sing praise
die **Lockerung, –en** relaxation, slackening
die **Logik** logic
logisch logical
der **Lohn, ¨e** reward, salary
lohnen reward, pay
das **Los, –e** lot, fate
lösen loosen, detach, solve
los•lassen let go, set free
die **Losung, –en** slogan, battle-cry
die **Lösung, –en** solution, severance, detachment
los•werden get rid of
die **Lücke, –n** gap
die **Lüge, –n** lie
lügen, o, o lie

der **Lump, –en, –en** rascal
die **Lust,** ⸚e joy, happiness,
pleasure
lustig gay, merry, funny,
happy
das **Luthertum** Lutheranism
der **Luxus** luxury
die **Lyrik** lyric poetry
lyrisch lyrical

machen make, do; **Ernst**
— be in earnest
die **Macht,** ⸚e might, power,
force
der **Machtergreifer,** – tyrant,
one who seizes power
der **Machthaber,** – one who
holds power
mächtig powerful, mighty
die **Macht-Politik** power politics
die **Machtvollkommenheit** completeness of power
das **Mädchen, –** girl
die **Magie** magic
das **Mahl, –e** meal, dinner
mahnen warn, admonish
das **Mahnmal, –e** memorial
monument
majestätisch majestic
das **Mal, –e** time (*occurrence*);
monument; — **um** — time
after time; **mit einem** —**e**
all of a sudden
das **Malatelier, –e** painting studio
malen paint
der **Maler, –** painter
die **Malerei, –en** painting
malerisch picturesque,
colorful

die **Malersprache** painters' jargon
man one, people, everyone
manch many a; (*pl.*) some
mancherlei of many kinds
der **Mangel,** ⸚ lack, defect,
shortcoming
manieriert mannered
der **Mann,** ⸚**er** man, husband
mannigfach various, manifold
mannigfaltig manifold, diverse
die **Mannigfaltigkeit** variety,
multiplicity
männlich male, masculine,
manly
der **Mantel,** ⸚ overcoat, cover
die **Mappe, –n** briefcase, folder
das **Märchen, –** fairy tale
die **Mark, –en** province (*usually
Brandenburg*)
märkisch provincial, regional, of Brandenburg
der **Markt,** ⸚**e** market
der **Marsch,** ⸚**e** march
der **Märtyrer, –** martyr
das **Martyrium** martyrdom,
agony
die **Maschine, –n** machine
das **Maß, –e** mass, measure, dimension
das **Maßbild, –er** measure, yardstick, model
die **Masse, –n** mass, crowd
die **Massenbewegung, –en** mass
movement
das **Massenstrafgericht, –e**
mass sentence
die **Massenverhaftung, –en**
mass arrest

das **Massengrab, ⁼er** mass
  grave
die **Mäßigung, –en** moderation
  maßlos immoderate, reck-
  less
der **Maßstab, ⁼e** measure, scale
  materiell material
die **Mauer, –n** wall
die **Maus, ⁼e** mouse
der **Mausgesang, ⁼e** mouse's
  song
  mechanisch mechanical
  mediceisch Medicean
  medizinisch medicinal,
  medical
das **Meer, –e** ocean, sea
  mehr more, any more
  mehrbändig in several volumes
  mehrere several
  mehrfach multiple, repeated
die **Mehrzahl** greater part, majority, plural
  meinen say, mean, indicate
die **Meinung, –en** opinion
  meist generally, mostly
  meistens generally, usually
der **Meister, –** master, accomplished craftsman
  meisterhaft masterly
das **Meisterwerk, –e** masterpiece
  melden report, announce
die **Menge, –n** amount, crowd
der **Mensch, –en, –en** person,
  human being
die **Menschenfreude, –n** joy of
  man
das **Menschenalter** age of man,
  life span, generation
der **Menschenanstand** human
  decency

die **Menschenbrust** human
  heart
das **Menschengeschlecht, –er**
  human race
das **Menschenglück** human
  happiness
die **Menschenhandlung, –en**
  human action
das **Menschenhirn, –e** human
  brain
das **Menschenleben** human life
das **Menschenrecht, –e** human
  right
der **Menschenstamm, ⁼e** branch
  of humanity
das **Menschentum** mankind, humanity
das **Menschenwerk, –e** human
  achievement
das **Menschenwesen** human nature
die **Menschenwürde, –n** human
  dignity
die **Menschheit** mankind
  menschlich human
die **Menschlichkeit** humane-
  ness, humanity
(sich) **merken** notice, remember
das **Merkmal, –e** characteristic,
  mark
  merkwürdig remarkable,
  noteworthy, strange
  meßbar measurable
  messen, a, e, i measure
das **Messer, –** knife
das **Meßergebnis, –se** result of
  measurement
die **Metrik** measurement, pros-
  ody
  militärisch military
der **Militärputsch, –e** military
  revolt

minder less

die **Minderheit, –en** minority

mindern lessen

die **Minderwertigkeit, –en** inferiority

die **Minderzahl, –en** smaller number, minority

mindestens to say the least, at least

das **Ministerium, –ien** ministry

mischen mix

mißbrauchen misuse

der **Mißerfolg, –e** failure

die **Missetat, –en** misdeed

mißfallen displease

die **Mißgeburt, –en** miscarriage, abortion, caricature

mißglücken fail

mißhandeln mistreat, abuse

der **Mißklang, –e** jarring sound, wrong note

mißleiten mislead

mißlingen, a, u fail, not succeed

mißraten fail, miscarry

der **Mißstand** bad state, inconvenience

mißtrauen mistrust

mißverstehen misunderstand

mit (*prep. w. dat.*) with

mit (*adv.*) at the same time *or* place, together

die **Mitarbeiterschaft** collaboration, contribution

mit•bekommen receive at the same time

mit•bringen bring along

der **Mitbürger, –** fellow citizen

miteinander with one another

das **Mitglied, –er** member

mit•helfen cooperate, help along

die **Mithilfe** assistance, cooperation

mitleidig compassionate

mitleidlos without compassion

mit•machen participate

mit•nehmen take along

die **Mitschuld** complicity

mitschuldig implicated in guilt, also guilty

die **Mitschwester, –n** sister (animal)

die **Mitte, –n** middle, center

mit•teilen report, communicate

mitteilenswert worthy of communication

mit•teilen report, communicate

das **Mittel, –** means, expedient

die **Mittelfigur, –en** central figure

die **Mittelmäßigkeit, –en** mediocrity

der **Mittelstaat, –en** central state or province

mitten in the midst (of)

der **Mittler, –** mediator

mit•tragen bear jointly, suffer along (with)

mitunter sometimes

mitverantwortlich sharing responsibility

der **Mitwisser, –** person in the know, accessory

die **Mode, –n** fashion

mögen, mochte, gemocht, mag like, care to, be apt to, may

möglich possible; —**st** as much as possible

die **Möglichkeit, —en** possibility

das **Moment, —e** factor

der **Moment, —e** moment

momentan for the moment, momentary

der **Monat, —e** month

monogam monogamous

die **Moral, —en** moral, morals, ethics

die **Moralforderung, —en** demand of morality

moralisch moral

moralisieren moralize

morden murder

der **Mörder, –** murderer

morgen tomorrow

der **Morgen, –** morning

morgenländisch eastern, Oriental, Asiatic

das **Motiv, —e** theme, motif, motive

die **Mühe, —n** labor, trouble, toil

sich **mühen** endeavor, exert oneself, trouble

der **Mund, ∺er** *or* **—e** mouth

munter cheerful

münzen coin, mint

murmeln murmur

murren grumble

die **Musik** music

musikalisch musical

die **Musikästhetik** esthetics of music

der **Musikmeister, –** master musician

der **Musikschüler, –** student of music

der **Musiktheoretiker, –** music theoretician

müssen, mußte, gemußt, muß be obliged to, have to, must

müßig idle

der **Mut** courage

mutmaßlich presumable, probable

der **Mutterboden** native soil

der **Mythos, Mythen** myth, legend

nach (*prep. w. dat.*) to, after, according to; — **und** — gradually

nach•ahmen imitate

der **Nachbar, —n** neighbor

nach•denken reflect, meditate

nachdenklich pensive, thoughtful, reflective

der **Nachdruck, ∺e** reprint, emphasis

nachdrücklich emphatic, energetic, vigorous

nacheinander successively

nach•forschen inquire, search after

nachher afterwards

der **Nachkomme, —n, —n** descendant

nach•laufen run after

nach•lesen read again

nach•sagen say about

nach•schlagen refer, look up

die **Nachsicht** indulgence, forbearance

nächst next; **am —en** nearest, closest

die **Nacht, ∺e** night

der **Nachteil, —e** disadvantage

die Nächtigkeit gloominess, darkness, pessimism
nach•tun imitate
der Nachweis, –e information, reference
nach•weisen point out, prove
nach•wirken produce an aftereffect
der Nager, – rodent
nah(e) near
nahe•liegen lie close, be obvious
nahezu nearly, almost
der Nährboden, ⁻ fostering soil, culture
(sich) nähren nourish (oneself)
der Name, –ns, –n name
namenlos nameless
nämlich namely
der Narr, –en, –en fool
die Narrheit, –en foolishness
das Nationalgefühl, –e national feeling, patriotic emotion
die Nationalität, –en nationality
der Nationalökonom, –en, –en political economist
nationalsozialistisch National Socialist (Nazi)
die Natur nature
das Naturell natural disposition or temper
der Naturforscher, – natural scientist
das Naturgesetz, –e law of nature
die Natur-Kunstgewalt, –en artistic force of nature
der Naturlaut, –e sound of nature, natural utterance
natürlich naturally
die Natürlichkeit naturalness

die Naturwissenschaft, –en natural science
naturwissenschaftlich scientific
der Naturzusammenhang, ⁻e relationship of nature
die Nazisierung, –en Nazification
neben (prep. w. dat. or acc.) beside, next to
der Nebenarm, –e branch
nebeneinander side by side
das Nebenfach, ⁻er subordinate branch, subject
nebensächlich subordinate, incidental
der Nebensatz, ⁻e subordinate clause
der Nebenstrom, ⁻e tributary
nehmen, nahm, genommen, nimmt take
neigen incline
die Neigung, –en inclination
nennen, nannte, genannt name
der Nervenarzt, ⁻e neurologist
das Nervengift, –e narcotic, poison for the nerves
nervös nervous
die Nervosität nervousness
nett nice, neat
neu new
der Neuaufbau reconstruction
die Neubildung, –en new formation, reestablishment
neuerdings recently
der Neuerer, – pioneer, renewer
neugierig curious
das Neujahr, –e New Year
die Neujahrspredigt, –en New Year's sermon
die Neurasthenie neurasthenia

die **Neurose, –n** neurosis
die **Neurotika** (female) neurotic
der **Neurotiker**(male) neurotic
     neurotisch neurotic
die **Neuzeit, –en** present age, modern times
     neuzeitlich modern
     nicht not
das **Nichtanderskönnen** inability to do otherwise
der **Nichtjude, –n, –n** non-Jew
der **Nicht-Künstler, –** nonartist
     nichts nothing
der **Nichtstaat, –en** absence of a state, nonstate
     nie never; **— und nimmer** never at any time
     nieder•biegen bend down, bend over
der **Niedergang, ⸚e** distintegration, dissolution, fall
     nieder•gehen go down, perish, surrender
die **Niederhaltung, –en** suppression
     nieder•kämpfen fight down
das **Niederkämpfen** suppression
die **Niederkämpfung, –en** suppression
die **Niederlage, –n** defeat
     nieder•legen put down, lay down
die **Niederwerfung, –en** crushing, prostration
     niemals never
     niemand no one
     nimmer never; **nie und —** never at any time
das **Niveau, –s** level
     noch still, yet; **— nicht** not yet

     nochmals again, once more
     norddeutsch North German
der **Norden** north
     normalerweise normally
     normannenhaft in the manner of the Normans
     normannisch Norman
der **Norweger, –** Norwegian
die **Not, ⸚e** need, trouble, necessity
der **Notfall, ⸚e** emergency
     nötig necessary
     nötigen coerce, compel, necessitate
die **Notiz, –en** note, memorandum, notice
     notwendig necessary
die **Notwendigkeit, –en** necessity
die **Novelle, –n** short story, novella
die **Novellenkunst** art of the **Novelle**
der **Novellenschatz, ⸚e** anthology of **Novellen**
die **Novellistik** writing of **Novellen**
     novellistisch pertaining to the writing of **Novellen**
     nüchtern sober, unemotional
     nun now, at the present time
     nunmehr now, after all
     nur only
der **Nutzen** profit, utility, advantage
     nutzen (*also* **nützen**) use, be of advantage to
der **Nutznießer, –** profiteer
die **Nutzung, –en** use, using

ob whether; **als ob** as if
obdachlos without shelter
oben above, upstairs
ober – upper, higher
die **Oberfläche, –n** surface
oberflächlich superficial
die **Oberflächlichkeit, –en** superficiality
der **Oberst, –en, –en** colonel
die **Objektliebe** love for opposite sex, love for an object
obwohl although
die **Öde, –n** desolation, solitude, desert
oder or
offen open
offenbar obvious
offenbaren reveal
die **Offenbarung, –en** revelation
die **Offenheit** openness
öffentlich public
die **Öffentlichkeit** public view, public eye
der **Offizier, –e** officer
das **Offizierkorps** corps of officers
(sich) **öffnen** open (oneself)
oft often
öfters often
oftmals often
ohne (*prep. w. acc.*) without
ohnedies without that
die **Ohrfeige, –n** slap in the face, box on the ear
der **Olympier, –** Olympian
das **Opfer, –** sacrifice, victim; **zum — fallen** be a victim
opfern sacrifice
der **Ordensgeist, –er** spirit of the order

die **Ordensidee, –n** idea of the order
ordentlich orderly, regular
ordnen arrange, put in order
die **Ordnung, –en** order, orderliness
ordnungsfeindlich opposed to order
der **Organisator, –en** organizer
originell original, peculiar, singular
der **Ort, –e** or **Ortschaften** place
der **Ortsname, –ns, –n** name of a place
der **Ozean, –e** ocean

pachten rent, lease
pädagogisch pedagogical, educational
palastähnlich like a palace
pantheistisch pantheistic
das **Papier, –e** paper, document
der **Papst, ⸚e** pope
das **Papsttum** papacy
die **Parallele, –n** parallel
die **Parole, –n** watchword, password
die **Partei, –en** (*political*) party
der **Parteigenosse, –n, –n** member of the party
der **Partialtrieb, –e** subordinate drive
passieren happen, pass
die **Pedanterie, –n** pedantry
peinlich embarrassing, painful
die **Periodizität, –en** periodicity
die **Person, –en** person, character

persönlich personal
die **Persönlichkeit, –en** personality, celebrity
pervers perverse
der **Pfad, –e** path
der **Pfadfinder, –** pioneer
der **Pfarrer, –** minister, priest
die **Pfarrstelle, –n** pastorate
die **Pflanze, –n** plant
pflanzen plant, cultivate
pflegen be accustomed, cultivate, nourish
der **Pfleger, –** (male) nurse
die **Pflicht, –en** duty, obligation, liability
das **Pflichtgefühl, –e** sense of duty
pflichtgemäß in accordance with duty, dutiful
pflügen plow, cultivate
die **Phantasie, –n** imagination
phantastisch fantastic, visionary
pharisäerhaft sanctimonious, pharisaical
philiströs philistine, narrowminded
der **Philolog, –en, –en** philologist
der **Philosoph, –en, –en** philosopher
die **Philosophie, –n** philosophy
die **Philosophiegeschichte, –n** history of philosophy
der **Philosophieunterricht** instruction in philosophy
philosophisch philosophical
physisch physical
der **Pietismus** piety
der **Pietist, –en, –en** pietist
der **Plan, ⁻e** plan
planen plan

der **Planet, –en, –en** planet
die **Plastik** plastic art (painting and sculpture)
der **Plastiker, –** plastic artist
platt flat, barren
der **Platz, ⁻e** place, seat, square
plebejisch plebeian, vulgar, coarse
plötzlich sudden(ly)
plump abrupt, rough
die **Plünderung, –en** plunder, pillage
der **Pöbel** rabble, people, mob
die **Poesie** poetry
poetisch-fremdartig poetically odd
die **Polarität, –** polarity
der **Pol, –e** pole
der **Pole, –n, –n** Pole
der **Polenkrieg, –e** war against Poland
der **Politiker, –** politician
die **Polizei** police
polizeilich referring to the police, issued by the police
poltern bluster, rumble, make a noise
(das) **Pommern** Pomerania
die **Popularphilosophie** popular philosophy
der **Posten, –** post, sentry
die **Potenz, –en** power
die **Pracht** splendor, magnificence
der **Prachtbau, –ten** magnificent structure
prachtvoll splendid, magnificent
die **Prädestinationslehre, –n** doctrine of predestination
prägen stamp, coin, imprint

prägnant pregnant, full of meaning
prahlen boast
praktisch practical
der **Prediger, –** preacher
die **Predigt, –en** sermon
der **Preis, –e** price, prize
preisen, ie, ie praise, extol
preis•geben abandon, give up, expose
prekär precarious
der **Preuße, –n, –n** Prussian
(das) **Preußen** Prussia
das **Preußentum** Prussianism, Prussian nature
preußisch Prussian
das **Primat, –e** primacy
der **Prinz, –en, –en** prince
das **Prinzip, –ien** principle
prinzipiell on principle
der **Privatmann, ⸚er** private person
die **Probe, –n** proof, test, sample
die **Produktionsmittel** (*pl.*) means of production
die **Professur, –en** professorship
proklamieren proclaim
proletaroid like a proletarian
die **Promotionsordnung, –en** regulation regarding granting of doctorates
die **Propädeutik** introduction
prophezeien prophesy, predict
die **Prosa** prose
provinzial provincial
der **Provinzler, –** small-towner, provincial

das **Prozent, –e** percent
der **Prozeß, –zesse** process; trial
prüfen test, examine, prove, sift, investigate
die **Prüfung, –en** examination
der **Psalter, –** Psalter
psychisch psychic
die **Psychoanalyse, –n** psychoanalysis
die **Psychoneurose, –n** psychoneurosis
das **Publikum** audience, public
der **Punkt, –e** point
punktum! that's enough!
putzen polish, refine
pythisch Pythian

die **Qual, –en** torment, torture, pain
qualifiziert qualified
die **Quantität, –en** quantity
quasi-moralisch pseudomoral
die **Quelle, –n** source, fountain, spring

die **Rache** vengeance
der **Rachebarde, –n, –n** writer who preaches vengeance
der **Rahmen, –** frame
der **Rand, ⸚er** rim, edge, brink
der **Rang, ⸚e** rank, position
die **Rangordnung, –en** order of rank, gradation
rasch quick
die **Raserei, –en** madness, rage, fury
die **Rasse, –n** race
raten, ie, a, ä advise, guess

ratlos perplexed, at wits' end

ratsam advisable

das **Rätsel,** – riddle, puzzle

rätselhaft puzzling, enigmatic

die **Ratte, –n** rat

rauben kidnap, rob

der **Räuber,** – robber, thief

der **Räuberinstinkt, –e** robber instinct

der **Raubmord, –e** robbery involving murder

der **Raum, ⁼e** space, room, scope

räumlich spatial

raumzeitlich pertaining to space and time

der **Rausch, ⁼e** intoxication, frenzy, enthusiasm

reagieren react

reaktionär reactionary

reaktionär-militaristisch reactionary and militaristic

die **Reaktionsweise, –n** manner of reacting

rechnen calculate

recht right, correct

das **Recht, –e** right, privilege, justice

recht•haben be right

rechtfertigen justify

die **Rechtfertigung, –en** justification

die **Rechtlosigkeit** lawlessness, illegality

der **Rechtsanwalt, ⁼e** lawyer, attorney

die **Rede, –n** speech; **eine —halten** make a speech

redegeschickt articulate

reden speak, talk

die **Redewendung, –en** phrase, idiom, turn of phrase

redlich honorable, upright, straightforward

reduzieren reduce

reformbedürftig in need of reform

das **Reformwerk, –e** process of reform

rege active, lively, nimble

die **Regel, –n** rule, regulation, precept

regelmäßig regular

(sich) **regen** bestir, move (oneself)

regieren rule, govern

die **Regierung, –en** government

regsam active, enterprising

die **Regung, –en** movement, motion, emotion

reich rich

das **Reich, –e** empire, realm

reichen reach

das **Reichsein** state of being rich

die **Reichsfahne, –n** national colors

der **Reichstag** *German Parliament*

die **Reichsvertretung, –en** national association

der **Reichtum, ⁼er** riches, wealth, opulence

reif mature, ripe

reiflich mature

die **Reihe, –n** row, series

rein pure, simple

die **Reinheit** purity, simplicity

reinlich clean, neat

reißen, riß, gerissen rip, tear

der **Reiz, –e** charm, attraction, stimulus
reizen attract, stimulate, irritate
reizend charming
der **Rekrut, –en** recruit
der **Rektor, –en** rector (of a German university)
relativieren compare relatively
die **Reliefkarte, –n** relief map
religiös religious
die **Religiosität** religiosity, religiousness
die **Reminiszenz, –en** recollection
die **Renaissancestimmung, –en** mood of the Renaissance
rennen, rannte, gerannt run
der **Rentner, –n** person living on private means
der **Repräsentant, –en, –en** representative
resignieren resign
das **Resultat, –e** result
retardieren retard
retten rescue, save
die **Rettung, –en** rescue, deliverance, recovery
die **Rettungsleistung, –en** act of rescue
der **Rheinländer, –** person from the Rhineland
(sich) **richten** direct (oneself), judge
der **Richter, –** judge
richtig correct, right
die **Richtung, –en** direction, rate, course
riechen, o, o smell
der **Riegel, –** bolt

rigoros rigorous
ringen, a, u wrestle, struggle
riskieren risk
ritterlich courteous, courtly, chivalrous
der **Rock, –̈e** coat, jacket
roh raw, crude, rough
die **Roheit, –en** brutality
die **Rolle, –n** role
der **Roman, –e** novel
die **Romantik** Romanticism
der **Romantiker, –** Romantic (poet)
römisch Roman
die **Rotte, –n** gang, band of villains
der **Rückgang, –̈e** retrogression, return
die **Rückkehr** return
rückläufig recurrent, running back
die **Rückreise, –n,** return journey
der **Rückschluß, –schlüsse** conclusion (a posteriori)
die **Rücksicht, –en** consideration, respect
rücksichtslos inconsiderate
die **Rücksichtslosigkeit, –en** lack of consideration
die **Rücksprache, –n** consultation, conference
rufen, ie, u call
die **Ruhe** rest, calmness
ruhen rest
ruhig quiet, still
der **Ruhm** fame
(sich) **rühmen** praise, boast
(sich) **rühren** stir, move
ruinieren ruin

der **Rundfunk** radio, broadcasting

der **Russe, –n, –n** Russian
russisch Russian
das **Rußland** Russia
die **Rute, –n** whip, scourge

die **Saat, –en** seed
die **Sache, –n** thing, matter, article, object, cause
sachlich objective, real, positive
der **Sachse, –n –n** Saxon
sächsisch Saxon
säen sow
die **Sage, –n** legend, saga, fable
sagen say, tell, speak
die **Saite, –n** string (of instrument)
der **Samen, –** seed
sammeln collect, assemble
samt (prep. w. dat.) together with, with; — **und sonders** each and all, all together
sandig sandy
die **Sandwüste, –n** sandy waste, desert
sättigen satisfy, appease
der **Satz, ⁼e** dictum, proposition, principle; leap
sauber clean
die **Schablone, –n** stencil, pattern
schade it's a pity
der **Schaden** harm, damage; **zu — kommen** come to grief
schädigen damage, harm
die **Schädigung, –en** harm, impairment, damage
schädlich harmful, damaging, dangerous

die **Schädlichkeit, –en** malignancy, noxiousness, harmful effect
schaffen, schuf, geschaffen (also **schaffte, geschafft**) create, shape, produce, do
die **Schale, –n** dish, vessel, pan (of a balance)
die **Schalkheit, –en** roguishness, slyness
die **Schalmei, –en** shepherd's pipe
schalten manage, direct, be in charge
sich **schämen** be ashamed
schamhaft modest, bashful
die **Schamhaftigkeit** modesty
schamreich shameful
schänden desecrate
schändlich harmful, dishonorable
die **Schar, –en** group, band
scharf sharp, vicious
die **Schärfe** sharpness
schärfen sharpen, intensify; **geschärft** sharpened
die **Schattierung, –en** shading
der **Schatz, ⁼e** treasure
schätzen esteem, estimate
der **Schauder, –** shudder
schauen look, see
das **Schauspiel, –e** spectacle
scheiden, ie, ie separate, part
scheinbar seeming, apparent
scheinen, ie, ie shine, seem, appear
scheitern miscarry, fail
das **Schema, Schemata** or **Schemen** model, pattern, outline

schenken give, present
der **Scherz, –e** joke
die **Scheu** shyness, timidity
die **Schicht, –en** layer, class, rank (*of society*)
das **Schicksal, –e** fate, destiny
schicksalhaft fateful
die **Schicksals-Idee, –n** idea of fate
schicksalvoll fateful
schieben, o, o push, shove
schief askew, crooked
schier clean, clear, sheer
schießen, schoß, geschossen shoot
die **Schilderhebung, –en** (*military*) revolt
die **Schilderung, –en** description, recital
das **Schillerfest, –e** Schiller festival
der **Schimmer, –** shimmer, gleam
das **Schimpfwort, ⸚er** *or* **–e** abusive word, invective
die **Schlacht, –en** battle
der **Schlachtenname, –ns, –n** battle name
der **Schlaf** sleep
schlafen, ie, a, ä sleep
der **Schlag, ⸚e** blow, type
schlagen, u, a, ä beat, strike
das **Schlagwort, ⸚er,** *or* **–e** slogan, catchword
schlecht evil, poor
schlechthin simply, absolutely
schleppen drag
schließen, schloß, geschlossen close, shut

schließlich (*adj.*) final, definitive; (*adv.*) after all
die **Schließung, –en** closing
schlimm bad, unfortunate
schlingen, a, u loop, entwine
der **Schluß, Schlüsse** end, conclusion
das **Schlußwort, ⸚er** *or* **–e** final word, conclusion, epilogue
schmähen revile, abuse
schmählich disgraceful
die **Schmähung, –en** abuse, invective
schmeicheln flatter
schmelzen, o, o, i melt
der **Schmerz, –ens, –en** pain, grief
schmerzlich painful
schmerzvoll agonizing, painful
schmieden forge, weld, devise
(sich) **schmiegen** cling close to
schmieren smear
schmutzig dirty
schneiden, schnitt, geschnitten cut
schnell quick
die **Schnelligkeit** speed, swiftness
der **Schnellzug, ⸚e** express train
schon already, even
schön beautiful
schonen spare
die **Schönheit, –en** beauty
das **Schönheitsgesetz, –e** law of beauty
schöpfen create
der **Schöpfer, –** creator
schöpferisch creative
die **Schöpfung, –en** creation

der **Schrecken,** – terror, fright
schreckhaft alarming, frightened, terrible
schrecklich terrible
schreiben, ie, ie write
schreibenwert worthy of being written
der **Schreiber,** – writer, clerk
der **Schreibtisch, –e** desk, writing table
schreiten, schritt, geschritten stride, step
die **Schrift, –en** writing, paper, periodical, handwriting
der **Schriftsteller,** – writer, author
die **Schriftstellerei** authorship, profession of a writer
der **Schritt, –e** step, stride; — **halten** keep in step
die **Schuld, –en** debt, fault, guilt
schuldig guilty
schuldlos innocent, blameless
die **Schule, –n** school
schulen train, instruct
der **Schüler,** – student, pupil
die **Schulpflicht** compulsory education
die **Schulung** training
das **Schulungsmoment, –e** stage in education, factor in training
der **Schulunterricht** school instruction
der **Schurke, –n, –n** scoundrel, villain
der **Schutz** protection, defense
schützen protect, defend
schutzlos defenseless, without protection

das **Schutzrecht, –e** protective right, claim
der **Schwabe, –n, –n** Swabian
das **Schwaben** Swabia (*province of South Germany*)
schwäbisch Swabian
schwach weak
der **Schwächling, –e** weakling
schwachgeistig intellectually weak
schwanken vacillate, waver
der **Schwanz, ⁀e** tail
der **Schwärmer,** – dreamer, visionary, enthusiast
schwarz black
der **Schwätzer,** – babbler
schweben hover, hang
schweigen, ie, ie be silent
die **Schweigsamkeit** taciturnity
der **Schweizer,** – Swiss (*man*)
die **Schweizerin, –nen** Swiss (*woman*)
die **Schwelgerei, –en** revelry, feasting
die **Schwelle, –n** threshold
schwellen, o, o, i swell
schwer difficult, hard, heavy
die **Schwere** weight, heaviness
schwerlich hardly, scarcely
der **Schwerthieb, –e** blow with the sword
die **Schwester, –n** sister·
schwesterlich sisterly
schwierig difficult, serious
die **Schwierigkeit, –en** difficulty
schwimmen, a, o swim
der **Schwindler,** – charlatan, swindler
die **Schwinge, –n** wing, pinion
schwingen, a, u vibrate, swing

schwören, schwor, geschwo-
ren swear
der Schwung, ⁻e impetus, energy
die Seele, –n soul
die Seelenkunde psychology
das Seelenleben inner life
seelenvoll soulful
seelisch psychic
der Segen, – blessing; yield
segensvoll blessed
sehen, a, e, ie see
sich sehnen long for
die Sehnsucht yearning, longing, desire
sehr very, very much
seicht shallow
seiend being (pres. p. of
sein)
das Seiende that which is, the
permanent
das Seil, –e rope
sein, war, gewesen, ist be,
exist
das Sein being, existence
seinerseits for his part, on
his side
seinerzeit in due course, at
the time
seinesgleichen of his kind,
such as he
seit (prep. w. dat.) since,
from the time of, for
seitdem (conj.) since (in a
temporal sense)
die Seite, –n page, side
der Seitenblick, –e side glance
seitens (prep. w. gen.) on
the part of
seither since then
seitherig subsequent, still in
use

der Sekretär, –e secretary
sekundär secondary
selber self
selbst self; even
selbständig independent,
self-reliant
die Selbstaufopferung, –en
self-sacrifice
die Selbstbejahung, –en self-
affirmation
die Selbstbestimmung, –en
self-determination
der Selbstbetrug self-deception
das Selbstbewußtsein self-con-
sciousness
selbstgefällig self-satisfied,
complacent
die Selbstgewißheit self-assurance
die Selbsthilfe self-help
selbstlos selfless
der Selbstmörder, – (person
who commits) suicide
selbstmörderisch suicidal
die Selbstprüfung, –en self-
analysis, self-examination
selbstquälerisch self-tor-
menting
die Selbstrechtfertigung, –en
self-justification
das Selbstschicksal, –e individual fate, individual destiny
die Selbstsicherheit poise, assurance
die Selbstverantwortung personal responsibility
die Selbstvernichtung self-de-
struction
selbstverständlich of
course, naturally
die Selbstzucht self-discipline

selten rare, seldom
die **Seltenheit, –en** rarity
seltsam odd, strange
senden, sandte, gesandt send, dispatch
die **Sendung, –en** mission, calling, broadcast
das **Senkblei** sounding-lead
setzen put, place, deposit; **sich —** sit down
die **Seuche, –n** plague, epidemic
seufzen sigh
das **Sexualbedürfnis, –se** sexual need
die **Sexualbefriedigung, –en** sexual satisfaction
die **Sexualbetätigung, –en** sexual activity
die **Sexualeinschränkung, –en** sexual curtailment
die **Sexualentwicklung** sexual development
die **Sexualethik** sexual ethics
das **Sexualleben** sex life
die **Sexualmoral** sexual morality
das **Sexualstreben** sexual effort
der **Sexualtrieb, –e** sexual drive, sexual impulse
der **Sexualverkehr** sexual intercourse
das **Sexualziel, –e** sexual goal
sexuell sexual
das **Sich-Bewähren** proving oneself
sicher sure, safe, secure
die **Sicherheit, –en** safety, security, certainty
sicherlich surely, certainly
sichern secure, make safe

die **Sicherung, –en** assurance, safeguard
sichtbar visible
sichten sift
sichtlich visible
das **Sichumschlingen** entwining
das **Sich-Verhalten** behavior
das **Sichvordrängen** pressing forward
der **Sieg, –e** victory
siegen be victorious
siegreich victorious
simpel simple, plain
singen, a, u sing
sinken, a, u sink
der **Sinn, –e** sense, meaning; **den — ändern** to change (one's) mind
sinnen, a, o to think, be of a mind
die **Sinnlichkeit** sensuality
sinnlos senseless
sinnreich sensible
sinnvoll sensible, reasonable, meaningful
die **Sitte, –n** custom, propriety; (*pl.*) manners, mores
sittlich moral, ethical
sitzen, saß, gesessen sit
der **Sklave, –n, –n** slave
der **Slave, –n, –n** Slav
slawisch Slavic
so thus, in this way, so
sobald as soon as
sodaß so that
sogar even
sogenannt so-called
sogleich immediately
der **Sohn, –̈e** son
solang as long as
der **Soldat, –en, –en** soldier

sollen, sollte, gesollt, soll
be (*morally*) obliged to, be
supposed to, be said to

somit so, therefore

sonderbar peculiar, strange

der Sonderfall, ⸚e unusual case,
exception

sondern but, on the con-
trary

die Sonne, –n sun

sonst otherwise, else

sonstig other, former

die Sorge, –n anxiety, care,
trouble

die Sorgfalt care, taking pains

sorgfältig careful, pains-
taking

soweit as far as

sowohl . . . als as well
. . . as, both . . . and

der Sozialdemokrat, –en, –en
Social Democrat

sozusagen so to speak

die Spaltung, –en division, split

spanisch Spanish

(sich) spannen tighten, stretch,
become tense

die Spannung, –en tension

das Spannungsverhältnis, –se
relationship of tension

der Spargel, – asparagus

spät late

später later

späterhin later on

der Spaziergang, ⸚e walk, stroll

die Speise, –n food

das Spezialerkenntnis, –se special insight, special perception

die Spiegelfläche, –n glossy
surface

spiegeln reflect, mirror

das Spiel, –e game, recreation

spielen play, perform

die Spitze, –n point

der Spott scorn, mockery

die Sprache, –n language,
speech; zur — kommen
be discussed

sprachlich pertaining to
language, linguistic

sprechen, a, o, i speak

die Sprengbombe, –n high-ex-
plosive bomb

springen, a, u spring, jump,
leap

spröde brittle, fragile

der Spruch, ⸚e dictum, apho-
rism, saying

die Spur, –en trace, track

spüren perceive, notice

der Staat, –en state

die Staatsfeindschaft hostility
to the state

staatsfremd anarchic, hostile to social *or* political
order

der Staatsgedanke, –ns, –n
concept of the state

die Staatkunde political science

der Staatsmann, ⸚er statesman

das Staatssystem, –e structure
of the state

der Stachel, –n thorn, sting,
goad

das Stadion, Stadien stadium

die Stadt, ⸚e city

der Städter, – city-dweller

das Stadthaus, ⸚er town hall

städtisch municipal

stählen harden, steel

der Stall, ⸚e stable, barn

der **Stamm, ⁼e** stem, trunk, branch, tribe
stammen stem (from), originate
die **Stammesverschiedenheit, –en** tribal difference
der **Stand, ⁼e** position, class; **in den — setzen** enable
das **Standesbewußtsein** class consciousness
die **Standesbezeichnung, –en** mark of class
stand•halten hold one's ground, bear up, persevere, resist
ständig permanent, fixed, regular
der **Standpunkt, –e** point of view, position
stark strong, powerful
die **Stärke** strength
starkgeistig resolute in mind and spirit
starr stiff, stubborn
statt (*prep. w. gen.*) instead of
statt•finden take place
statthaft valid, admissible
statutengemäß according to law
der **Staub** dust, dirt
staunen be amazed, be surprised
stecken stick, be embedded
stehen, stand, gestanden stand, stop
steigen, ie, ie climb, ascend, go up
steigern intensify, strengthen
die **Steigerung, –en** intensification, gradation

der **Stein, –e** stone
die **Stelle, –n** place, position
stellen put, place; **sich —** have an attitude; **wie stellt sich . . .** what is the attitude of . . .
stellenweise in places, here and there
die **Stellung, –en** position, disposition, station
die **Stellungnahme** attitude
stellvertretend vicarious, representative
sterben, a, o, i die
der **Stern, –e** star
stetig continuous, constant, steady
die **Stetigkeit, –en** steadiness, continuity
stets always, constantly
das **Stichwort, ⁼er** cue, catchword
stiften establish, create, found
der **Stil, –e** style
die **Stilform, –en** type of style
stillen appease, hush, allay
das **Stillschweigen** complete silence, keeping still
der **Stillstand** standstill, cessation
die **Stimme, –n** voice
stimmen be valid, be correct
der **Stimmfall, ⁼e** tone of voice
die **Stimmung, –en** mood, temper
stimmungsvoll full of feeling, elated
die **Stirn, –en** brow, brazenness, effrontery
das **Stöckchen, –** small stick
stocken hesitate

die **Stockung, –en** hesitation

der **Stoff, –e** substance, matter, material

der **Stolz** pride

stolz proud

stören disturb

die **Störung, –en** trouble, disturbance

stoßen, ie, o, ö push

das **Stoßgebet, –e** ejaculation, short fervent prayer

strafen punish

straff tight, rigid, austere

das **Strafgericht, –e** punishment, sentence

der **Strahl, –en** beam, ray

strahlen gleam, shine, radiate

die **Straße, –n** street

streben strive, aspire

streichen, i, i eliminate, pass over, stroke

streifen allude to, touch in passing

streitbar contentious

streiten, stritt, gestritten quarrel, disagree, fight

streng strict

die **Strenge** strictness

der **Strom, ⸚e** stream

strömen stream

der **Strudel, –** whirlpool

die **Stube, –n** room

der **Stubenvogel, ⸚** tame bird

das **Stück, –e** piece, play

die **Studentenjahre** student years

studieren study, be a student at a university

das **Studium, –ien** course of study

die **Stufe, –n** step, stage

stufenweis(e) step by step, gradually

stumm mute, silent

die **Stunde, –n** hour

stundenlang for hours at a time

der **Sturz, ⸚e** fall, collapse

stürzen ruin, cause to fall, rush

stützen support, sustain

sublimierbar capable of sublimation

die **Sublimierung, –en** sublimation

die **Subtilität, –en** subtlety

suchen look for, search, seek

der **Sucher, –** seeker

das **Südafrika** South Africa

der **Süden** South

südlich southern

die **Sünde, –n** sin

der **Sündenfall** fall of man

der **Sünder, –** sinner

sündig sinful

süß sweet

die **Symbolik** symbolism

symbolisieren symbolize

die **Sympathie** sympathy

die **Szenenreihe, –n** sequence of scenes

der **Tag, –e** day

der **Tagelöhner, –** day laborer

das **Tageslicht** daylight

tagtäglich daily, everyday

taktisch tactical

taktvoll tactful, discreet

das **Tal, ⸚er** dale, valley

     tapfer courageous, brave
die **Tapferkeit** bravery
die **Taste, –n** key (*of a piano*)
die **Tat, –en** deed, act; **in der**
     — indeed
die **Tatgesinnung, –en** disposi-
     tion toward action
     tätig active
die **Tätigkeit, –en** activity
     tatkräftig energetic, vigorous
die **Tatsache, –n** fact
     tatsächlich actual, real
sich **täuschen** err, be mistaken
     tausendfältig thousandfold
die **Technik, –en** technology,
     technique
     technisch technical
der **Teich, –e** pond, lake
der **Teil, –e** part
     teilen share, divide
die **Teilnahme** participation,
     interest, sympathy
     teil•nehmen participate,
     share
     teils in part, partly
     teilweise partially
die **Tendenz, –en** tendency
das **Tendenzstück, –e** play with
     a strong bias
     teuer expensive, cherished
der **Teufel, –** devil
     theatralisch theatrical
das **Thema, Themen** *or* **Themata**
     theme, subject
der **Theoretiker, –** theorist
     theoretisch theoretical
der **Theorie-Lehrer, –** teacher
     of theory
der **Theorie-Unterricht** instruc-
     tion in theory
die **These, –n** thesis, proposition
     tief deep

die **Tiefe, –n** depth
das **Tier, –e** animal
das **Tierchen, –** little animal
     tierisch bestial
     tilgen eliminate, efface
der **Tisch, –e** table
der **Tischler, –** cabinet-maker,
     carpenter
der **Tischlermeister, –** master
     carpenter, master cabinet-
     maker
der **Titel, –** title
die **Titelsucht** mania for titles
     toben rave, rage
die **Tochter, –** daughter
der **Tod** death
die **Todesangst, –e** deathly fear,
     fear of death
der **Todeskreis, –e** circle of
     death, death cycle
     todeswürdig worthy of death
die **Tollheit, –en** madness
der **Ton, –e** note, sound
     tonangebend determining
     style
die **Tonalität** tonality
der **Tor, –en, –en** fool
das **Tor, –e** gate
     töricht foolish
     tot dead
die **Totalweltanschauung** total
     view of the world
der **Tote** (*decl. like adj.*) dead
     person
     töten kill
     toxisch toxic
die **Tracht, –n** dress, costume
     trachten endeavor, strive
(sich) **tradieren** hand (*or* be
     handed) down
     traditionsgemäß in accord-
     ance with tradition

träge   inert, indolent
tragen, u, a, ä   carry, bear
der Träger, –   carrier
die Trägheit   inertia
tragisch   tragic
trauen   trust
der Traum, ⁼e   dream
träumen   dream
der Träumer, –   dreamer
treffen, traf, getroffen, trifft   meet, hit, touch
treffend   touching, striking, pertinent
die Trefflichkeit   excellence, perfection
treiben, ie, ie   drive, do
trennen   separate, divide
die Trennung, –en   division, separation
die Treppe, –n   stairs, staircase
treten, a, e, tritt   step, tread, walk
treu   faithful, loyal
die Treue   loyalty
treuherzig   candid, faithful, loyal
der Trieb, –e   impulse, drive, instinct
die Triebbefriedigung, –en   satisfaction of instinct
das Triebleben   emotional life
die Triebunterdrückung, –en   suppression of instinct
trocken   dry
der Trödlerladen, ⁼   junkshop
der Trost   comfort, solace
tröstlich   comforting
trotz   (prep. w. gen.) despite, in spite of
der Trotz   defiance
trotzdem   despite the fact that, although

trotzen   defy
trüben   obscure, make dim, make turbid, distress
die Trübsal   trouble, distress
trübselig   distressing, dismal
trügen, o, o   deceive
die Trümmer   ruins; in — schlagen   reduce to rubble
tüchtig   competent, capable
die Tüchtigkeit   ability, competence, proficiency
tückisch   tricky, cunning
die Tugend, –en   virtue
tugendhaft   virtuous
tun, tat, getan   do, make
typisch   typical
der Typus, Typen   type

u.a.m.   (und andere mehr) and others
u.s.f.   (und so fort)   and so forth
u.s.w. or usw.   (und so weiter)   and so on, etc.
das Übel, –   evil, wrong
der Übeltäter, –   wrongdoer, villain
üben   practice
über   (prep. w. dat. or acc.) over, above, about, across
überall   everywhere
überaus   extremely
der Überbau, –ten   superstructure
der Überblick, –e   general view, survey
überblicken   survey, take a look at
überchristlich   super-Christian
überdrüssig   weary, tired

das **Überfließen** overflowing
überflüssig superfluous
der **Übergang, -̈e** transition
die **Übergangsform, -en** transitional form
übergreifen encroach
übergroß excessive
überhaupt on the whole, at all, really
die **Überheblichkeit, -en** arrogance, presumption
überholen catch up with and pass; **überholt** obsolete
überlassen yield, leave to
überlasten overburden
die **Überlastung, -en** overload
überleben survive
überlegen (adj.) superior
überlegen consider
die **Überlegung, -en** consideration
überliefern transmit, deliver
die **Überlieferung, -en** transmission, tradition
übermäßig excessive
übernational supranational
übernehmen take on, take over
überpersönlich suprapersonal
überraschen surprise
überraschend surprising
der **Überredungsversuch, -e** attempt to persuade
überschreiten step over, transgress
die **Überschrift, -en** heading, title
überschwellen swell over, increase

die **Überschwenglichkeit** exuberance, excess
übersetzen translate
der **Übersetzer** translator
die **Übersetzung, -en** translation
die **Übersicht, -en** survey, summary
überspannen overexcite, exaggerate
überstark exceedingly strong
überstrahlen shine upon
überströmen stream over, overflow
die **Übertragung, -en** transmission, translation
übertreffen excel, surpass
übertreiben exaggerate
die **Übertretung, -en** transgression
überwältigen overcome, subdue, overwhelm
überwiegen outweigh
überwinden overcome, surmount
überwölben arch over
überwuchern overgrow
überzeugen convince
die **Überzeugung, -en** conviction
üblich customary, usual
übrig remaining, left
übrigens by the way, after all, furthermore
die **Übung, -en** exercise, practice
die **Uhr, -en** clock, watch
um (prep. w. acc.) around, about; — **so** considerably
um . . . willen (prep. w. gen.) for the sake of

sich **um•drehen** turn around

der **Umfang, ⁼e** extent, compass, range

umfänglich wide, broad, extensive

umfassen embrace, comprise, contain

umfassend comprehensive

umgeben surround

die **Umgebung, –en** surrounding(s), vicinity, milieu, neighborhood

umgekehrt the other way around, vice versa

um•gestalten transform, reshape

umher•irren wander about

die **Umkehr** reversal, return

um•kehren turn around, reverse direction

die **Umkehrung, –en** turning, reversal

um•kommen perish

umlaufend current

der **Umriß, –risse** outline, sketch

sich **um•setzen** transform

die **Umsetzung, –en** transformation

umsonst in vain, for nothing, gratis, without charge

der **Umstand, ⁼e** circumstance

um•stoßen push over, knock over

die **Umwandlung, –en** transformation

der **Umweg, –e** detour, roundabout way

die **Umwelt** environment, milieu

um•werfen bowl over, overthrow

umzäunen fence in

unabänderlich irrevocable, no longer able to be changed

unabhängig independent

die **Unabhängigkeit** independence

unabsehbar incalculable, immeasurable

unabsehlich unbounded, immeasurable

unähnlich dissimilar

unangemessen inadequate, improper

unaufhaltbar unable to be stopped, unpreventable

unaufhebbar not to be abrogated

unausdenklich unimaginable

unausschöpflich inexhaustible

unbändig unruly, excessive

unbedenklich harmless

unbedingt unconditional, absolute

die **Unbedingtheit, –en** unconditionality, absoluteness

unbefangen natural, unaffected, unembarrassed

die **Unbefangenheit** lack of embarrassment, naturalness

unbefriedigend unsatisfactory

unbefriedigt unsatisfied

die **Unbefriedigung** dissatisfaction

unbegrenzt unlimited

unbekannt unfamiliar, unknown

unbelebt inanimate

unberechenbar incalculable

unberechtigt unauthorized

unbescheiden immodest

unbesoldet unpaid
unbestimmt indefinite
unbestritten undisputed
unbeugsam inflexible, obstinate
unbewußt unconscious
unbrauchbar useless
und and
unendlich infinite
unentbehrlich indispensable
unentwegt firm, not to be put aside
unentwickelt undeveloped
unerbittlich inexorable
unergründet uncharted, unsounded
unerhört unheard of, exorbitant, fabulous
unerläßlich indispensable, essential
unerlaubt unlawful, forbidden
unerschöpflich inexhaustible
unerschüttert unshaken, steadfast
unersetzlich irreplaceable, irreparable
unerträglich unbearable
unerwartet unexpected
unerwünscht undesirable, unwelcome
unfähig incapable, incompetent
unfaßlich unintelligible
unfreiwillig involuntary
unfruchtbar unfruitful, barren, sterile
ungebildet uncultivated, rude, uneducated
ungebrochen unbroken
ungeduldig impatient

ungefähr about, approximately
ungefügig unpliant, clumsy
ungeheuer monstrous
ungeheuerlich monstrous
ungehörig undue, unseemly
ungelernt unskilled
ungeliebt unloved
ungemäß inappropriate
ungemünzt uncoined
ungenügend unsatisfactory, insufficient
ungeschult untrained
ungewiß uncertain
ungewöhnlich unusual
der **Unglaube, –ns** incredulity, disbelief
unglaubwürdig incredible, unworthy of belief
ungleich unequal
das **Unglück, –e** misfortune, unhappiness
unglücklich unfortunate, unhappy
unhaltbar untenable
das **Unheil, –e** disaster, evil
unheilvoll disastrous
unheimlich weird, uncanny
unhemmbar unable to be inhibited
unhistorisch unhistorical
die **Universität, –en** university
die **Universitätslaufbahn, –en** university career
der **Universitätslehrer, –** university professor
das **Universitätsstudium, –studien** university study
das **Universitätsunternehmen, –** university enterprise
der **Universitätsunterricht** university instruction

die **Universitätsverfassung, –en** university constitution

das **Universitätswesen, –** university structure

unkenntlich unrecognizable

unklar unclear

das **Unkraut** weed

unkunstmäßig, artistically incorrect, unartistic

unleserlich illegible

unlogisch illogical

unlöslich indissoluble

die **Unlust** dislike, aversion

der **Unlustcharakter** unpleasant nature

unmerklich unnoticeable

unmittelbar direct, immediate

die **Unmittelbarkeit** directness, immediacy

unmöglich impossible

die **Unmöglichkeit, –en** impossibility

unmoralisch amoral

unnachahmlich inimitable

unnatürlich unnatural

unpraktisch impractical

das **Unrecht** injustice

unrecht unjust, wrong

unreif immature

unschädlich harmless

unschätzbar inestimable

die **Unschuld** innocence

unschuldig innocent

unsicher uncertain

unsichtbar invisible

der **Unsinn** nonsense

unsterblich immortal

die **Unsterblichkeit** immortality

untauglich unfit, useless

unter *(prep. w. dat. or acc.)* below, under, among

unter – *(adj.)* lower

unterdes meanwhile

die **Unterdrückung, –en** oppression, suppression

untereinander mutually, reciprocally

der **Untergang, ⁻e** fall, destruction

unter•gehen perish, die

untergeordnet subordinate

der **Untergrund, ⁻e** base, foundation

unterhalb below, underneath *(prep. w. gen.)*

der **Unterhalt** livelihood

unterhalten maintain, support, entertain

unterirdisch underground, subterranean

unternehmen undertake, attempt

die **Unternehmung, –en** enterprise, undertaking

unternehmungslustig enterprising

der **Unterricht** instruction

unterrichten instruct

untersagen forbid

die **Unterschätzung, –en** underestimate

unterscheiden separate, distinguish

die **Unterscheidung, –en** differentiation, distinction

der **Unterschied, –e** difference, distinction, dissimilarity

unterstreichen underline, emphasize

unterstützen support, strengthen

die **Unterstützung, –en** support
untersuchen investigate
die **Untersuchung, –en** investigation
das **Untersuchungsverfahren, –** investigation procedure
unterwegs on the way
die **Unterwelt, –en** underworld
(sich) **unterwerfen** subjugate, subject (oneself)
unterwühlen undermine
die **Untreue** disloyalty
untunlich impracticable, impossible
unübersehbar incalculable, immense
die **Unumschränktheit, –en** state of being unlimited, absoluteness
ununterdrückbar irrepressible
unverändert unchanged
unverbindlich not obligatory, without obligation
die **Unverbindlichkeit** lack of obligation
unverdient unmerited
unverdrängbar undisplaceable, not able to be supplanted
unvereinbar incompatible
unvergleichlich incomparable
unvermeidbar unavoidable
unvermeidlich unavoidable
das **Unvermögen** inability, lack of power
unverrückbar immovable
unversehens unexpectedly, unintentionally
unverstanden misunderstood, not understood

unvertretbar unsubstitutable
unverwertbar unable to be put to use
unvollendet imperfect, incomplete; unfinished
unvollkommen imperfect
unvorschriftsmäßig not as ordered, not according to instructions
die **Unvorsichtigkeit, –en** imprudence, carelessness
unwahr untrue
die **Unwahrheit, –en** falsehood, lie
der **Unwert** valuelessness
das **Unwesen** abuse, disgraceful state of things
unwiderstehlich irresistible
unwirksam ineffective
unwissend ignorant, unknowing
die **Unwissenheit** ignorance
unzählig innumerable
unzerstört undestroyed
die **Unzulänglichkeit, –en** insufficiency
unzweideutig unequivocal, plain
unzweifelhaft indubitable, undoubted
der **Urahne, –n, –n** forefather, remote ancestor
die **Urform, –en** original form
der **Urgroßvater, –̈** great-grandfather
der **Urheber, –** originator
der **Urquell, –e** original source
die **Ursache, –n** cause
ursächlich causal
die **Ursächlichkeit, –en** causality

der **Ursprung, ⁼e** source, origin
ursprünglich original
das **Urteil, –e** judgment, sentence, decision
urteilen judge

variabel variable
der **Vater, ⁼** father
das **Vaterland, ⁼er** fatherland, native country
das **Vaterlandsgefühl, –e** patriotic emotion, love for one's country
verachten scorn, despise
der **Verächter, –** one who scorns, despiser
verächtlich contemptuous, contemptible
die **Verachtung** contempt, disdain
die **Verallgemeinerung** generalization
verändern change, vary, modify, shift
die **Veränderung, –en** alteration, shift, modification, change
veranschlagen estimate, value
verantworten answer for, be responsible for, defend
verantwortlich responsible
die **Verantwortung, –en** responsibility, justification
die **Verarmung, –en** impoverishment, pauperization
verbannen banish, exile, forbid
die **Verbannung, –en** exile
verbergen conceal, hide

die **Verbesserung, –en** improvement
verbinden connect, tie, unite
verbindlich obligatory, compulsory
die **Verbindlichkeit, –en** obligation, liability
die **Verbindung, –en** connection, union, alliance
verbittern embitter
verbleiben remain
das **Verbot, –e** prohibition, suppression
verbrauchen use up, consume, exhaust
das **Verbrechen, –** crime
verbrechen commit a crime, offend
der **Verbrecher, –** criminal
der **Verbrecherklub, –s, –s** criminal organization
verbreiten spread, disperse, disseminate
verbrennen consume by fire, cremate, burn
verbringen spend, pass (*time*)
die **Verbundenheit** alliance, united state, union
verbündet allied
die **Verbündeten** allies
verdammen condemn, damn
verdanken be obliged to, owe
verdaulich digestible
der **Verderb** ruin, destruction
verderben, a, o, i spoil, ruin, corrupt, destroy
verderblich dangerous, fatal, ruinous, demoralizing

das **Verderbnis, –se** corruption, perversion

verdeutlichen make clear, elucidate

verdeutschen put into German, explain

verdichten thicken, solidify

verdienen earn, merit, deserve

verdrängen displace, supplant, suppress

die **Verdrängung, –en** dispossession, removal

verdrehen twist, distort

verdüstert darkened

die **Verehelichung, –en** marriage

verehren honor, respect

der **Verein, –e** club, association

vereinfachen simplify

vereinigen unite

die **Vereinigten Staaten** United States

die **Vereinigung, –en** combination, union

die **Vereinsamung, –en** isolation

die **Vererbung** heredity

verewigen perpetuate; **verewigt** deceased

die **Verewigung** perpetuation

verfahren act, proceed

das **Verfahren, –** procedure

der **Verfall** disintegration, decline, decay

verfallen disintegrate, decline, deteriorate

verfassen compose, write

der **Verfasser, –** writer

die **Verfassung, –en** constitution, condition

verfehlen miss, fail, make a mistake

verfemt proscribed

die **Verflechtung, –en** entanglement, complication

verfolgbar pursuable

verfolgen pursue, persecute

die **Verfolgung, –en** persecution, pursuit

verfügbar at one's disposal, available

verfügen dispose, decree

die **Verfügung, –en** disposal, arrangement

verführen lead astray, mislead, seduce, corrupt

verführerisch seductive, tempting

die **Vergangenheit, –en** past

vergeblich vain, futile

sich **vergegenwärtigen** realize

vergehen pass away, fade; **vergangen** past

das **Vergehen** disappearance

die **Vergehung, –en** offense, trespass

vergessen, vergaß, vergessen, vergißt forget

vergewaltigen do violence to, overpower

die **Vergewaltigung, –en** assault

der **Vergleich, –e** comparison

vergleichen compare

vergönnen grant, permit, not begrudge

vergöttern idolize

vergöttlichen make divine

die **Vergöttlichung, –en** apotheosis, divination

verhaften arrest

die **Verhaftung, –en** arrest, capture

verhallen die away, fade away

sich **verhalten** be situated, be in a *(certain)* relationship

das **Verhältnis, –se** relationship

verhandeln negotiate

die **Verhandlung, –en** negotiation

verhandlungsfähig capable of negotiation

verhängen ordain, decree, send

verhängnisvoll fateful

verhärten harden, brutalize

verhaßt odious, hated

verhehlen conceal

die **Verheißung, –en** promise

verhelfen help

verherrlichen glorify

die **Verherrlichung, –en** glorification

verhindern prevent

verhohlen *(old p. p. of* **verhehlen**) concealed

verhöhnen scoff, deride

verhüllen hide, enshroud

die **Verhüllung, –en** disguise, covering

verhungern die of hunger, starve to death

sich **verirren** go astray, err

sich **verjüngen** rejuvenate oneself

der **Verkehr** intercourse, traffic, association; **in — treten** have dealings with

sich **verkehren** transform

verkennen fail to recognize, misunderstand, mistake

verklären clarify, transfigure, glorify

die **Verklärung, –en** transfiguration

verknüpfen bind, tie

verkommen degenerate, decay, become demoralized

verkümmern stunt, spoil, wear away, languish

verkünden announce, proclaim

verkündigen proclaim, announce, herald

die **Verkündigung, –en** announcement, annunciation

verlangen demand, require

verlängern lengthen, prolong

der **Verlaß** reliance, trustworthiness

verlassen abandon; **sich —** rely

die **Verlassenheit** abandonment

verläßlich reliable

verlästern slander, calumniate

verlaufen run *(its)* course, elapse

verlegen mislay, postpone

verlegen embarrassed

die **Verlegenheit, –en** embarrassment

verleiden embitter, make unpleasant

verleihen bestow, confer

verletzen injure, harm

die **Verletzung, –en** injury

verleugnen deny, disown

verleumden slander

verlieren, o, o lose

verloren gehen go astray

der **Verlust, –e** loss

verlustig gehen   incur the
   loss (of)

die Verlustseite, –n   tally of loss

die Vermählung, –en   marriage,
   union

vermeidbar   avoidable

vermeiden, ie, ie   avoid

vermeinen   imagine, suppose

vermissen   miss

vermitteln   mediate, pass on
   information

vermodern   decay, rot

vermöge   (prep. w. gen.) by
   virtue of

vermögen   be able, can

das Vermögen, –   fortune

vermuten   suspect, have an
   idea

vermutlich   presumable,
   probable

die Vermutung, –en   supposition

vernachlässigen   neglect

verneinen   negate, deny

die Verneinung, –en   negation

vernichten   destroy

die Vernichtung, –en   annihila-
   tion, destruction

die Vernunft   reason, sense

das Vernunftideal, –e   ideal of
   reason

vernünftig   reasonable

veröffentlichen   publish

sich verpflichten   be obligated
   to, obligate oneself

die Verpflichtung, –en   obligation

die Verpönung, –en   prohibition, taboo

der Verrat   betrayal

verraten   betray

die Verrichtung, en   action, affair, arrangement

der Vers, –e   verse, line of poetry

versagen   fail, deny

versäumen   miss, neglect

das Versäumnis, –se   neglect,
   omission

verschaffen   provide

verscharren   bury without
   ceremony

die Verschiebbarkeit   ability to
   be replaced or sublimated

verschieben   displace, postpone

der Verschiebungsprozeß,
   –zesse   process of dis-
   placement

verschieden   various, different

die Verschiedenheit   difference,
   diversity

verschlechtern   make worse

verschließen   close, lock

verschlingen, a, u   devour,
   gulp down

die Verschlungenheit, –en   in-
   tertwining

verschmelzen   fuse, amal-
   gamate

verschüttet   buried, en-
   gulfed

verschweigen   conceal, keep
   secret

verschwenden   waste,
   squander

der Verschwörer, –   conspirator

versetzen   misplace, trans-
   pose, deal (a blow)

die Versicherung, –en   insur-
   ance, security

die Versöhnung, –en   reconcili-
   ation

versprechen promise

der **Verstand** intellect, understanding

die **Verständigung, –en** agreement

das **Verständnis, –se** understanding, comprehension

verstärken increase, intensify

das **Versteck, –e** hiding place

verstehen understand

sich **verstricken** become entangled

der **Versuch, –e** attempt, experiment, effort

versuchen attempt, try, experiment

die **Versuchung, –en** temptation

vertauschen exchange

verteilen distribute

vertiefen deepen, plunge, bury

die **Vertiefung, –en** deepening, absorption

vertilgen eradicate, destroy

vertragen bear, endure

vertrauen trust

der **Vertrauensmann, ̈er** confidant, source of information

vertraulich familiar, confidential

vertraut familiar

vertreiben expel

vertreten substitute, represent

vertrocknen dry out

vertrösten console, feed with hope

vertun spend unwisely

verüben perpetrate, perform

verursachen cause

die **Verursachung, –en** causation

verurteilen condemn, sentence

die **Verurteilung, –en** condemnation, doom

verwalten administer, govern, manage

die **Verwaltung, –en** administration

verwandeln change, transform

die **Verwandlung, –en** change, transformation

verwandt related

die **Verwandtschaft, –en** relationship, affinity

verwechseln confuse, mistake, exchange

verweilen delay, dwell upon

verweisen refer (to)

verwelken wither, fade

verwenden use, apply

verwerfen reject

verwertbar usable

verwerten turn to good account, make use of

die **Verwicklung, –en** complication, entanglement

(sich) **verwirklichen** realize (oneself)

die **Verwirklichung, –en** realization

die **Verwirrung, –en** confusion, complication

sich **verwundern** be astonished

verwüsten devastate

verzaubern charm, enchant

verzeichnen indicate

verzeihen, ie, ie pardon

die **Verzerrung, –en** distortion

der **Verzicht, –e** renunciation, resignation

verzichten renounce

verzieren adorn

die **Verzögerung, –en** retardation

verzückt ecstatic

verzweifeln despair

die **Verzweiflung** despair

die **Verzweigung, –en** ramification

das **Veto, –s, –s** veto

viel much

vielbrüchig amorphous, fractured

vielerlei of many sorts

vielerorts in many places

vielfach manifold, various

vielfältig abundant, manifold

vielgegliedert many-membered

vielgestaltig of many shapes

die **Vielheit, –en** multiplicity

vielleicht perhaps

vielmehr rather, much more

vielsprachig polyglot

vierdimensional four-dimensional

vindikativ vindictive

viril virile

virtuos masterly

das **Volk, –er** nation, people, race

die **Völkergemeinschaft, –en** community of peoples

das **Völkerschicksal** nations' destiny

die **Volksgeschichte** nation's history

das **Volksschicksal** nation's destiny

volkstümlich popular, traditional

die **Volkszugehörigkeit** sharing membership in a national group

voll complete, full, whole

vollauf abundantly

vollberechtigt fully authorized, fully justified

vollenden complete, perfect

vollends entirely, wholly

die **Vollendung** completion, perfection

völlig full, complete, sufficient

vollkommen perfect, complete, accomplished

die **Vollkommenheit, –en** perfection

die **Vollmacht, –en** fullness of power

vollständig complete

vollwertig valid, of full value

vollziehen execute, carry out, put into effect

von (*prep. w. dat.*) of, from, by

vor (*prep. w. dat. or acc.*) in front of, before, ago; — **allem** above all

der **Vorabend, –e** eve, evening before

voran•sprengen jump ahead

vor•arbeiten make preparation

voraus: im — ahead of time, previously

die **Voraussehung, –en** seeing the future

voraus•setzen suppose, presume, hypothecate

die Voraussetzung, –en presumption, supposition, hypothesis

voraussichtlich probable, presumable

vorbedeutend portentous

vor•bereiten prepare

die Vorbereitung, –en preparation

das Vorbild, –er model, standard

vorbildlich model, ideal

die Vorbildlichkeit exemplariness

vordem previously

vor•enthalten withhold, reserve

vorerst above all, first of all

der Vorfahr, –en, –en ancestor

vor•finden find present, find in existence

der Vorgang, ⁼e occurrence, event, procedure, process

vor•geben pretend, allege (*to be true*)

die Vorgeschichte, –n previous history

vor•haben intend

das Vorhaben intention, plan

vorhanden at hand, present

vorhanden•sein be at hand

das Vorhandensein presence

vorher beforehand, previously

vorhin previously

vor•kommen happen, emerge, appear, occur

vorläufig temporary, current

die Vorlesung, –en lecture, university class

die Vorliebe preference

vor•liegen be in existence

vorn: von — herein a priori

vorne in front; — dran in the lead; von — from the start

vornehm elegant, distinguished, grand

vor•nehmen take up; sich — resolve

vor•schieben slip a bolt, push in front

vor•schlagen propose, suggest

vor•schreiben prescribe

vor•schreiten proceed, stride ahead

die Vorschrift, –en prescription

(sich) vor•setzen undertake, set before

die Vorsicht caution, care

vor•sitzen preside

der Vorsprung, ⁼e lead, advantage

vor•stellen introduce present; sich — imagine

die Vorstellung, –en imagination, idea, presentation

der Vorstellungskomplex, –e complex of imagination

die Vorstufe, –n preliminary stage

der Vorteil, –e advantage, gain

vor•tragen lecture, portray

die Vortragsweise, –n manner of presentation

vortrefflich excellent, splendid

vorüber past

vorübergehend transitory

das Vorurteil, –e prejudice, bias

vorwiegend preponderant
vor•zeichnen indicate
vor•ziehen prefer
der **Vorzug,** ⁀e preference, advantage, priority
vorzüglich excellent, preferable
vorzugsweise preferable

wach awake
wach•sein be awake
das **Wachsein** alertness
wachsen, u, a, ä grow; **gewachsen** mature, competent to handle
die **Wächterin, –nen** guardian
die **Waffe, –n** weapon
wagen venture, risk
die **Wahl, –en** choice
wählen choose, select, elect
das **Wahlfach,** ⁀er elective course
der **Wahlspruch,** ⁀e motto
der **Wahn** illusion, delusion, madness
wahr true
wahren keep safe
während (*prep. w. gen.*) during
wahrhaft true, real, genuine
wahrhaftig veracious, truthful, true
die **Wahrheit, –en** truth
die **Wahrheitsliebe** love of truth
wahr•nehmen perceive, observe, feel
wahrscheinlich probable
walten prevail, govern
wandeln walk; **sich —** change

wandern wander, walk
die **Wanderung, –en** trip, tour
wankend wavering, unsteady
warm warm
die **Wärme** heat, warmth
warten wait, expect
warum why
was what; **— für** what sort of
waschen, u, a, ä wash
das **Wasser,** ⁀ water
die **Wasserratte, –n** water rat
der **Wechsel, –** change, alteration, transformation
wechseln change
wechselseitig reciprocal, mutual, alternate
wechselweise alternately
die **Wechselwirkung, –en** interplay, reciprocal effect
weder . . . noch neither . . . nor
der **Weg, –e** way, road; **des —es ziehen** go on one's way
weg•blicken look away
weg•denken ignore
wegen (*prep. w. gen.*) on account of
weg•heben lift over
weg•legen put aside, lay down
weg•tun set aside
weg•werfen throw away
weh(e) woeful
wehen blow away
wehren defend
die **Wehrmacht** *armed forces of Germany*
die **Wehrpflicht** compulsory military service

das **Weib, –er** woman

weichen, i, i yield, give way

weichlich soft, feeble, weak

sich **weigern** refuse

weihen consecrate, dedicate, hallow

weil because

die **Weile** space of time

der **Wein, –e** wine

weise wise

die **Weise, –n** manner, habit, way

weisen, ie, ie show, point out, direct

die **Weisheit, –en** wisdom

das **Weißbluten** bleeding to death

die **Weisung, –en** direction, order

weit far, distant

weitaus far off, excessively, much

weitblickend far-seeing

die **Weite, –n** expanse, amplitude, distance, width

weiter further

weiter•gehen proceed, continue walking

weiter•leben continue living

weitgefehlt quite wrong, not right by far

weitgehend far-reaching

weithin far off

welcher which, what (a)

die **Welle, –n** wave

der **Wellenschlag, ∺e** beat of waves

die **Welt, –en** world

die **Weltanschauung, –en** philosophy of life, view of the world

die **Weltbejahung, –en** affirmation of the world

die **Weltbewegung, –en** world movement

das **Weltbewußtsein** world consciousness

das **Weltbild, –er** world picture

die **Welteinsicht, –en** universal insight

der **Weltenplan, ∺e** universal plan

die **Weltfeindschaft, –en** hostility to the world

weltfremd unworldly

der **Weltkrieg, –e** world war

das **Weltleben** life of the world

die **Weltliteratur** world literature

die **Weltmacht, ∺e** world power

das **Weltphänomen, –e** world phenomenon

die **Weltstunde, –n** momentous hour, important moment

der **Weltverächter, –** one who despises the world

die **Weltwirklichkeit, –en** reality of the world

wenden, wandte, gewandt turn

wenig little; —e few; —er less

wenigstens at least, at all events

wenn if, when

wennschon even if, although

wer who, whoever

werben, a, o, i recruit, compete

die **Werbung, –en** solicitation, recruiting

werden, wurde (ward),

geworden, wird become be, will

das **Werden** creation, becoming

werfen, a, o, i throw

das **Werk, –e** work, performance, book

das **Werkbereich, –e** operational area

die **Werkstatt** or **Werkstätte, Werkstätten** workshop, studio

der **Wert, –e** value, worth

werten evaluate

die **Wertungleichheit, –en** inequality of values

wertvoll valuable

das **Wesen, –** being, reality, condition, state, behavior

wesenhaft real, essential

wesenseigen characteristic

wesentlich essential, real, substantial

weshalb wherefore, why, on which account

das **Westeuropa** western Europe

wichtig important

wider (*prep. w. acc.*) against

der **Widerhall, –e** echo

widerlegen refute

widerraten dissuade, advise against

der **Widersacher, –** opponent

widersprechen contradict

der **Widerspruch, ̈e** contradiction

widerstreben resist, be repugnant to

der **Widerwille(n)** repugnance, antipathy

wie how, as

wieder•finden recover, find again

wieder•gebären give birth to again

wieder•geben return, give back

weider•herstellen restore, repair

wiederholen repeat; **wiederholt** repeatedly

die **Wiederkehr** return, recurrence

wiederum again, repeatedly

die **Wiege, –n** cradle

weigen, o, o weigh

das **Wikingerblut** blood of the Vikings

der **Wikingergeist** Viking spirit

der **Wikingerinstinkt, –e** Viking instinct

die **Wikingerschar, –en** Viking band

wild wild

der **Wille, –ns, –n** will, design, pleasure

willig willing

willkommen welcome

winden, a, u wind, weave

der **Winkel, –** corner, angle

winzig tiny

der **Wirbel, –** whirl, vortex

wirken effect, work, produce

wirklich real, true, actual

die **Wirklichkeit, –en** reality

der **Wirklichkeitssinn, –e** sense of reality

wirksam effective

die **Wirksamkeit** effectiveness

die **Wirkung, –en** effect

die **Wirtschaft, –en** economy

wirtschaftlich economic

das **Wirtschaftswesen** character of economic life

die **Wißbegierde, –n** thirst for knowledge

wissen, wußte, gewußt, weiß know, be informed of, understand

das **Wissen** knowledge

die **Wissenschaft, –en** science, knowledge, learning

der **Wissenschaftler, –** scientist

wissenschaftlich scientific

der **Wissensdurst** thirst for knowledge

der **Witz, –e** wit, joke

wo where

wobei in which case, whereas, whereby

die **Woche, –n** week

wodurch whereby, by means of which

woher whence, from where

wohl indeed, well, probably

das **Wohlergehen** well-being, welfare

wohlfeil cheap

wohlgeraten well-bred, successful

wohlhabend rich, affluent

wohllautend euphonious, mellifluous

der **Wohlstand** wealth, comfort

wohnen live, reside

das **Wohnhaus, ⸚er** residence, house

die **Wohnung, –en** dwelling, residence

wollen, wollte, gewollt, will want to, intend to, be about to

die **Wollust** lust, voluptuousness

wonach whereafter; according to which

worauf upon which, whereupon

woraus out of which

worin in which

das **Wort, ⸚er** or **–e** word

sich **worten** form words

der **Wortsinn, –e** sense, literal meaning

wovon from which, whereof

wozu wherefore, for what purpose

die **Wunde, –n** wound

wunderbar wonderful

wunderlich queer, strange

sich **wundern** be surprised, wonder

wundervoll wonderful

der **Wunsch, ⸚e** wish, desire

wünschen wish, desire, long for

die **Würde** dignity, propriety, honor

würdig dignified, worthy

die **Würdigung, –en** appreciation, valuation

der **Wurm, ⸚er** worm

die **Wurzel, –n** root

wüst disorderly, devastated, uncultivated

die **Wüste, –n** desert

die **Wut** rage, fury

der **Wutausbruch, ⸚e** outburst of rage

zählen count

zahlreich numerous

zahm tame

zart tender, delicate, fragile

zartfühlend sensitive

die **Zartheit** tenderness
zärtlich affectionate, tender
der **Zauberkessel, –** magic kettle
zaubervoll magical, full of enchantment
zehnjährig of ten years
zehntausendfach ten-thousand fold
das **Zeichen, –** mark, indication
zeichnen draw, mark
die **Zeichnung, –en** drawing, diagram
zeigen show, exhibit, demonstrate
die **Zeile, –n** line (*in a book*)
die **Zeit, –en** time
das **Zeitalter, –** generation
der **Zeitbegriff, –e** concept of time
der **Zeitgenosse, –n, –n** contemporary
der **Zeitraum, ⁼e** period of time
zeitweilig temporary
zeitweise at times, from time to time
die **Zelle, –n** cell
die **Zementmauer, –n** cement wall
zentral central
das **Zentrum** center, middle; *name given to large political party in Germany*
zerbrechen break in pieces, snap
der **Zerfall** disintegration, decay
zerfallen disintegrate, decay
das **Zerfallsprodukt, –e** product of decomposition
zerflattern be scattered, be strewn about
zerreißen tear to pieces

zerrissen-interessant pessimistic in an interesting manner
zersetzen decompose, decay
zerstören destroy
die **Zerstörung, –en** destruction, distraction
die **Zerstreutheit** absent-mindedness, distraction
die **Zeugung, –en** procreation, begetting
ziehen, zog, gezogen draw, pull, move
das **Ziel, –e** goal, aim, target
zielen aim
ziemlich rather, quite
der **Zigeuner, –** gypsy
das **Zimmer, –** room
der **Zirkel, –** circle, society
zittern tremble, vibrate
die **Zivilkleidung** civilian dress, mufti
zögern hesitate
zu (*prep. with dat.*) to, towards, at; (*adv.*) too; closed
das **Zubehör** belongings, accessories
die **Zucht** breeding, rearing, race
züchten breed, nourish, cultivate
die **Züchtung** breeding, cultivation
zudringlich officious, obtrusive
zueinander to each other
zuerst at first
der **Zufall, ⁼e** accident
zu•fallen accrue, fall to
zufällig accidental
die **Zufälligkeit, –en** fortuitousness, chance

die **Zufallsmacht,** ⁼ **e** power of chance

die **Zufallswendung, –en** turn of fate, accidental turn of fortune

zufrieden satisfied

sich **zufrieden•geben** calm oneself

die **Zufuhr** supply

zu•führen conduct, transport, supply

der **Zug,** ⁼ **e** train, procession; attraction, pull

der **Zugang,** ⁼ **e** access

zugänglich accessible

zu•geben concede, allow

zu•gehen transpire, happen, take place

die **Zugehörigkeit, –en** membership, belonging

zügeln curb, check

zugeneigt inclined

zu•gestehen grant, concede, admit

zugleich at the same time, at once

zu•greifen grasp, take hold

zugrunde•gehen perish

zugrunde-richten destroy

der **Zuhörer, –** listener, auditor

zuinnerst innermost

zu•kommen be appropriate for

die **Zukunft** future

zukünftig future

die **Zukunftshoffnung, –en** hope for the future

zukunftsmäßig in accordance with the future

zu•lassen permit

zuletzt finally, eventually

zumal above all, especially, especially since

zumeist mostly

zumindest least of all, at least

zu•muten impute to

zunächst first, next

die **Zunahme** increase

die **Zunge, –n** tongue

zunichte•machen destroy completely

zurecht•bringen put in order

zurecht•finden find one's way

zu•reden encourage

zurück•bleiben remain behind

zurück•blicken look back

zurück•bringen return, bring back

zurück•denken think back

zurück•dringen push back, drive back

zurück•führen lead back

zurück•gehen go back

zurück•greifen relate back, return to

die **Zurückhaltung, –en** reserve, caution

zurück•kehren return

zurück•kommen return, come back

zurück•lenken steer back, guide back

zurück•reißen snatch back

zurück•versetzen transport back

zurück•wirken react upon

zusammen together

zusammen•arbeiten work together

zusammen•bringen bring together

der **Zusammenbruch, ̈e** collapse, failure

zusammen•fallen coincide

zusammen•fassen summarize, compress

zusammen•gehen go together

die **Zusammengehörigkeit** belonging together, solidarity, homogeneity

zusammen•halten hold together

der **Zusammenhang, ̈e** coherence, context, continuity

zusammen•hängen hang together, be connected, cohere

zusammen•setzen put together

die **Zusammensetzung, –en** combination, formation

zusammen•stellen group, place together

zusammen•tragen carry together, compile

zusammen•wirken work together, cooperate

zusammen•zucken jerk, be startled

zu•schauen look on, watch

der **Zuschauer, –** spectator

zu•schneiden trim to fit

zu•schreiten stride toward

zu•sehen look on, watch

zu•sprechen whisper (to), exhort, comfort

der **Zustand, ̈e** circumstance, condition

zu•stehen be appropriate to, be the right of

zu•stimmen agree

zu•streben strive toward, work toward

der **Zustrom, ̈e** tributary, contributing stream

zu•strömen stream toward, flow toward

zutage•fördern bring to light

zutage•kommen come to light

zuteil•werden be allotted to

sich **zu•trauen** have the courage to

zu•treffen prove right

die **Zuverlässigkeit** reliability

die **Zuversicht** confidence, reliance

zuvörderst first of all

zu•wandern wander toward

zuweilen sometimes

zu•weisen assign

zu•wenden turn toward

zu•werfen throw toward

zuwider repugnant, repellent

zu•ziehen invite, attract

der **Zwang** coercion, restraint

zwar to be sure; **und —** namely

der **Zweck, –e** purpose

zweckmäßig practical, useful

zweideutig ambiguous

zweierlei of two kinds, different

der **Zweifel, –** doubt

zweifelhaft doubtful
zweifellos doubtless
der **Zweig, –e** branch
zweitens secondly
die **Zwergmaus, –̈e** harvest mouse
die **Zwiefältigkeit, –en** duality

der **Zwiespalt** discord, dichotomy
zwingen, a, u force, compel
zwischen *(prep. w. dat. or acc.)* between
zynisch cynical